고등 국어
HIGH SCHOOL

실전기출 문제은행

비상 | 박영민

이 책의 단원 구성

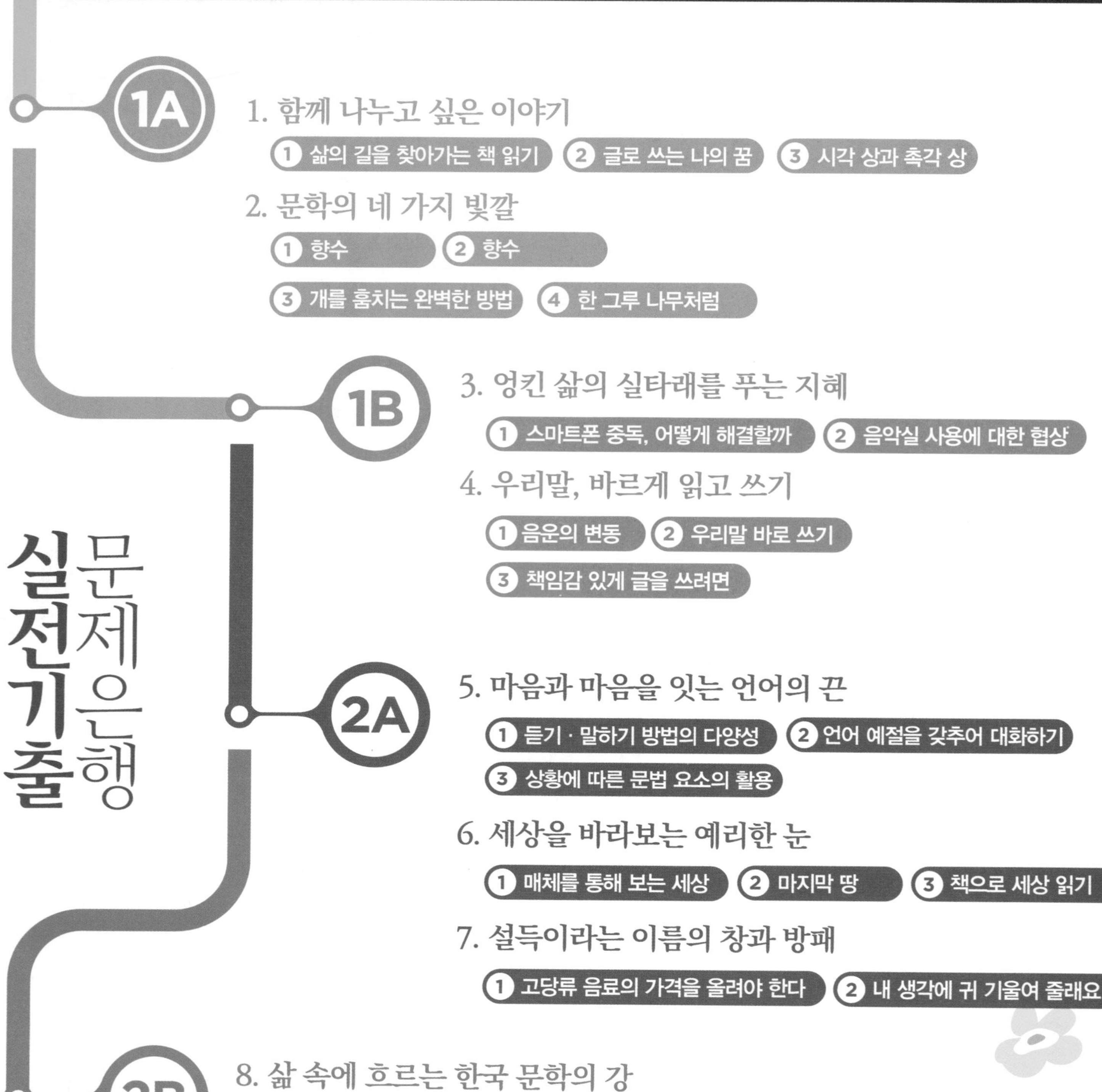

실전기출 문제은행

이 책의 구성 및 특징

교과서 확인학습

- 교과서 핵심내용 해설 및 확인 문제
- 교과서 지문의 핵심내용 파악, 어휘 및 구문 풀이
- O,X 문제 및 서답형 문제 학습

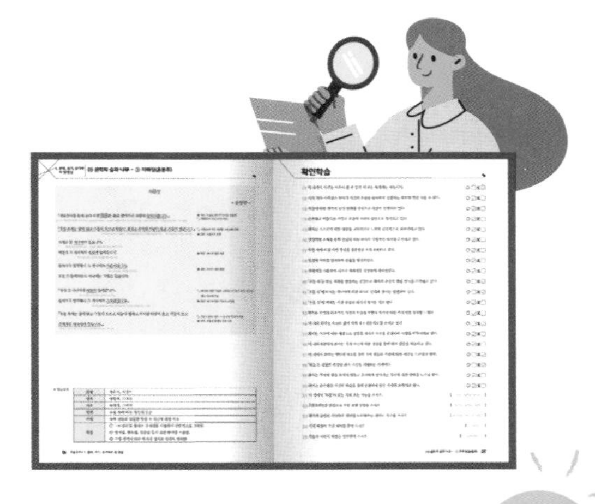

객관식 기본문제

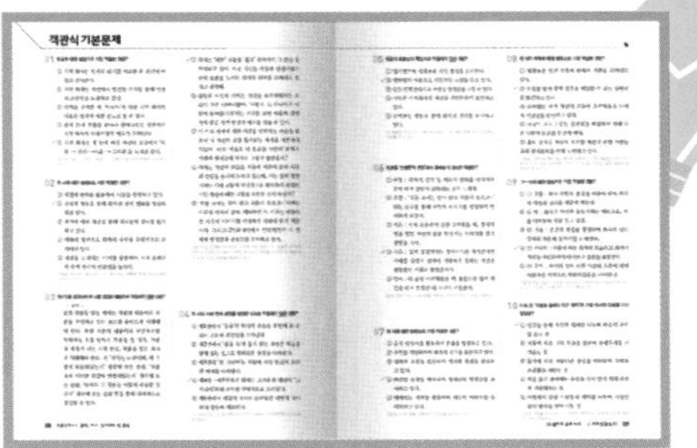

- 기초단계 기출문제 제시 및 풀이능력 체크
- 각 단원의 핵심문제 제시
- 교과서 기반의 기본적인 학습능력 제공

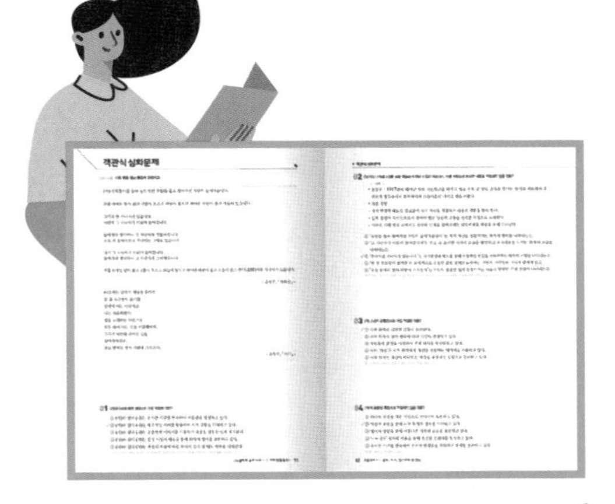

객관식 심화문제

- 중상급 난이도 기출문제 제시 및 오답풀이
- 전국 고등학교 중요 기출문제 엄선 및 풀이
- 변별력 있는 문제 중심으로 기출유형 분석
- 교과서 밖 연계지문 활용 고난도 문제풀이

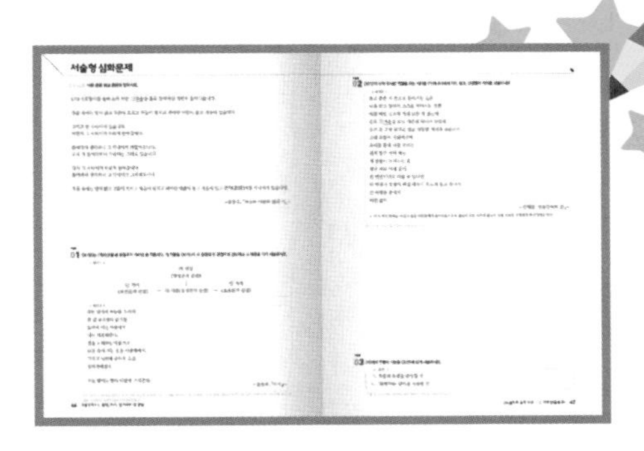

서술형 심화문제

- 서술형 기출문제 제시 및 풀이능력 향상
- 배점 높은 서술형 문제의 적중도를 높임

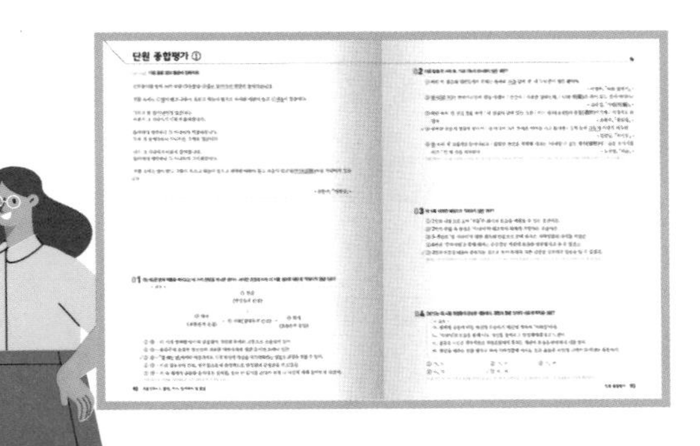

단원별 종합평가

- 단원별 학습 후 모의시험을 통한 수준평가
- 각 단원의 최종 점검 및 학습 마무리

Contents

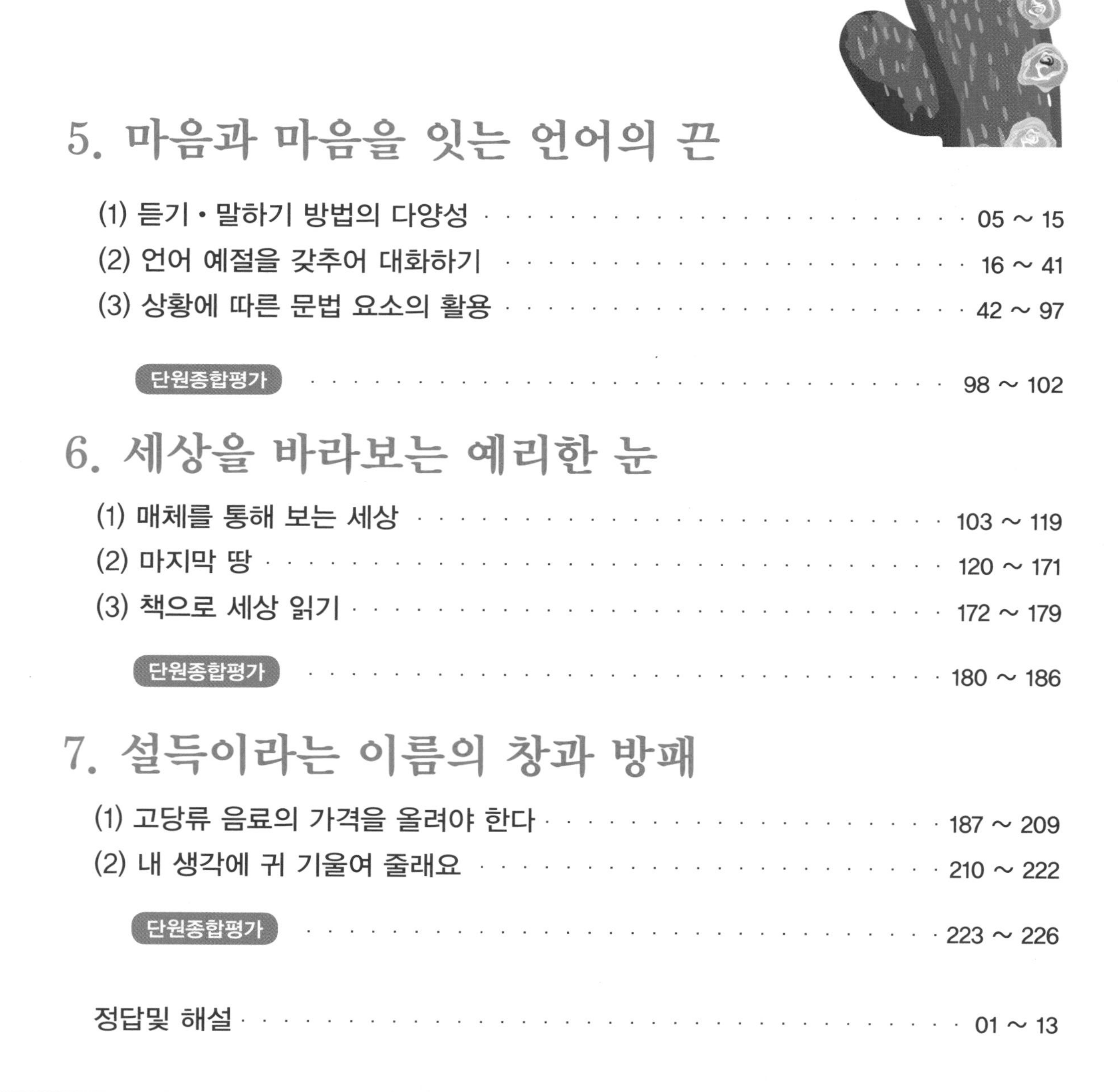

5

마음과 마음을 잇는 언어의 끈

(1) 듣기 • 말하기 방법의 다양성

(2) 언어 예절을 갖추어 대화하기

(3) 상황에 따른 문법 요소의 활용

■ 알아두기

방언의 개념과 특징

한 언어에서, 사용 지역 또는 사회 계층에 따라 분화된 말의 체계(방언의 개념)를 방언이라고 한다. 방언에는 지역 방언과 사회 방언이 있는데, 그중 지역적으로 분화되어 지역에 따라 다르게 쓰는 말(지역 방언의 개념)을 '지역 방언'(방언의 종류 1)이라고 한다. 공적인 상황(표준어 사용이 효과적인 경우)에서는 다수의 국민이 소통하기에 편리한 표준어를 사용하는 것이 바람직하다. 그러나 같은 지역민들 사이에서 정서적 유대감을 나누거나 지역의 향토적, 문화적 특색을 드러내야 하는 경우(지역 방언 사용이 효과적인 경우)에는 지역 방언을 사용할 수 있다.

'사회 방언'(방언의 종류 2)은 언어 공동체에서 세대, 성별, 계층, 직업 등에 따라 특징적으로 쓰는 말(사회 방언의 개념)을 가리킨다. 사회 방언은 집단의 폐쇄성을 드러내기(사회 방언의 특징 1)도 하지만 그것이 사용되는 집단 내에서 의사소통의 효율성을 높이며(사회 방언의 특징 2), 구성원들 간의 친밀감을 형성하는 기능(사회 방언의 특징 3)을 한다. 그리고 지역 방언만큼 뚜렷하지는 않지만, 발음, 어휘, 억양 등에서 표준어와 다른 모습을 보이기(사회 방언의 특징 4)도 한다. 이처럼 방언에는 우리 사회의 다양성이 반영(방언의 가치)되어 있다.

듣기 · 말하기 방식의 다양성

사람들은 저마다 다른 듣기 · 말하기 방식을 사용하여 의사소통에 참여한다. 듣기 · 말하기 방식은 듣고 말하는 내용, 표현이나 말투, 상호 작용 방식 등(다양한 측면에서 나타나는 듣기 · 말하기 방식) 여러 가지 측면에서 다양하게 나타난다. 가령 어떤 사람은 시사 문제에 대해 대화하는 것을 선호하지만 다른 사람은 일상생활에 대해 대화하는 것을 더 선호할 수 있다(듣고 말하는 내용에 따른 다양한 듣기 · 말하기 방식). 정중한 표현을 중요하게 생각하는 사람도 있지만 격의 없는 표현을 선호하는 사람도 있다. 누군가는 듣기를 더 좋아하는 반면 누군가는 말하기를 더 좋아할 수도 있다. 이처럼 듣기 · 말하기의 방식이 다양하게 나타나는 까닭은 무엇일까?

개인적 특성(듣기 · 말하기 방식에 영향을 주는 요인 1)에 따라 듣기 · 말하기 방식이 다르게 나타날 수 있다. 예를 들어 *기질이나 성향에 따라 듣기나 말하기 중 어느 한쪽을 더 편하게 생각할 수 있고, 성장 과정이 어떠했느냐에 따라 선호하는 말의 내용이나 말투가 달라질 수도 있다.

이러한 개인적 특성 외에도 세대, 성별, 지역과 같은 집단적 특성에 따라 의사소통의 방식이 다양하게 나타난다.
듣기 · 말하기 방식에 영향을 주는 요인 2

성인층과 청소년층이 선호하는 화제나 사용하는 어휘, 표현 등이 서로 다른 경우가 있으며, 남성과 여성이 사용하는
세대 간 의사소통 방식의 차이 / 성별에 따른 의사소통 방식의 차이

어휘나 말투, 표현, 억양 등도 서로 다르게 나타나는 경우가 있다. 이뿐만 아니라 지역 간에도 어휘나 억양 등에 차이
지역 간 의사소통 방식의 차이

가 있다.

이러한 상황에서 무엇보다 중요한 것은 서로의 차이를 존중하는 자세이다. 가령 특정 지역의 방언이 표준어가 아니라고 하여 고쳐야 한다거나, 말투가 낯설다고 하여 우습다고 생각하는 것은 바람직하지 않다. 나와 상대방의 차이를 인식하고 상대방의 듣고 말하는 방식을 존중하고자 노력한다면 좋은 인간관계를 형성하는 데에도 도움이 된다.
다양한 듣기 · 말하기 방식을 존중하는 것의 긍정적 효과

자신이 존중받는다고 느낄 때 서로에 대한 신뢰가 형성될 수 있고 이것이 인간관계의 기반이 되기 때문이다.

그렇다면 다양성을 존중하면서 의사소통하기 위해서는 어떻게 해야 할까? 첫째, 언어적 민감성을 길러야 한다. 언
다양성을 존중하며 의사소통하는 방법 1

어적 민감성이란 상대방의 말을 주의 깊게 들으면서 말의 의도나 배경을 파악하는 성향을 말하는데, 이를 기르기 위
언어적 민감성의 개념

해서는 다양한 듣기 · 말하기 활동에 참여하면서 말에 담겨 있는 생각과 느낌을 파악해 보는 것이 좋다.
언어적 민감성을 기르는 방법

둘째, 자신의 듣기 · 말하기 특성을 인식하고 성찰해 보아야 한다. 자신의 듣기 · 말하기에 어떤 장단점이 있는지
다양성을 존중하며 의사소통하는 방법 2

알고 이를 성찰하는 사람이 다른 사람의 듣기 · 말하기 방식도 존중할 수 있기 때문이다. 자신의 듣기 · 말하기 특성을 인식하고 성찰하는 것은 자기중심적인 태도를 극복하는 데 도움이 될 것이다.
자신의 듣기 · 말하기 특성 인식 및 성찰의 효용성

셋째, 상황과 목적에 따라 적절한 듣기 · 말하기 방식을 활용하여야 한다. 말하는 상황이 공식적인지 비공식적인지
다양성을 존중하며 의사소통하는 방법 3

에 따라 적절한 말투가 달라질 수도 있다. 또한 말의 목적이 정보의 교환에 있는지, 문제 해결에 있는지, 사회적 관계 유지에 있는지에 따라 말의 내용이 달라질 수 있다. 따라서 상황과 목적을 고려하여 말의 내용과 표현, 상호 작용 방식을 적절히 활용하는 것이 바람직하다.

이와 같이 언어생활에서 다양한 듣기 · 말하기 방식의 차이를 이해하고, 상대를 배려하는 태도를 갖추면 효과적으
바람직한 의사소통 태도

로 의사소통을 할 수 있다.

확인학습

01 대화를 할 때는 개인이나 집단의 화법에 차이가 있음을 인정해야 한다. O☐ X☐

02 이 글은 구어체를 사용하여 독자에게 친근하게 다가가고 있다. O☐ X☐

03 이 글은 비유를 사용하여 표현의 다양성과 아름다움을 느끼게 하고 있다. O☐ X☐

04 말하기 방식은 사람마다 다르지만 듣는 방식은 대부분 다 비슷하다. O☐ X☐

05 어르신과 대화할 때 친구들 사이의 유행어나 준말을 많이 사용하면 대화가 잘 이루어지지 않을 수 있다. O☐ X☐

06 지역방언을 사용하면 의사소통이 원활하지 않으므로 사용하지 않는 편이 좋다. O☐ X☐

07 (　　　　　　) 상황에서 건의할 때는 적절한 높임 표현을 사용하여 정중한 태도로 말해야 한다.

08 듣기 · 말하기 방법에 차이가 나타나는 까닭은 개인이나 집단이 살아온 사회 · 문화적 환경과 (　　　　　　)이 다르기 때문이다.

09 말하기에서 나타나는 세대나 지역의 차이는 (　　　　　　)에 따른 차이이다.

10 이 글은 실제 사연을 예로 들어 문제 상황에 대한 이해를 돕고 있다. O☐ X☐

11 이 글을 권위자의 견해를 바탕으로 주장을 뒷받침하고 있다. O☐ X☐

12 라디오 방송 형식을 사용하여 문제 해결 방안에 깊이 있게 접근하고 있다. O☐ X☐

13 10대 학생들과 어르신들의 대화에서 쓰는 어휘가 차이 나는 것은 교육 수준이 서로 다르기 때문이다. O☐ X☐

14 나와 다르게 말하는 사람이 있더라도 그 사람의 방식을 인정해 주어야 한다. O☐ X☐

15 같은 반 친구들끼리는 같은 세대이기 때문에 말하기 방식에 차이가 없어 대화하기가 쉽다. O☐ X☐

16 의사소통의 방법은 개인적 성향뿐 아니라 세대, 성별, 지역, 직업 같은 사회 · 문화적 특성에 따라서도 다양하게 나타난다. O☐ X☐

17 직업의 특성이 반영된 말은 직군 내에서 의사소통의 효율성을 낮춘다. O☐ X☐

18 지역의 특성이 반영된 말은 같은 방언의 사용자끼리 소속감과 친근함을 느끼게 한다. O☐ X☐

19 세대의 특성이 반영된 말은 세대 내에서 동질성과 친밀감을 느끼게 한다. O☐ X☐

20 (　　　　　　)과 (　　　　　　)이 들어 있는 표현을 고치는 것에서부터 언어의 다양성을 존중하는 태도를 기를 수 있다.

객관식 기본문제

[01~02] 다음 글을 읽고 물음에 답하시오.

일상생활에서 이루어지는 대화는 우리의 인간관계를 형성하는 데 매우 중요한 역할을 한다. 잘못된 대화로 말미암은 오해를 예방하기 위해서는 대화의 상황과 대상 등을 미리 점검하고 상대방을 존중하는 마음으로 소통해야 한다.

듣기와 말하기의 방법은 개인뿐 아니라 집단에 따라서도 달라지는데, 한 공동체 안에서도 지역, 나이, 성별, 계층 등에 따라 다양한 언어의 모습이 나타날 수 있다. 이는 다양한 삶의 방식이 언어에 반영된 것으로, 유사한 언어를 사용하는 사람들끼리는 구성원 간의 친밀감을 형성할 수 있고 의사소통의 효율성을 높일 수 있다. 다만 이러한 언어 현상이 다양성으로 존중받지 못하고 차별과 편견의 대상이 되기도 한다. 지역 방언을 희화화하거나, 특정 성(性)을 비하하는 표현 등이 그 예이다.

이러한 ㉠차별과 편견이 들어 있는 표현을 고치는 것에서부터 언어의 다양성을 존중하는 태도를 기를 수 있다. 다양한 사람이 존재하는 만큼 언어도 다양하다는 것을 이해하고, 누군가를 차별하거나 다른 사람에게 상처를 줄 수 있는 말을 쓰지 않도록 노력해야 한다.

01 윗글을 통해 알 수 있는 내용이 아닌 것은?

① 의사소통 방법은 개인과 집단에 따라 동일하다.
② 지역 방언을 희화화하는 것은 언어 차별의 예이다.
③ 일상적 대화는 인간관계를 형성하는 데 중요한 역할을 한다.
④ 다양한 사람이 존재하는 만큼 언어도 다양함을 이해해야 한다.
⑤ 지역, 나이, 성별, 계층 등에 따라 다양한 언어의 모습이 나타날 수 있다.

02 내용을 뒷받침하기 위한 ㉠의 예로 적절하지 않은 것은?

① 살색 ② 서울로 가다 ③ 벙어리
④ 여류 작가 ⑤ 점쟁이

03 (가)~(다)에 대한 설명으로 적절한 것은?

① (가)의 '똥강아지'와 같은 말을 통해 특정 지역의 문화와 정서를 잘 드러낼 수 있다.
② (가)에서 할머니가 사용하는 '똥강아지'라는 의미를 민주가 이해하지 못한 것은 교육 차이 때문이다.
③ (나)의 '오라베'는 성별의 요인에 의해 발생한 사회 방언 중 하나이다.
④ (나)에서 민주는 학교에서 배운 방언을 통해 오빠와 의사소통을 시도하고 있다.
⑤ (다)의 요리사는 전문성을 강조하면서 시청자와 원활하게 의사소통하고 있다.

04 (가)~(다)의 대화 상황에 대한 설명으로 적절한 것은?

(가) 할머니 : 우리 똥강아지 학교 가니?
손녀 : 할머니, 왜 그렇게 더러운 이름으로 저를 부르시는 거예요?
할머니 : 에비, 옛날에는 아이를 예뻐하면 귀신들이 해코지할까 봐 일부러 하찮은 이름으로 불렀단다. 할머니는 네가 귀한 손녀라서 그렇게 부른 거야.
손녀 : 아, 그렇군요.

(나) (경기도 안산에서)
동생 : 오라베 왔어?
오빠 : 뭐라고? 누가 왔다고?

(다) (TV 시청 중)
요리사 : 지방이 적은 고기의 경우 *라딩을 하여 지방을 넣어서 **브레이징하면 됩니다.
시청자 : 무슨 말을 하고 있는 거지?

*__라딩__ : 고기 속에 인위적으로 지방을 삽입하는 조리 방법.
**__브레이징__ : 채소, 고기를 볶은 다음 물을 조금 넣고 천천히 익히는 것.

① (가)의 '할머니'와 같은 언어를 사용할 경우 지역의 고유한 문화나 정서를 계승할 수 있다.
② (가)의 '할머니'가 사용하는 말을 손녀가 이해하지 못한 이유는 두 사람의 세대가 다르기 때문이다.
③ (나)의 '동생'이 사용한 언어는 동일한 직업 내에서 의사소통의 효율성을 높여준다.
④ (나)에서 '오빠'는 동생이 사용한 전문어의 뜻을 잘 모르기 때문에 동생의 말을 이해할 수 없었다.
⑤ (다)에서 사용한 말의 다른 예시로는 '열공(열심히 공부)', '버정(버스정류장)' 등이 있다.

05 〈보기〉를 이해하기 위해 ㉠~㉤의 예시를 찾아본 것으로 적절하지 않은 것은?

보기

듣기와 말하기의 방법은 개인뿐 아니라 집단에 따라서도 달라지는데, 한 공동체 안에서도 ㉠지역, ㉡세대, 성별, ㉢직업 등에 따라 다양한 언어의 모습이 나타날 수 있다. 이는 다양한 삶의 방식이 언어에 반영된 것으로, 유사한 언어를 사용하는 사람들끼리는 구성원 간의 친밀감을 형성할 수 있고 의사소통의 효율성을 높일 수 있다. 다만 이러한 언어 현상이 다양성으로 존중받지 못하고 차별과 편견의 대상이 되기도 한다. ㉣지역 방언을 희화화하거나, ㉤특정 성(性)을 비하하는 표현 등이 그 예이다.

① ㉠ – 오빠, 오라베
② ㉡ – 안물안궁, 갑분싸
③ ㉢ – 라딩, 브레이징
④ ㉣ – 똥강아지, 망태할아버지
⑤ ㉤ – 김치녀, 한남

객관식 심화문제

[01~05] **다음 글을 읽고, 물음에 답하시오.**

(가) 저는 할머니나 할아버지와 같이 연세가 많으신 분과 대화할 때에 소통이 잘 안 됩니다. 어제도 급히 집을 나가는 길에 옆집 할아버지와 마주쳤는데요, 어디 가느냐고 물으셔서 친구 생파에 간다고 했더니 "친구가 생파를 가져다 달래?"라고 하셔서 어리둥절했어요. 어떻게 해야 대화가 잘 이루어질 수 있을까요?

(나) 다음 달에 아버지께서 서울로 전근을 가시는 바람에 저도 서울로 전학을 가게 되었습니다. 그래서 고민이 생겼어요. 저는 고향 사투리가 편한데, 전학을 가면 서울말만 써야 하는 것은 아닌지 걱정이에요. 지금까지 쓰던 사투리를 그대로 쓰면 안 되나요?

(다) 최근에 친구에게 서운한 일이 있었습니다. 얼마 전 새로 생긴 떡볶이 가게를 지나가면서 친구에게 "배고프지 않아? 여기 떡볶이 엄청 맛있대."라고 했어요. 친구는 "그렇구나."하고 말더군요. 저는 같이 떡볶이를 먹자는 뜻으로 말을 꺼낸 건데 친구가 그렇게 반응하니까 서운했어요. 이런 일이 전에도 몇 번 있었습니다. 제가 서운해하는 게 이상한가요?

(라) 지금까지 다양한 듣기 · 말하기 방법과 관련한 사연을 들어 보았습니다.

개인이나 집단에 따라 듣기 · 말하기 방법이 다양함을 이해하고 존중하는 자세가 중요해요.

첫째, 사회 · 문화적 특성에 따른 다양성을 이해하고 존중해야 해요.

듣기 · 말하기 방법은 세대나 지역 등의 사회 · 문화적 특성에 따라 다를 수 있으므로, 그 차이를 이해하고 존중해야 합니다.

㉠<u>우선 청소년 세대는 신어, 준말 등을 자주 쓰고, 노년 세대는 예스러운 표현을 많이 씁니다.</u> 이러한 말들은 그 세대의 문화가 반영된 것이므로 서로의 표현을 이해하고 존중하는 태도가 필요합니다. 그리고 다른 세대에 속한 사람과 대화할 때에는 상대방이 이해할 수 있도록 배려하여 말해야 합니다.

지역에 따른 말하기 방법의 차이는 지역 방언을 보면 알 수 있습니다. 지역 방언에는 그 지역 사람들의 삶의 방식과 정서가 녹아 있습니다. 그래서 ㉡<u>지역 방언은 그 자체로 가치가 있으므로, 지역 방언의 특성을 인정하고 존중하는 태도를 지녀야 합니다.</u> ㉢<u>다만 공적인 대화를 할 때에는 의사소통을 원활하게 하기 위해 표준어를 쓰는 것이 좋습니다.</u>

둘째, ㉣<u>개인적 성향에 따른 차이를 이해하고 존중해야 해요.</u>

듣기 · 말하기 방법은 사회 · 문화적 특성 외에 개인적 성향에 따라서도 다양하게 나타납니다. 예를 들면, ㉤<u>자기 생각을 말할 대 직접적으로 말하는 사람도 있고 우회적으로 말하는 사람도 있습니다.</u> 이는 개인별 특성일 뿐, 어느 것이 더 낫다고 말할 수는 없습니다. 하지만 상대방이 대화하면 갈등이 생길 수 있지요. 그러므로 상대방의 듣기 · 말하기 방법을 이해하고 서로 배려하는 자세를 지니는 것이 좋습니다.

청취자 여러분, 앞의 사연을 보내온 사람들에게 어떤 조언을 해 주고 싶나요?

지금까지 "대화를 잘하려면 어떻게 해야 할까?" 라는 주제로 이야기해 보았습니다. 대화는 말로써 상대방과 마음을 나누는 일입니다. 대화를 원활하게 하려면 상대방이 어떤 사람이고 어떠한 상황에 놓여 있는지를 먼저 살펴야 하며, 상대방을 배려하고 존중하는 듣기 · 말하기 태도를 지녀야 합니다.

---

01 윗글의 특징으로 적절하지 <u>않은</u> 것은?

① 질문을 통해 청취자들의 적극적인 생각을 유도하고 있다.
② 주로 구어체를 사용하여 친근하게 이야기하듯 내용을 전달하고 있다.
③ 라디오 방송 형식으로 다양한 듣기 · 말하기 방법에 대해서 이야기하고 있다.
④ 학생들이 일상생활에서 경험할 법한 구체적인 대화 사례를 제시하고 있다.
⑤ 진행자는 사연을 보낸 사람들의 말하기 방법이 잘못되었음을 구체적으로 지적하여 바로 잡아주고 있다.

02 (가)~(다)의 사연에 맞는 근거를 (라)에서 바르게 찾은 것은?

① (가) – ㉠　② (가) – ㉡　③ (나) – ㉣
④ (나) – ㉤　⑤ (다) – ㉢

03 (라)의 내용과 일치하지 않는 것은?

① 세대에 따른 언어 차지는 그 세대의 문화가 반영된 것이다.
② 집단뿐만 아니라 개인에 따라서도 말하기 방식에 차이가 있다.
③ 지역 방언은 그 자체로 가치가 있지만 사적인 대화에서는 삼가야 한다.
④ 듣기 · 말하기 방법은 사회 · 문화적 특성 외에 개인적 성향에 따라서도 다양하게 나타난다.
⑤ 상대방의 듣기 · 말하기 방법을 이해하고 서로 배려하면 성공적으로 대화할 수 있다.

04 다음 두 사람의 대화를 분석한 내용으로 가장 적절한 것은?

올해로 99세이신 영미의 할아버지는 경상도 토박이로서 서울에 사는 영미와 집에 잠시 머물고 있다. 영미는 올해 고등학생이 되었다.

영미 : 할아버지, 아버지한테 저 용돈 좀 올려주라고 말씀해주시면 안 돼요?
할아버지 : 뭐할라꼬? 하매 마카 쓴나?
영미 : (잠시 어리둥절한 표정을 지은 후) … 어제는 버카충을 못해서 학교도 걸어갔고, 오늘은 컴싸를 사야하는데 돈이 없어요.
할아버지 : 버카충? 컴싸는 또 뭐꼬. 말을 똑띠 해라.
영미 : (못 알아들어 당황하며) 말을 똑같이 다시 해보라고요?
할아버지 : (답답한 표정으로) 어데. 말을 똑띠 하라꼬. 똑. 띠.

① 상대방의 말 속에 숨은 의미를 이해하지 못하고 있다.
② 상대방의 감정을 깊이 있게 들어주지 않아 문제가 생겼다.
③ 상대방의 화법의 특성을 고려한 말하기가 이뤄지지 못했다.
④ 세대와 성별간의 언어 차이로 인해 의사소통에 문제를 겪고 있다.
⑤ 공적인 말하기 상황임에도 표준어와 존댓말 사용이 적절하지 않았다.

05 (나)를 참고하여 다음을 이해한 것으로 옳지 않은 것은?

㉠ **손녀** : 할머니, 용돈 좀 주세요. 저 버카충 해야 돼요.
할머니 : 뭐라고? 무얼 한다고?

㉡ **여동생** : (오빠에게) 오라베 왔어?
오빠 : 뭐라고? 누가 왔다고?
여동생 : 오빠는 그것도 몰라? 경상도 사투리로 '오빠'가 '오라베'라잖아.

㉢ **의사** : 어레스트! 어레스트! 빨리 전기충격 할 준비해!
간호사 : 네, 알겠습니다!

㉣ 장님, 벙어리

㉤ 여의사, 여류 작가

① ㉠에서 손녀는 자신의 또래 세대가 쓰는 말을 할머니에게 사용하여 의사소통에 어려움을 겪고 있다.
② ㉡에서 여동생은 지역적 특색이 반영된 사투리를 사용하여 오빠와의 친밀감을 높이고 있다.
③ ㉢에서 의사는 전문 분야의 용어를 사용하여 의사소통의 효율성을 높이고 있다.
④ ㉣은 차별과 편견이 들어 있는 표현으로, 누군가에게 상처를 줄 수 있는 말이다.
⑤ ㉤에는 성차별이 담겨 있으므로 '의사, 작가'로 고쳐 표현하는 것이 적절하다.

서술형 심화문제

01 윗글을 바탕으로 다음 사연을 보낸 이에게 해 줄 말로 가장 적절한 것은?

오늘 국어 수업 시간이었습니다. 국어 선생님께서 재미있는 이야기를 해주신다며, “형을 아주 좋아하는 사람을 뭐라고 하는 줄 아니?”라고 질문하셨습니다. 우리 반 아이들이 뭔지 모르겠다고 하니, 선생님께서 “그건 바로 형광펜이야. 하하하.”라고 하셨습니다. 순간 아이들은 갑자기 조용해졌습니다. 그때 제가 “아~ 갑분싸~!”라고 하자 국어 선생님께서 무슨 말인지 아이들에게 물어보셨습니다.

02 다음과 같은 단어들을 사용할 때 얻을 수 있는 공통된 효과는 무엇인지 서술하시오.

- 세대의 특성이 반영된 말
  - ▸ 아우, 벗
- 지역의 특성이 반영된 말
  - ▸ 물꾸럭(문어의 제주 방언)
- 직업의 특성이 반영된 말
  - ▸ 어레스트(심실이 수축을 정지하고 보충 수축이 없는 상태를 뜻하는 의료용어)

03 다음 대화에서 ‘민주’가 처음에 ‘할머니’의 말을 이해하지 못한 이유를 서술하시오.

언어 예절을 갖추어 대화하기

대화는 두 사람 이상이 모여 서로의 생각과 느낌을 말로 표현하고 이해하는 활동이다. 우리는 일상생활에서 늘 대화를 하다 보니 대화의 밑바탕이 되는 기본 원리에 소홀할 때가 있다. 대화에 참여한 사람들이 서로를 존중하고 서로에게 예의를 갖추어 정중하게 대하는 것이 곧 대화의 기본 원리이다.

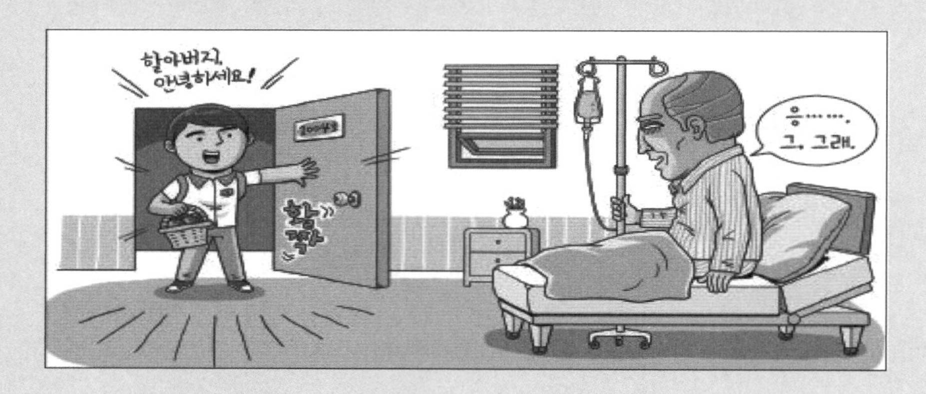

위의 대화 상황에서 남학생은 병원에 입원하신 할아버지께 안부 인사를 하고 있다. 하지만 문병을 간 상황에서는 아픈 사람에게 "안녕하세요?"와 같이 인사하는 것이 예의에 어긋나는 말하기가 될 수 있다. 이처럼 대화에서는 말하는 내용 자체가 정당하더라도 대화 상황이나 대화 상대에 맞지 않으면 적절한 말하기로 받아들여지지 않을 수 있다. 지금부터 다양한 대화 상황을 살펴보면서 어떻게 말하는 것이 언어 예절을 갖추어 말하는 것인지 알아보자.

(몸과 건강이 안녕하지 못한 상황이기 때문임.)
(대화 상황과 대화 상대에 맞게 말해야 하는 이유)

부탁하는 상황의 말하기

부탁은 다른 사람에게 어떤 일을 해 달라고 청하거나 맡기는 말하기로, 부탁하는 말을 할 때에는 상대방이 부담을 가질 수 있음을 고려해야 한다.

(부탁하는 말을 할 때 고려할 점)

㉮의 남학생은 여학생의 입장을 고려하지 않고 자기가 원하는 바를 직접적으로 말함으로써 상대방에게 부담을 주고 있다. 반면에 ㉯의 남학생은 먼저 자기 처지를 설명하고, 자기가 원하는 바를 "미안하지만 ~ (해) 줄래?"라고

(바쁜 상황) (여학생이 문을 닫기를 바람.) (춥다고 느낌.) (자기의 의도를 말하기 전에 양해를 구함.)

*완곡하게 말함으로써 상대방의 부담을 덜어 주고 있다. 이처럼 부탁하는 상황에서는 자기 처지를 설명하고 상대방의 입장을 배려하여 상대방이 부담을 덜 수 있게 말하는 것이 좋다.
부탁하는 상황에서의 바람직한 말하기 방법

*완곡하게: 말하는 투가, 듣는 사람의 감정이 상하지 않도록 모나지 않고 부드럽게.

건의하는 상황의 말하기

건의는 개인이나 단체가 의견이나 희망 사항을 내놓는 말하기로, 건의하는 말을 할 때에는 부탁할 때와 마찬가지로 상대방이 부담을 느낄 수 있다는 점을 고려해야 한다.

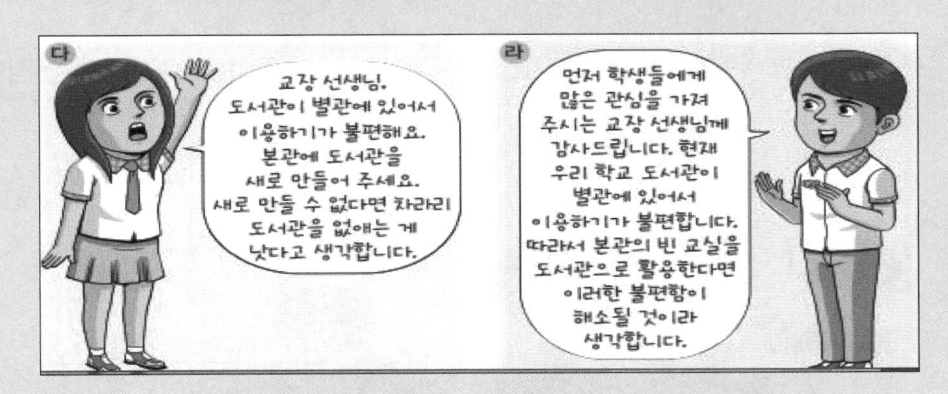

㉰의 여학생은 실현하기 어려운 방안을 제시하면서 상대방의 입장을 고려하지 않고 감정적으로 말하고 있다. 이러한 말하기는 문제가 심각하다는 사실이 *각인되게 하는 효과를 거둘 수는 있지만, 상대방에게 부담을 느끼게 함으로써 문제 해결을 어렵게 만들 수 있다. ㉱의 남학생은 먼저 인사말을 하여 상대방을 존중하는 태도를 보였으며, 문제를 해결하기 위해 실현 가능한 방안을 제시하면서 차분하게 말하고 있다. 이처럼 건의하는 상황에서는 상대방을 존중하는 태도로 차분하게 말하면서 상대방의 부담을 덜어 주는 것이 좋다.
본관 도서관 신설
교장 선생님의 입장을 고려하지 않은 채 자신의 불편한만을 호소하고 극단적으로 표현함.
건의하는 말하기를 할 때의 태도
본관의 빈 교실을 도서관으로 활용하는 방안을 제시함.
건의하는 상황에서의 바람직한 말하기 방법

*각인되게: 머릿속에 새겨 넣듯 깊이 기억되게.

거절하는 상황의 말하기

거절은 다른 사람의 부탁이나 제안을 받아들이지 않고 물리치는 말하기로, 거절하는 말을 할 때에는 상대방이 부담을 가질 수 있다는 점에 유의해야 한다.
거절하는 말을 할 때의 유의할 점

㉲의 남학생은 여학생의 제안에 구체적인 이유를 제시하지 않은 채 거절 의사만을 성의 없이 밝히고 있다. 이러한
거절하는 상황에서 남학생의 바람직하지 않은 말하기 태도
말하기는 상대방의 부담을 크게 함으로써 부탁이나 제안을 한 사람의 기분을 상하게 할 수 있으며, 이런 상황이 반복
거절하는 상황에서의 바람직하지 않은 말하기 태도가 낳는 문제점 ①
되면 인간관계에도 안 좋은 영향을 줄 수 있다. ㉳의 남학생은 여학생의 제안에 먼저 공감을 표현한 후, 자기가 그 제
거절하는 상황에서의 바람직하지 않은 말하기 태도가 낳는 문제점 ② 영화가 재미있을 것이라며 공감을 표현함.
안을 받아들일 수 없는 구체적인 이유를 제시하며 정중하게 말하고 있다. 이처럼 거절하는 상황에서는 상대방이 부
발표 준비를 다 하지 못해서 갈 수 없다고 이야기함. 거절하는 상황에서의 바람직한 말하기 방법
담을 덜 수 있도록 거절의 구체적인 이유를 제시하며 완곡하고 정중하게 말하는 것이 좋다.

사과하는 상황의 말하기

사과는 다른 사람에게 자기의 잘못을 인정하고 용서를 비는 말하기로, 사과하는 말을 할 때에는 상대방의 기분을
사과하는 말을 할 때의 유의점
살펴야 한다.

㉴의 남학생은 사과하면서도 상대방의 감정을 자극하는 말을 하고 있다. 이러한 말하기는 상대방의 기분을 살피지
상대방에게 책임(길이 막히는 상황)을 전가함. 사과하는 상황에서의 바람직하지 않은 말하기 태도가 낳는 문제점
않음으로써 더 심한 갈등을 불러일으킬 수도 있다. ㉵의 남학생은 자기의 잘못을 인정하고 앞으로 주의하겠다고 약
진심 어린 사과의 뜻을 보임.
속함으로써 상대방이 사과를 받아들이도록 말하고 있다. 이처럼 사과하는 상황에서는 진심 어린 사과의 뜻이 전달될
사과하는 상황에서의 바람직한 말하기 방법
수 있도록 상대방의 기분을 살피면서 정중하고 공손하게 말하는 것이 좋다.

언어 예절이란 대화를 할 때 지켜야 할 예절로서, 상대방을 존중하는 마음을 언어로 표현하는 사회적 *관습이다. 대화 내용 자체는 타당하더라도, 대화 상황이나 대화 상대에 맞게 적절하게 말하지 않으면 언어 예절에 어긋날 수 있다.
언어 예절을 지키며 대화하기 위해 고려해야 할 것
언어 예절을 지키지 않으면 다른 사람들과의 의사소통이 원활하게 이루어지기 어렵고, 원만한 인간관계를 유지하기
언어 예절을 지키지 않았을 때 발생하는 문제
어려울 수도 있다. 따라서 대화할 때에는 대화 상황과 대화 상대에 맞게 언어 예절을 갖추어 말하도록 노력해야 한다.
대화할 때 주의할 점

***관습**: 어떤 사회에서 오랫동안 지켜 내려와 그 사회 성원들이 널리 인정하는 질서나 풍습.

⊙ 핵심정리

갈래	설명문
성격	객관적, 해설적, 예시적
제재	언어 예절
주제	대화 상황과 대화 상대에 맞게 언어 예절을 갖추어 말하기
특징	• 다양한 대화 상황에 맞는 적절한 언어 예절을 이해하기 위해 쉽도록 구체적인 사례를 제시함. • 청소년들이 일상생활에서 경험할 수 있는 상황을 제시함.

■ 더 알아보기

대화의 원리 가운데 순서 교대의 원리와 공손성의 원리를 이해하면 의사소통을 원활하게 하는 데 도움이 된다. 순서 교대의 원리란 의사소통 상황에 맞게 청자와 화자의 역할이 원활하게 바뀌는 것을 의미한다. 공손성의 원리란 대화를 하는 사람들끼리 서로 공손하고 예절 바르게 말을 주고받는 것을 의미한다. 공손하다는 것은 어느 정도의 심리적 거리감을 포함하는 것이기 때문에 가까운 사이일수록 공손성의 원리를 지키기가 어렵다. 가깝고 친하다는 이유로 함부로 말하면 인간관계가 악화될 수 있으므로, 공손성의 원리를 지켜 말하는 태도가 필요하다.

■ 정리하기

• 대화의 개념과 기본 원리

개념	두 사람 이상이 모여 서로의 생각과 느낌을 말로 표현하고 이해하는 활동임.
기본 원리	대화에 참여한 사람들이 서로를 존중하고 서로에게 예의를 갖추어 정중하게 대하는 것임.

• 대화 상황에 따른 언어 예절

부탁하는 상황	건의하는 상황	거절하는 상황	사과하는 상황
자기의 처지를 설명하고 상대방의 입장을 배려하여 상대방이 부담을 덜 수 있게 말하는 것이 좋음.	상대방을 존중하는 태도로 차분하게 말하면서 상대방의 부담을 덜어 주는 것이 좋음.	상대방이 부담을 덜 수 있도록 거절의 구체적인 이유를 제시하며 완곡하고 정중하게 말하는 것이 좋음.	진심 어린 사과의 뜻이 전달될 수 있도록 상대방의 기분을 살피면서 정중하고 공손하게 말하는 것이 좋음.

↘ ↓ ↓ ↙

대화 상황과 대화 상대를 고려하여 상대방을 존중하고 배려하는 마음을 담아 대화해야 함.

• 언어 예절을 잘 지켜야 하는 이유

언어 예절	대화를 할 때 지켜야 할 예절로서, 상대방을 존중하는 마음을 언어로 표현하는 사회적 관습임.	➔	• 다른 사람들과 원활하게 의사소통하기 어려움. • 다른 사람들과 원만한 인간관계를 유지하기 어려움.

공손성의 원리는 대화할 때 서로 예의 바른 태도를 지켜야 한다는 것으로, 공손하지 않은 표현은 최소화하고 공손한 표현은 최대화하는 것을 말한다. 이 원리는 다음처럼 다섯 가지의 규칙으로 이루어진다.

- 요령의 격률 : 상대에게 부담이 되는 표현은 줄이고, 이익이 되는 표현은 늘린다.
- 관용의 격률 : 자신에게 혜택을 주는 표현은 줄이고, 부담을 주는 표현은 늘린다.
- 칭찬의 격률 : 상대를 비방하는 표현은 줄이고 칭찬하는 표현은 늘린다.
- 겸양의 격률 : 자신을 칭찬하는 표현은 줄이고 겸손하게 표현한다.
- 동의의 격률 : 자신과 상대방의 의견에서 다른 점은 줄이고 공통점은 늘린다.

그리고 협력의 원리란 대화에 참여하는 사람은 대화의 목적과 방향에 맞게 상호 협력하여 대화해야 한다는 것을 말한다. 협력의 원리는 다음처럼 네 가지의 규칙으로 이루어진다.

- 양의 격률 : 대화에서 필요한 만큼만 정보를 제공한다.
- 질의 격률 : 진실이라고 생각하는 정보를 제공한다.
- 관련성의 격률 : 대화의 맥락에 맞는 정보를 제공한다.
- 태도의 격률 : 모호한 표현이나 중의적 표현을 피하고 명료하게 표현한다.

확인학습

01 대화를 원활하게 전개하기 위해서는 순서를 적절히 교대해 가면서 말을 주고받아야 한다는 **순서 교대 원리**에 유의할 필요가 있다. O☐ X☐

02 대화의 흐름과 관계없는 화제를 꺼내는 것은 순서 교대 원리에 어긋난다. O☐ X☐

03 대화란 정해진 순서가 없는 자유로운 형태이기 때문에 순서에 유의할 필요 없이 중요한 이야기라면 아무 때나 이야기해도 괜찮다. O☐ X☐

04 대화를 할 때는 대화의 흐름을 잘 살피고 자신의 대화 순서에 유의하여 순서를 적절히 교대해 가며 말해야 한다. O☐ X☐

05 협력의 원리를 구성하는 네 가지 격률을 적으시오.
( )

객관식 기본문제

[01~05] 다음 글을 읽고 물음에 답하시오.

(가)
상대에게 부탁을 해야 하는 상황에서는, 자신의 사정을 이야기하거나, 상대에게 선택권을 주는 등 상대의 처지를 고려하면서 부담을 줄여 표현하는 것이 좋다. 이렇게 상대에게 부담이 되는 표현 대신 이익이 되는 표현을 하라는 말하기 규칙을 요령의 격률이라고 하는데, 이 격률에 따르면 상대의 부담이 줄어들수록, 상대의 이익이 커질수록 예의 있는 표현이 된다. 직접적인 명령보다는 간접적이고 완곡한 표현이 상대의 부담을 덜어 주므로 예의 있는 표현이라 할 수 있다.

(나)
상대에게 건의를 해야 하는 상황에서는 같이 상대를 배려하며 문제의 원인을 자신의 탓으로 돌려 표현하는 것이 좋다. 이렇게 자신의 이익을 최소화하고 부담을 최대화하라는 말하기 규칙을 관용의 격률이라고 하는데, 이 격률에 따르면 자신의 부담이 커질수록, 자신의 이익이 줄어들수록 예의 있는 표현이 된다.

(다)
상대에 대한 비방을 최소화하고 칭찬을 최대화하라는 말하기 규칙을 칭찬의 격률이라고 하는데, 이 격률에 따르면 상대를 비방하는 것, 칭찬해야 할 상황에서 칭찬을 하지 않는 것은 예의를 갖추지 못한 표현이 된다. 그런데 진심이 담기지 않은 칭찬은 오히려 상대의 기분을 상하게 할 수도 있으므로 주의해야 한다.

(라)
자신에 대한 칭찬은 최소화하고 비방은 최대화하라는 말하기 규칙을 겸양의 격률이라고 하는데, 우리말에서는 “별말씀을요.”, “아직 부족합니다.”와 같이 상대의 칭찬을 부정하고 자신을 낮추어 말하는 표현이 이에 해당한다. 그러나 상대의 칭찬을 지나치게 부정하거나 자기를 비하하는 것은 바람직하지 않으므로 적당한 수준을 고려해야 한다.

(마)
서로 의견이 다를 때에는, 먼저 상대의 제안에 대해 공감을 표현하고 제안의 긍정적인 효과에 대해 언급하며 일체감을 높인 다음 자신의 생각을 말하는 것이 좋다. 그리고 ‘다만’과 같은 완충적인 표현이나 ‘어떨까?’와 같이 선택권을 부여하는 의문문을 사용하여 상대의 감정이 상하지 않도록 부드럽게 말하는 것도 도움이 된다. 이렇게 상대와 자신의 의견 차이를 최소화하고 일치를 최대화하라는 말하기 규칙을 동의의 격률이라고 하는데, 이 격률이 상대의 의견에 무조건 동조하라는 것은 아니다. 만약 대화 초반부터 상대의 의견이 자신과 다름을 직접적으로 드러내면 상대의 기분이 상할 수도 있고, 문제를 원만하게 해결할 수 있는 대화 분위기를 해칠 수도 있다. 따라서 상대의 의견 중 공감할 수 있는 부분에 대해서는 공감을 표현하고 순차적으로 이견이 있는 부분을 이야기하는 것이 바람직하다.

01 다음 설명 중 관용의 격률에 관한 것은?

① 상대에게 부담이 되는 표현 대신 이익이 되는 표현을 하라는 말하기 규칙
② 자신의 이익을 최소화하고 부담을 최대화하라는 말하기 규칙.
③ 상대에 대한 비방을 최소화하고 칭찬을 최대화하라는 말하기 규칙을
④ 자신에 대한 칭찬은 최소화하고 비방은 최대화하라는 말하기 규칙
⑤ 상대와 자신의 의견 차이를 최소화하고 일치를 최대화하라는 말하기 규칙

02 〈보기〉에서 Ⓐ의 승우와 Ⓑ의 서연이 각각 어기고 있는 격률끼리 엮은 것은?

보기

Ⓐ **승우**: 다음 주에 우리 모둠이 발표해야 하니까 금요일까지 자료 정리해서 나한테 보내 줘.
서연: 그렇게 빨리?
Ⓑ **선생님**: 서연아, 발표 자료 정말 잘 만들었더구나. 그래서 내용도 더 잘 전달된 것 같아.
서연: 당연하죠. 제가 뭐 못하는 거 보셨어요? 다음 발표 자료도 기대하세요.

	Ⓐ	Ⓑ
①	겸양의 격률	요령의 격률
②	칭찬의 격률	관용의 격률
③	동의의 격률	칭찬의 격률
④	관용의 격률	동의의 격률
⑤	요령의 격률	겸양의 격률

03 (다)와 관련되는 격률을 어긴 예로 적절한 것은?

① **수빈**: 선생님, 문제를 좀 쉽게 내주셔야 풀죠. 이렇게 어렵게 내시면 누가 풀겠어요?
선생님: 내가 낸 문제가 어렵다고? 수업 때 가르쳐 준 내용으로만 낸 문제였는데.
② **혁민**: 이번에 토론 주제와 관련해서 정리해 준 자료를 내가 잘 이해하지 못해서 그러는데, 혹시 설명을 좀 해 줄 수 있을까?
재연: 그랬구나. 내가 좀 더 쉽게 이해할 수 있는 자료를 찾아보고 설명도 해 줄게.
③ **현진**: 너 진로 시간에 발표할 때 너무 많이 떨더라. 다른 사람들 앞에서 이야기할 땐 떨지 말고 확실하게 말해야지.
재경: 나 나름대로는 열심히 한 건데 왜 말을 그렇게 하니.
④ **승준**: 너 글 정말 잘 쓰더라. 네가 이번에 쓴 감상문 보고 나도 그 책을 읽고 싶어졌어.
세진: 내 꿈이 작간데, 당연하지. 내가 원래 글은 좀 잘 써.
⑤ **수민**: 이번에 반 모임할 때 다 같이 작은 체육 대회를 해 보는 게 어떨까?
지연: 이 날씨에 체육 대회를 좋아할 사람이 어디 있어. 그냥 맛있는 거나 먹자.

04 (마)를 바탕으로 <보기>의 문제점을 설명한 것으로 적절한 것은?

보기

준이: 오늘 학교 끝나고 떡볶이 먹을까? 학교 앞에 매운 떡볶이 가게 생겼는데 완전 맛있대! 혹시 매운 거 먹는 게 어려우면 네가 다른 걸로 골라 볼래?

석기: (아, 나는 매운 걸 못 먹는데, 거절하면 기분 나쁘겠지?) 아냐. 너 떡볶이 먹고 싶어 하는 것 같은데, 그거 먹자.

① 준이가 완충적인 표현을 사용하지 않았다.
② 준이가 석기에게 선택권을 부여하는 의문문을 사용하지 않았다.
③ 석기가 준이의 의견에 무조건적으로 동조했다.
④ 석기가 대화 초반부터 준이와 의견이 다름을 직접적으로 드러냈다.
⑤ 준이가 석기에게 거절하기 어려운 이야기를 하고 있다.

05 다음 중 어기고 있는 대화의 원리가 이질적인 것은?

① **서연**: 나 지난 주말에 강화도에 다녀왔잖아. 고인돌이 엄청 크더라고. 고인돌은 선사 시대의 무덤……
승우: (속으로) 10분째 자기 놀러 갔다 온 얘기만 하네. 휴, 언제 끝나.

② **지애**: 석재야, 네 생각은 어떠니?
석재: (아무 말 없이 앉아서) ……
재하: 석재야, 같이 얘기하면 좋겠어. 우리는 네 생각도 궁금해.

③ **승우**: 이번 학기 소풍은 어디로 가면 좋을까?
서연: 응, 나는……
윤아: (말을 끊으며) 안동 하회 마을 어때? 나는 진짜 좋던데.

④ **서연**: 얘들아, 우리 발표 끝난 기념으로 다 같이 피자 사 먹고 가자. 그동안 다들 힘들었잖아.
승우: 난 싫어. 어제 발표 준비하느라 피곤한데, 피자는 무슨 피자. 집에 가서 쉴래.

⑤ **지애**: 우리 학교 매점에서도 떡볶이를 팔면 좋겠어.
석재: 맞아. 간단히 먹기 좋잖아.
재하: 근데, 오늘 국어 과제 정말 많지 않아?

객관식 심화문제

01 〈보기〉는 글쓰기 상황과 학생이 작성한 개요이다. 이를 검토한 선생님이 조언할 내용으로 적절하지 않은 것은?

보기

- 문제 상황 : 친구들이 쉬는 시간에 서로 어울리기보다는 다들 휴대 전화로 게임에만 몰두함.
- 통계 자료 : 전교생을 대상으로 '쉬는 시간에 주로 무엇을 하십니까?'라는 내용의 설문 조사를 한 후 통계로 산출함 ………… ㉠
- 예상 독자 : OO고등학교 학생들 ………… ㉡
- 주제 : 학교에서휴대 전화를 사용하지 않아야 한다. ………… ㉢

1. 서론 : 학생들의 휴대 전화 사용 실태
2. 본론
   (1) 학교에서 과도한 휴대 전화 사용의 문제점 ………… ㉣
   가. 친구들과의 관계가 멀어짐
   나. 무절제한 휴대 전화 사용으로 학업에 지장을 받음
   (2) 휴대 전화 사용을 절제하기 위한 방안 ………… ㉤
   가. 등교 후 휴대 전화를 담임 선생님께 맡기기
   나. 휴대 전화를 사용하다가 걸리면 일주일 강제 압수
3. 결론 : 학업과 우정을 위한 휴대 전화 사용의 절제

① ㉠ : 우리 학교 학생들 전체를 대상으로 설문 조사를 하는 건 무리가 되지 않을까? 차라리 친한 친구 몇 명만 대상으로 조사하는 게 나을 것 같은데?
② ㉡ : 네가 쓴 글을 교지에 싣는다면 우리 학교 학생들이 자연스럽게 글을 읽을 수 있겠구나.
③ ㉢ : 요즘 그렇지 않아도 휴대 전화 때문에 말이 많은데 적절한 주제로구나.
④ ㉣ : 문제점이 두 가지밖에 없을까? 다른 친구들은 어떻게 생각하고 있을지 들어보는 것은 어떠니?
⑤ ㉤ : 누군가에게 의존하는 방법보다 너희들이 주체적으로 참여하여 해결할 수 있는 방안을 마련하는 건 어떨까?

02 ㉠의 문제점으로 적절하지 않은 것은?

재영 : 소희야, 이번 주 금요일에 노래방에 가기로 한 약속 잊지 않았지?
소희 : 아, 맞다. 우리 노래방 가리로 했었지. 그런데 난 금요일에 가족 모임이 있어서 노래방에는 못 가. 다음에 가자.
재영 : (황당한 표정으로) 뭐라고? 넌 매번 이런 식이더라. 지난주에도 네가 약속을 잊어버려서 날 한 시간이나 기다리…
소희 : ㉠(재영의 말을 끊으며) 지난번 일은 이미 사과를 했었잖아. 넌 쩨쩨하게 지난 일을 들추고 그러니? (언짢은 표정으로) 뭐 어쨌든 미안. 노래방은 같이 못 가겠어.
재영 : (화난 표정으로) 너 지금 말 다했니?

① 상대방을 탓함으로써 상대방의 감정을 상하게 했다.
② 상대방의 말을 가로채어 대화의 순서를 지키지 않았다.
③ 부적절한 비언어적 표현으로 인해 진심이 담긴 사과로 느껴지지 않는다.
④ 미안하다는 표현을 하지 않아 상대방에게 미안한 마음이 전달되지 않았다.
⑤ 자신의 잘못을 구체적으로 밝히지 않아 잘못을 인지하고 있다는 느낌이 들지 않는다.

[03~04] 다음 글을 읽고 물음에 답하시오.

연호 : ㉠(명찬의 지갑에서 돈을 꺼내며) 명찬아, 나 천 원만 빌려줘.
명찬 : 왜? 천 원으로 뭐하려고? 나 오늘 그 돈으로 미술 준비물을 사야해.
연호 : ㉡돈 천 원 빌려주면서 뭘 그렇게 꼬치꼬치 캐묻니? 못 빌려주면 마는 거지. 너 나한테 너무 집착하는 거 아니야?
명찬 : 연호야, 넌 부탁하는 애가 말투가 그게 뭐니? 부탁을 할 때는 ㉢요령의 격률을 활용해서 상대방이 느낄 부담을 덜어 줘야지!

03 연호의 행동과 발화를 분석한 내용으로 적절하지 않은 것은?

① ㉠ : 상대방에 대한 배려 없이 무례한 행동을 하고 있다.
② ㉠ : 부탁의 이유를 말하지 않아서 상대방이 상황을 이해하기 어렵게 만들고 있다.
③ ㉠ : 상대방의 의사를 고려하지 않고 일방적으로 자신의 요구만을 이야기하고 있다.
④ ㉡ : 상대방을 비난하듯 말하여 상황에 맞는 언어예절을 갖추지 않았다.
⑤ ㉡ : 말하는 내용은 올바르지만 상대방의 처지를 고려하지 않아 내용 전달을 어렵게 하고 있다.

04 ㉢을 가장 잘 활용한 발화를 고르면?

① 우와, 이 옷 참 멋지다. 오늘 너한테 이 옷 빌려줘.
② 이 옷을 빌려주는 넌 천사야. 다음번엔 나도 옷ㅇㄹ 빌려줄게.
③ 네가 이 옷을 빌려주면 나는 정말 행복할 것 같아. 빌려 줄 거지?
④ 네가 이 옷을 빌려주지 않으면, 미안하지만 나는 오늘 모임에는 못 나갈 것 같아.
⑤ 내가 모임에 입고 나갈 옷이 없어서 그러는데 괜찮으면 이 옷 좀 빌릴 수 있을까?

05 다음 두 사람의 대화를 분석한 내용으로 가장 적절한 것은?

올해로 99세이신 영미의 할아버지는 경상도 토박이로서 서울에 사는 영미와 집에 잠시 머물고 있다. 영미는 올해 고등학생이 되었다.
영미 : 할아버지, 아버지한테 저 용돈 좀 올려주라고 말씀해주시면 안 돼요?
할아버지 : 뭐할라꼬? 하매 마카 쓴나?
영미 : (잠시 어리둥절한 표정을 지은 후) … 어제는 버카충을 못해서 학교도 걸어갔고, 오늘은 컴싸를 사야하는데 돈이 없어요.
할아버지 : 버카충? 컴싸는 또 뭐꼬. 말을 똑띠 해라.
영미 : (못 알아들어 당황하며) 말을 똑같이 다시 해보라고요?
할아버지 : (답답한 표정으로) 어데. 말을 똑띠 하라꼬. 똑. 띠.

① 상대방의 말 속에 숨은 의미를 이해하지 못하고 있다.
② 상대방의 감정을 깊이 있게 들어주지 않아 문제가 생겼다.
③ 상대방의 화법의 특성을 고려한 말하기가 이뤄지지 못했다.
④ 세대와 성별간의 언어 차이로 인해 의사소통에 문제를 겪고 있다.
⑤ 공적인 말하기 상황임에도 표준어와 존댓말 사용이 적절하지 않았다.

06 다음 중, 상황과 대사에 맞는 표현으로 가장 적절하지 않은 것은?

① (학교에 지각했을 때) 선생님, 늦어서 죄송합니다. 다음부터는 늦지 않도록 주의하겠습니다.
② (언니에게 옷을 빌릴 때) 언니 이 옷 안 입어? 미안하지만 오늘 연극을 하는데 하루만 빌릴 수 있을까?
③ (짝꿍의 체육복을 더럽혔을 때) 설마 이만한 일로 화내는 건 아니지? 너도 저번에 내 물통 떨어뜨렸잖아.
④ (선생님께 건의할 때) 선생님, 바쁘시지 않다면 저희가 연극을 하는데 잘 하고 있는지 한 번만 봐 주실 수 있을까요?
⑤ (친구에게 청소를 부탁할 때) 수미야, 시간 있어? 오늘 병원에 가야 하는데 하필 청소 당번이야. 괜찮다면 청소 좀 대신 해 줄 수 있을까?

[07~08] **다음 글을 읽고 물음에 답하시오.**

현은 최대화하는 것을 말한다. 이 원리는 다음처럼 다섯 가지의 규칙으로 이루어진다.

- 요령의 격률 : 상대에게 부담이 되는 표현은 줄이고, 이익이 되는 표현은 늘린다.
- 관용의 격률 : 자신에게 혜택을 주는 표현은 줄이고, 부담을 주는 표현은 늘린다.
- 칭찬의 격률 : 상대를 비방하는 표현은 줄이고 칭찬하는 표현은 늘린다.
- 겸양의 격률 : 자신을 칭찬하는 표현은 줄이고 겸손하게 표현한다.
- 동의의 격률 : 자신과 상대방의 의견에서 다른 점은 줄이고 공통점은 늘린다.

그리고 협력의 원리란 대화에 참여하는 사람은 대화의 목적과 방향에 맞게 상호 협력하여 대화해야 한다는 것을 말한다. 협력의 원리는 다음처럼 네 가지의 규칙으로 이루어진다.

- 양의 격률 : 대화에서 필요한 만큼만 정보를 제공한다.
- 질의 격률 : 진실이라고 생각하는 정보를 제공한다.
- 관련성의 격률 : 대화의 맥락에 맞는 정보를 제공한다.
- 태도의 격률 : 모호한 표현이나 중의적 표현을 피하고 명료하게 표현한다.

한편 순서 교대의 원리는 대화할 때 화자와 청자의 역할은 고정된 것이 아니라 의사소통 상황에 맞게 끊임없이 서로의 역할이 순환된다는 것을 말한다. 따라서 대화를 원활하게 하려면 혼자 말을 너무 길게 하거나, 다른 사람의 순서에 함부로 끼어들거나 가로채지 않아야 한다. 또 대화에 참여하지 않고 침묵하는 것도 대화 분위기를 어색하게 만들 수 있으므로 바람직하지 않다.

07 **윗글의 내용을 바탕으로 〈보기〉의 상미에게 할 수 있는 조언으로 가장 적절한 것은?**

보기

현희 : 수미야, 어제 귀걸이 샀다며? 그 귀걸이…….
상미 : 참, 현희야. 수행평가 다 했어? 난 아직 준비 못했어.
현희 : 응, 아까 끝냈어. 수미야, 귀걸이 언제 할거야?
수미 : 응 그거…….
상미 : 현희야, 넌 진짜 좋겠다. 나는 언제 하지?
수미 : 상미야, 나도 이야기 좀 하자.

① 순서 교대의 원리를 지켜 서로 적절하게 말하도록 신경을 써야 해.
② 협력의 원리를 지켜 상대방에게 진실이라고 생각하는 정보를 제공해야 해.
③ 협력의 원리를 지켜 맥락에 맞는 정보를 제공해야 대화가 잘 이루어져.
④ 협력의 원리를 지켜 모호하거나 중의적인 표현을 피하고 명료하게 말하는 것이 좋지.
⑤ 공손성의 원리를 지켜 상대를 비방하는 표현은 줄이고 칭찬하는 표현은 늘리는 것이 필요해.

08 윗글을 참고하여, 〈보기〉의 대화를 평가할 때 옳은 것을 있는 대로 모두 고른 것은?

보기

명찬 : 연호야, 오늘 나대신 청소 좀 해줘.
진호 : 음, 나 오늘 옆 반 애들이랑 축구시합을 하기로 했는데……. 왜? 너 무슨 일 있어?
명찬 : 그냥 좀 바빠서 그래. 쩨쩨하게 굴지 말고 좀 해줘.
연호 : 야, 너는 부탁하는 애가 뭐 그러냐?
명찬 : 그래? 미안하다. 근데 나도 사정이 있어. 갑자기 중요한 약속이 생겼거든……. (부루퉁한 표정을 지으며) 반장인 네가 나를 이해해줬으면 좋았을텐데. 어쨌든 미안.
연호 : 너 정말 미안한 거 맞니?

ㄱ. 명찬이가 연호에게 부담을 느끼게 부탁을 한 것은 '요령의 격률'에 어긋난다.
ㄴ. 명찬이는 연호를 탓하는 말을 함으로써 '양의 격률'에 어긋나는 말하기를 하였다.
ㄷ. 명찬이는 부적절한 비언어적 표현을 사용하여 상대방을 기분 나쁘게 했다.
ㄹ. 명찬이가 변명을 한 것은 '질의 격률'에 어긋난다.
ㅁ. 연호는 명찬이가 '관련성의 격률'을 지키지 않아 사과에 의심을 품었다.

① ㄱ, ㄴ ② ㄱ, ㄷ ③ ㄴ, ㄷ ④ ㄷ, ㄹ ⑤ ㄹ, ㅁ

09 〈보기〉는 상대방을 존중하며 말하기를 실현하기 위해 필요한 규칙이다. 〈보기〉의 ㄱ~ㅁ에 대한 예시 문장이 적절하지 않은 것은?

보기

〈공손성의 원리에는 다음과 같은 규칙이 있다.〉
ㄱ. 상대방에게 부담이 되는 표현은 최소화하고, 이익이 되는 표현은 최대화하라.
ㄴ. 화자는 자신에게 혜택을 주는 표현을 최소화하고 부담을 주는 표현을 최대화하라.
ㄷ. 다른 사람에 대한 비난의 표현은 최소화하고 칭찬이나 맞장구치는 표현은 최대화하라.
ㄹ. 자신에 대한 칭찬을 최소화하고 비난은 최대화하라.
ㅁ. 상대방과 불일치하는 표현은 최소화하고 일치하는 표현은 최대화하라.

① ㄱ : 미안한데, 창문 좀 닫아 주시겠습니까?
② ㄴ : 제가 검토를 했어야 하는데, 다 제 탓입니다.
③ ㄷ : 김 과장님은 행복하시겠네요. 승진도 하시고 자녀들이 취직까지 했으니 얼마나 기쁘세요!
④ ㄹ : 제가 무심코 한 일인데 큰 사고를 막을 수 있어서 스스로도 대견하게 생각합니다.
⑤ ㅁ : 음, 너의 생각이 참신하구나. 그런데 이 방법은 어떨까?

10 (가), (나)의 대화를 읽고 나서, 교사의 질문에 가장 적절하게 반응한 학생은?

(가)
할아버지 : 너 무얼 그렇게 골똘히 생각하냐?
손자 : 친구 생파에 갑니다. 그런데 생선으로 문상을 준비해갈까 생각 중입니다.
할아버지 : 친구가 생선 요리를 하는구나! 그래서 생파를 가져다 달래?
손자 : ....

(나) 떡볶이 가게를 지나는 상황
A : 배고프지 않아? 여기 떡볶이 엄청 맛있대
B : 그렇구나!
A : (   )

교사 : (가), (나)의 대화를 통해 알 수 있는 말하기 상황에 대해 설명해 봅시다.
정은 : (가)처럼 서로 살아온 지역적 배경이 다르면 말하기 방식이 달라지는 것 같아요.
민아 : (나)의 (   )안에 '실망한 표정을 짓는다.'가 들어가면 A는 완곡어법을 사용한 거라 볼 수 있을 것 같아요.
철수 : (가)의 손자와 할아버지는 받아온 교육 수준의 차이로 말미암아 의사소통에 문제가 생겼어요.
응수 : (나)의 B는 A의 언어적 표현을 이해하지 못해 잘 답변하지 못했어요.
영희 : (가)와 (나)는 성별, 처한 상황에 따른 말하기 방식을 이해하지 못해 의사소통이 제대로 이뤄지지 않았어요.

① 정은 ② 민아 ③ 철수 ④ 응수 ⑤ 영희

서술형 심화문제

01 〈보기〉의 ⓐ, ⓑ에 들어갈 적절한 말을 쓰시오.

보기

대화에서 말의 내용 못지않게 중요한 것이 말의 속도, 어조, 목소리의 크기 등과 같은 (ⓐ)와/과 표정, 몸짓, 시선 등과 같은 (ⓑ)입니다.

[02] 다음 글을 읽고 물음에 답하시오.

(가) 안녕하세요. 청취자 여러분, 오늘 주제는 "대화를 잘하려면 어떻게 해야 할까?"입니다. 이 주제와 관련하여 여러분이 보낸 사연을 살펴보고 이야기를 해 보려 합니다.

대화는 두 사람 이상이 모여 말로써 서로의 생각과 느낌을 주고받는 의사소통 방법입니다. 하지만 모든 대화가 생각대로 잘 이루어지는 것은 아니지요.

여러분은 대화하면서 어려움을 느낀 경험이 있나요? 대화하다가 마음에 상처를 받거나 반대로 상대방에게 상처를 준 적은 없나요? 다음은 대화를 어떻게 해야 할지 고민하는 학생들이 보내온 사연입니다. 함께 살펴보며 대화를잘하는 방법을 알아볼까요?

(나) 대화할 때에는 서로 적절하게 순서를 지키며 말을 주고받아야 합니다. 혼자 계속해서 말하거나 상대방의 말을 가로채면 대화가 원활하게 이루어지지 않습니다. 또 상대방을 존중하면서 공손하게 말해야 합니다. 이러한 것들이 대화의 원리이죠. 그리고 대화할 때에는 무엇보다 상황과 대상에 맞게 언어 예절을 갖추어 말하는 것이 중요합니다.

그렇다면 '언어 예절'이란 무엇일까요? 이는 상대방을 존중하고 배려하는 마음을 언어로 표현하는 방식이 사회적으로 관습화된 것을 가리킵니다. 언어 예절을 갖추어 대화하려면 말하는 이와 듣는 이 사이의 관계, 대화 상황 등을 고려해야 합니다. 서로의 관계와 대화 상황 등을 고려하지 않으면, 말하는 내용이 올바르더라도 오해가 생기거나 감정이 상하는 등 이런저런 문제가 일어날 수 있기 때문이다.

그럼 학생들이 보내온 사연을 함께 듣고, 궁금증을 해결해 볼까요?

(다) '부탁'과 관련한 명찬이의 사연을 들어 봅시다.

부탁할 때에도 방법이 있나요? 제가 부탁하면 상대방이 기분 나빠 하는 것 같아요. 저는 이렇게 했어요.

명찬 : 연호야, 오늘 나 대신 교실 청소 좀 해 줘.
연호 : 음, 나 오늘 옆 반 애들이랑 축구시합을 하기로 했는데……. 왜? 너 무슨 일 있어?
명찬 : 그냥 좀 바빠서 그래. 쩨쩨하게 굴지 말고 좀 해 줘.
연호 : 야, 너는 부탁하는 애가 뭐 그러냐?

(라) 지금까지 "대화를 잘하려면 어떻게 해야 할까?" 라는 주제로 이야기해 보았습니다. 대화는 말로써 상대방과 마음을 나누는 일입니다. 대화를 원활하게 하려면 상대방이 어떤 사람이고 어떠한 상황에 놓여 있는지를 먼저 살펴야 하며, 상대방을 배려하고 존중하는 듣기 · 말하기 태도를 지녀야 합니다. 그래야 서로의 관계도 원만하게 이어 나갈 수 있지요. 여러분 모두가 이런 것들을 잘 기억하여 실천하기를 바랍니다.

02 위의 글을 읽고 다음 질문에 답하시오.

(1) (다)에서 부탁하는 말하기를 하는데 적절하지 않은 점을 구체적으로 세 가지 기술하시오.

(2) 윗글을 통해서 볼 때, 듣기 · 말하기를 할 때 갖추어야 할 태도가 무엇인지 서술하시오.

03 〈보기〉처럼 말했을 때 얻을 수 있는 효과는 무엇인지 서술하시오.

보기

부탁은 이렇게 하세요.

첫째, 상대방의 상황을 살펴야 해요. 부탁은 상대방에게 어떤 것을 요청하는 말하기이므로, 상대방이 그 청을 들어줄 수 있는 상황인지를 먼저 살펴야 합니다.

둘째, 상대방이 부담을 덜 느끼도록 공손하게 말해야 해요. '괜찮다면', '~할 수 있어?' 등과 같은 표현이나 '조금', '잠깐만' 등과 같은 표현을 사용하면 좋습니다.

셋째, 부탁하는 까닭을 말해야 해요. 부탁하는 까닭을 설명하지 않은 채 무턱대고 부탁하면 상대방은 부탁하는 상황을 이해하기 어렵습니다. 때에 따라서는 상대방에게 무례하다는 느낌을 줄 수도 있습니다.

[04~08] **다음 글을 읽고 물음에 답하시오.**

(가) 안녕하세요. 청취자 여러분, 오늘 주제는 "대화를 잘하려면 어떻게 해야 할까?"입니다. 이 주제와 관련하여 여러분이 보낸 사연을 살펴보고 이야기를 해 보려 합니다.

대화는 ________㉠________ 입니다. 하지만 모든 대화가 생각대로 잘 이루어지는 것은 아니지요.

여러분은 대화하면서 어려움을 느낀 경험이 있나요? 대화하다가 마음에 상처를 받거나 반대로 상대방에게 상처를 준 적은 없나요? 다음은 대화를 어떻게 해야 할지 고민하는 학생들이 보내온 사연입니다. 함께 살펴보며 대화를 잘하는 방법을 알아볼까요?

(나) 부탁은 이렇게 하세요.

첫째, 상대방의 상황을 살펴야 해요.

부탁은 상대방에게 어떤 것을 요청하는 말하기이므로, 상대방이 그 청을 들어줄 수 있는 상황인지를 먼저 살펴야 합니다. 상대방의 처지를 고려하지 않고 자신의 요구만 앞세워 말한다면 상대방의 기분을 상하게 할 수 있습니다.

둘째, 상대방이 부담을 덜 느끼도록 공손하게 말해야 해요.

부탁할 때에는 상대방이 부담을 덜 느끼도록 공손한 표현을 사용하는 것이 좋습니다. '괜찮다면', '~할 수 있어?' 등과 같은 표현이나 '조금', '잠깐만' 등과 같은 표현을 사용하면 상대방이 부담을 덜 느낄 수 있습니다.

셋째, 부탁하는 까닭을 말해야 해요.

부탁하는 까닭을 설명하지 않은 채 무턱대고 부탁하면 상대방은 부탁하는 상황을 이해하기 어렵습니다. 때에 따라서는 상대방에게 무례하다는 느낌을 줄 수도 있습니다.

(다) 개인이나 집단에 따라 듣기 · 말하기 방법이 다양함을 이해하고 존중하는 자세가 중요해요.

첫째, 사회 · 문화적 특성에 따른 다양성을 이해하고 존중해야 해요.

듣기 · 말하기 방법은 세대나 지역 등의 사회 · 문화적 특성에 따라 다를 수 있으므로, 그 차이를 이해하고 존중해야 합니다.

〈중략〉

그래서 지역 방언은 그 자체로 가치가 있으므로, 지역 방언의 특성을 인정하고 존중하는 태도를 지녀야 합니다. 다만 공적인 대화를 할 때에는 의사소통을 원활하게 하기 위해 표준어를 쓰는 것이 좋습니다.

둘째, 개인적 성향에 따른 차이를 이해하고 존중해야 해요.

듣기 · 말하기 방법은 사회 · 문화적 특성 외에 개인적 성향에 따라서도 다양하게 나타납니다. 예를 들면, 자기 생각을 말할 때 직접적으로 말하는 사람도 있고 우회적으로 말하는 사람도 있습니다. 이는 개인별 특성일 뿐, 어느 것이 더 낫다고 말할 수는 없습니다. 하지만 상대방이 대화하면 갈등이 생길 수 있지요. 그러므로 상대방의 듣기 · 말하기 방법을 이해하고 서로 배려하는 자세를 지니는 것이 좋습니다.

---

04 ㉠에 들어갈 적절한 내용을 쓰시오.

05 (다)를 바탕으로 〈보기〉의 영희와 민지가 왜 대화에 어려움을 겪는지 서술하시오.

보기

(영희가 급하게 친구 민지에게 전화를 건다. 민지가 전화를 받는다.)

영희 : 민지야, 나 영흰데, 컴퓨터가 안 켜져. 어떡하지?
민지 : 그래? 플러그를 제대로 꽂았는지 확인해 봐.
영희 : 어제까지는 괜찮았는데, 갑자기 왜 이러지?
민지 : 일단 플러그를 제대로 꽂았는지 확인해 봐. 제대로 해놓지 않으면 전원이 안 들어오거든.
영희 : 아이 참, 나 오늘 컴퓨터로 과제를 처리할 게 많은데.
민지 : 어때, 플러그는 제대로 꽂혀 있어?
영희 : 히잉, 이 고물 컴퓨터, 이럴 줄 알았으면 고치는 게 아닌데, 아이 속상해.
민지 : 속상한 건 다음에 얘기하고, 플러그는 제대로 봤냐고? 괜찮아?
영희 : 뭐가 괜찮은데?
민지 : 아니, 플러그 말이야.
영희 : 지금 컴퓨터 얘기하는 거야?
민지 : 그래, 컴퓨터.
영희 : 내가 괜찮냐고 물어본 것 아니었어?
민지 : …….

06 윗글을 바탕으로 다음 사연을 보낸 이에게 해 줄 말로 가장 적절한 것은?

오늘 국어 수업 시간이었습니다. 국어 선생님께서 재미있는 이야기를 해주신다며, "형을 아주 좋아하는 사람을 뭐라고 하는 줄 아니?"라고 질문하셨습니다. 우리 반 아이들이 뭔지 모르겠다고 하니, 선생님께서 "그건 바로 형광펜이야. 하하하."라고 하셨습니다. 순간 아이들은 갑자기 조용해졌습니다. 그때 제가 "아~ 갑분싸~!"라고 하자 국어 선생님께서 무슨 말인지 아이들에게 물어보셨습니다.

07 윗글을 바탕으로 다음 대화의 문제점을 서술하시오.

영미 : (당연하다는 듯이) 재영아, 오늘 일찍 들어와서 내 택배 좀 받아줘.
재영 : 누나, 나 오늘 친구들이랑 축구하기로 했는데, 무슨 일 있어?
영미 : (흘겨보며) 야! 내가 너한테 일일이 보고해야 하냐? 그냥 좀 일찍 들어와서 내 택배 받아놔. 너 내가 들어 왔을 때 택배 없으면 가만 안 둘 거야.
재영 : 누나는 왜 부탁을 그렇게 해?

08 (나)를 참고하여, 〈보기〉의 '선생님'께서 부탁을 흔쾌히 들어주실 수 있도록 '학생'의 말하기 내용을 언어 예절에 맞게 바꾸시오. (단, 완전한 문장 형태로 서술할 것)

보기

학생 : 선생님! 컴퓨터용 사인펜 좀 빌려 주세요.
선생님 : 나한테 맡겨 놨니?

09 〈보기1〉의 밑줄 친 부분을 〈보기2〉와 같이 바꿀 때, 고려한 사항을 두 가지 이상 서술하시오.

보기 1

소희 : 재영아, 어제 조별 모임 있었는데 왜 안 왔어?
재영 : 아, 맞다. 깜빡했다.
소희 : 너 기다리느라 한 시간 동안 다들 아무것도 못 했어.
재영 : 그래? 미안하다. 근데 나도 사정이 있었어. 갑자기 중요한 약속이 생겼었거든……. (부루퉁한 표정을 지으며) 조장인 네가 모임 전에 한 번 더 연락해 줬으면 좋았을 텐데. 어쨌든 미안.

보기 2

소희야, 어제 조별 모임에 참석하지 못해서 미안해. 참석을 못하면 연락이라도 해서 너희들이 기다리지 않도록 했어야 했는데, 연락조차 제대로 못해서 더 미안하다. 앞으로 피치 못할 사정이 생기게 되면 꼭 미리 연락할게. 물론 조별 모임에 열심히 참석해서 빠지지 않도록 할 거고. (부드러운 표정으로) 이번 일은 정말 진심으로 미안해.

10 다음 글을 읽고 물음에 답하시오.

최근에 친구에게 서운한 일이 있었습니다. 얼마 전 새로 생긴 떡볶이 가게를 지나가면서 친구에게 "배고프지 않아? 여기 떡볶이 엄청 맛있대."라고 했어요. 친구는 "그렇구나."하고 말더군요. 저는 같이 떡볶이를 먹자는 뜻으로 말을 꺼낸 건데 친구가 그렇게 반응하니까 서운했어요. 이런 일이 전에도 몇 번 있었습니다. 제가 서운해 하는 게 이상한가요?

(1) 위 사연에 등장하는 두 사람의 대화가 원활하게 이루어지지 않은 이유를 〈조건〉에 맞게 서술하시오.

조건

- 두 사람의 듣기 · 말하기 특성을 각각 구체적으로 언급할 것
- 무엇에 따른 말하기 방식의 차이 때문인지 언급할 것
- '-다'로 끝나는 완결된 문장으로 서술할 것

(2) 위 사연의 글쓴이가 문제를 해결할 수 있도록 다음 문장을 적절하게 바꾸어 쓰시오.

"배고프지 않아? 여기 떡볶이 엄청 맛있대."

11 다음 대화의 밑줄 친 부분을 '관용의 격률'을 참고하여 수정한 것으로 적절한 것은?

태양 : 몸이 좀 아픈 것 같아.
효린 : (말이 빨라지며) 어디가 안 좋은거야? 정확히 말해봐. 왜 아픈거야? 네가 아프니깐 내가 너무 속상해, 많이 아픈거야? 병원에 가야 하는거 아니야? 뭐라도 좀 먹었어?
태양 : 무슨 말을 그렇게 빨리 해? 무슨 말을 하는 건지 못 알아듣겠어.

12 〈보기〉의 대화에 드러난 격률이 무엇인지 모두 밝히고 해당 격률의 내용을 서술하시오.

보기

반장 : 선생님 이번 시간 끝나기 전, 많이는 아니고 딱 3분 정도만 반티를 정할 시간을 주실 수 있을까요? 저희가 47분 내내 평소보다 두 배로 수업 정말 열심히 듣겠습니다.
교사 : (흠… 그럴까?)
수업시간 종료 전
교사 : 반 친구들이 연휴가 너무 길어 과제를 까먹을까봐 걱정스럽구나. 혹시 연휴 기간 중에 한 번 강조해 줄 수 있겠니?
반장 : 네, 걱정마세요. 제가 교실에도 이야기하고, 연휴 기간에 시간 내서 문자도 한 번 돌리면, 반 학생들이 과제를 덜 까먹을 것 같습니다.
교사 : (기특……. 고맙!)

13 〈보기〉의 대화에서 보겸이의 대화가 잘 이루어지지 않은 이유를 2가지 적으시오.

보기

보겸 : 선생님. 보이루~!
선생님 : (어리둥절하여) 응?
보겸 : 선생님. 학교에 남는 교과서 좀 빌려주세요.
선생님 : 왜 그러니?
보겸 : 그런 게 있어요.

〈조건〉 문장형태로 서술할 것
〈형식〉 첫째, ~이다. 둘째, ~이다.

14 〈보기〉의 ㉮~㉱에 들어갈 내용을 쓰시오.

보기

대화는 두 사람 이상의 참여자가 자유롭게 서로의 생각과 느낌을 표현하고 이해하는 상호 교섭 활동이다. 대화의 원리에는 공손성의 원리, (㉮), (㉯)이/가 있다. (㉯)에는 양의 격률, 질의 격률, (㉰), (㉱)이/가 있다. 대화의 원리를 지키며 대화하면 다른 사람과 원활하게 의사소통을 할 수 있고, 나아가 원만한 인간 관계를 형성할 수 있다.

[15] 다음 글을 읽고 물음에 답하시오.

(가) **친구 A** : 친구야! ㉠미안한데 나 부탁하나만 들어 줄래?
친구 B : 응? 뭔데? 지금은 좀 바빠서. ㉡지금 당장 들어주는 것만 아니면 다 괜찮아.
(나) **친구 A** : ㉢친구야, 우리 이번 주말에 공원에 가서 자전거 타자.
친구 B : 자전거 좋지. 그런데 주말에 가족 여행이 있어. 미안해. 자전거는 다음 주말에 타자.
(다) **친구 A** : ㉣자세가 굉장히 좋은데? 손목에 힘을 빼고 치면 더 잘 수 있을 거야.
친구 B : 아직은 많이 부족해. ㉤난 운동 신경이 없어서 친구들보다 더 연습을 해야 해.

15 (나)의 대화 상황은 공손성의 원리 중, (1)어떤 격률에 해당하는 지를 쓰고, (2)그 이유(격률의 정의)를 서술하시오.

조건

• 격률의 정의를 서술할 때, 4단어 ('차이점', '일치점', '최소화', '최대화')를 반드시 활용하여 작성할 것

16 ㉠과 ㉡에서 위반한 대화의 원리를 〈조건〉에 맞게 각각 쓰시오.

(가) **선생님** : 경수야, 네 덕분에 체육 대회를 수월하게 준비할 수 있었어. 고맙다.
경수 : 그럼요. ㉠저는 원래 맡은 일을 완벽하게 해 내거든요.
(나) **어머니** : 이번 휴가에는 바다로 여행을 갔으면 하는데 다들 어떻게 생각하니?
아들 : 좋아요. 저는 동해안에 가 보고 싶어요.
딸 : ㉡저는 다음 주 토요일에 예매해 둔 음악회가 너무 기대 돼요.

조건

• '㉠에서 ~, ㉡에서 ~을/를 위반한 표현을 사용하고 있다.'는 형식으로 30자 내외의 한 문장으로 쓸 것.

17 〈조건〉을 바탕으로 [A]에 들어갈 적절한 내용을 세 문장 이내로 서술하시오.

조건

- 영미의 의견에 대하여 동의의 격률이 드러나도록 서술할 것.
- 영미가 말한 의견의 문제점을 언급하고, 영미와 영순의 의견에 대한 합의점을 도출하여 의견을 서술할 것
- 자리를 바꾸는 방법과 기간이 드러나도록 의견을 서술할 것.

18 다음 대화를 읽고 〈조건〉에 따라 서술하시오.

선생님 : 지아야, 힘이 없어 보이네. 무슨 일 있니?
지아 : 아니에요. 선생님.
선생님 : 그래. 그럼 다행인데, 아무래도 선생님은 지아가 걱정이 있는 것 같은데?
지아 : 저……. 고민이 있긴 한데…….
선생님 : 저런, 고민이 있어서 그렇게 힘이 없어 보였구나.
지아 : 사실 저는 다시 미술 공부를 하고 싶은데, 부모님께 말씀드리기가 어려워요.
선생님 : (걱정스러운 표정으로) 그래, 지금 네 입장에서는 걱정이 많이 되겠구나.
지아 : 네, 고등학교에 진학하면서 잠시 접었던 미술 공부를 대학에 가서 다시 하고 싶어요. 그런데 부모님께서 반대하실 것 같아 말씀드리지 못했어요.
선생님 : (고개를 끄덕이며) 아, 대학에서 미술 공부를 하고 싶다는 네 생각을 부모님께 말씀드리지 못했다는 얘기구나. 그러면 어떻게 하는 것이 좋을까?
지아 : 음……. 아무래도 제 진로를 부모님과 얘기해 보는 것이 좋겠죠? 부모님께서 반대하실지 확실하지도 않고요.

조건

(1) 비언어적 표현을 활용한 공감적 듣기가 나타난 부분을 2가지 찾아 본문 그대로 서술하시오.
(2) 공감적 듣기의 중요성을 완성형 문장으로 서술하시오.
(3) 대화 상황 속에서 상대방이 객관적인 관점에서 문제에 접근할 수 있도록 말을 요약·정리하고 반영하여 상대방이 스스로 문제를 해결할 수 있도록 돕는 적극적인 들어주기가 나타난 부분을 1가지 찾아 쓰시오.

(1) 비언어적 표현을 활용한 부분(2가지)

(2) 공감적 듣기가 중요한 이유

(3) 적극적인 들어주기를 활용한 부분(1가지)

19 다음 글을 읽고 〈보기〉에서 대화의 원리에 어긋난 부분을 찾아 지켜지지 않은 격률을 쓰고, 그 이유 및 올바른 표현을 쓰시오.

대화는 두 사람 이상의 참여자가 자유롭게 서로의 생각과 느낌을 표현하고 이해하는 상호 교섭 활동이다. 대화를 원활하게 이어 가기 위해 대화 참여자가 지켜야 할 대화의 원리를 알아보자.

■ 공손성의 원리

공손성의 원리란 대화할 때 상대방을 배려하고 존중하며 예절 바르게 말해야 한다는 것이다. 공손성의 원리에는 일반적으로 다섯 가지의 원칙이 있다.

요령의 격률은 상대에게 부담이 되는 표현은 최소화하고, 이익이 되는 표현은 최대화하는 방법이다.

관용의 격률은 말하는 사람 입장에서 자신에게 이익이 되는 표현은 최소화하고, 부담이 되는 표현은 최대화하는 방법이다.

칭찬의 격률은 상대를 비난하는 표현은 최소화하고, 칭찬하는 표현은 최대화하는 방법이다.

겸양의 격률은 말하는 사람 입장에서 자신을 칭찬하는 표현은 최소화하고, 자신을 낮추는 표현은 최대화하는 방법이다.

동의의 격률은 자신의 의견과 상대방의 의견 사이의 차이점은 최소화하고, 자신의 의견과 상대방의 의견 사이의 일치점은 최대화하는 방법이다.

보기

선생님 : 영희야, 이번 시험을 아주 잘 보았구나. 문학 문제는 모두 맞았네. 문법 부분만 조금 더 보완하면 다음엔 1등급도 기대할 수 있겠어.

영희 : 문법도 열심히 했거든요. 다 아는 문제였어요. 실수만 안했으면 더 잘 했을 거예요. 제가 국어는 정말 잘 하거든요.

[20] 다음 글을 읽고 물음에 답하시오.

㉠ 자세가 굉장히 좋은데? 어깨의 힘만 조금 더 빼고 꾸준히 연습하면 더 잘하게 될 거야. 힘내. 지호야!
㉡ 난 원래 자세가 좋아. 너보다 내가 더 잘하는 것 같은데?

20 ㉡의 대화를 〈보기1〉과 같이 고쳤을 때 고려한 대화의 원리를 〈보기2〉를 참고하여 완결된 문장 형식으로 작성하시오.

보기 1

아직 부족한 점이 많아. 난 운동 신경이 없는 편이라 다른 친구들보다 더 많이 연습해야 해.

보기 2

요령의 격률, 관용의 격률, 칭찬의 격률, 겸양의 격률, 동의의 격률, 공손성의 원리, 순서 교대의 원리, 협력의 원리

조건

- 띄어쓰기 포함 25자 내외로 작성할 것.
- 〈보기2〉 대화의 원리에서 2가지 요소를 찾아 '~중에 ~을/를 ~다.'로 끝맺을 것.

21 다음과 같은 단어들을 사용할 때 얻을 수 있는 공통된 효과는 무엇인지 서술하시오.

– 세대의 특성이 반영된 말
  ▸ 아우, 벗
– 지역의 특성이 반영된 말
  ▸ 물꾸럭(문어의 제주 방언)
– 직업의 특성이 반영된 말
  ▸ 어레스트(심실이 수축을 정지하고 보충 수축이 없는 상태를 뜻하는 의료용어)

22 다음 대화에서 '민주'가 처음에 '할머니'의 말을 이해하지 못한 이유를 서술하시오.

23 다음 대화에서 '현표'의 말하기 태도의 문제점을 쓰고, '현표'가 지켜야 할 격률이 무엇인지 쓰시오.

24 다음은 대화의 원리와 원칙을 정리해 놓은 〈메모〉이다.

메모

순서 교대 : 대화 참여자가 서로 적절하게 순서를 교대해 가면서 말을 주고받아야 함.
칭찬 : 상대를 비난하는 표현은 최소화하고 칭찬하는 표현은 최대화하는 한다.
관용 : 말하는 사람 입장에서 자신에게 이익은 되는 표현은 최소화하고, 부담이 되는 표현은 최대화한다.
동의 : 자신의 의견과 상대방의 의견 사이의 차이점을 최소화하고, 자신의 의견과 상대방의 의견 사이의 일치점은 최소화한다.
겸양 : 말하는 사람 입장에서 자신을 칭찬하는 표현은 최소화하고 자신을 낮추는 표현은 최대화한다.

위의 대화에서 ①지켜지지 않은 대화의 원리나 원칙을 〈메모〉에서 하나만 찾아 쓰고, 둘의 대화에서 이 원리나 원칙이 ②지켜지지 않은 이유를 〈조건〉에 맞게 서술하시오.

조건

- 둘의 대화가 이루어지고 있는 상황과 발언에 집중할 것.
- 대화의 원리나 원칙의 용어나 개념을 사용하지 말 것.

25 〈보기〉의 연희가 지켜야 할 '협력의 원리'를 쓰고, 바르게 고치시오.

보기

선호 : 연희야, 지금 어디 가니?
연희 : 응, 이모님 댁에 심부름 가는 중인데, 버스 타고 가다가 지하철로 환승해야 해.

담화 상황과 문법 요소

문법 요소는 화자가 자신의 의도를 상황에 맞게 표현하도록 도와주는 언어 요소 중 하나이다. 따라서 의사소통을 정확하고 효과적으로 하기 위해서는 우리말의 문법 요소를 이해하고, 이를 적절하게 사용해야 한다. 우리말의 문법 요소에는 높임 표현, 시간 표현, 피동 표현, 인용 표현 등이 있다.

문법 요소의 역할 / 문법 요소의 종류

높임 표현

화자가 어떤 대상이나 상대의 높고 낮은 정도를 구별하여 표현하는 방법을 높임법이라고 한다. 국어의 높임법은 높임의 대상이 누구냐에 따라 상대(相對) 높임법, 주체(主體) 높임법, 객체(客體) 높임법으로 나누어진다.

높임법 분류의 기준 / 높임법의 종류

상대 높임법은 화자가 청자를 높이거나 낮추어 말하는 방법으로, 종결 표현을 통해 실현된다. 상대 높임법은 크게 **격식체(格式體)**와 **비격식체(非格式體)**로 나뉘는데, 격식체는 격식을 차려야 하는 상황이나 공적인 상황에서 주로 사용하며, 심리적 거리를 두는 느낌을 준다. 비격식체는 격식을 덜 차리는 사적인 상황에서 주로 사용하며, 친근감을 준다.

격식체와 비격식체를 사용하는 상황과 사용 효과

가	나
토론 대회에서 이영준 학생, 말씀해 주십시오.	동아리 방에서 영준 선배, 책 좀 빌려주세요.

가, 나는 모두 상대를 높이지만 가는 토론 대회라는 공적인 상황에서 하십시오체(격식체)를 사용하여 상대를 격식을 차려 높였고, 나는 사적인 상황에서 해요체(비격식체)를 사용하여 상대를 친근하게 높였다.

구분		평서법	의문법	명령법	청유법	감탄법
격식체	하십시오체	잡습니다	잡습니까?	잡으십시오	(잡으시지요)	–
	하오체	잡소/잡으오	잡소?/잡으오?	잡소/잡으오	잡읍시다	잡는구려
	하게체	잡네	잡나?/잡는가?	잡게	잡으세	잡는구먼
	해라체	잡는다	잡니?/잡(느)냐?	잡아라/잡으렴	잡자	잡는구나
비격식체	해요체	잡아요/잡지요	잡아요?/잡지요?	잡아요/잡지요	잡아요/잡지요	잡아요/잡지요
	해체(반말)	잡아/잡지	잡아?/잡지?	잡아/잡지	잡아/잡지	잡아/잡지

확인학습

01 높임법은 주체 높임법, 객체 높임법, 간접 높임법으로 나누어진다. O□ X□

02 상대 높임법은 사적인 상황에서 쓰이는 격식체와 공적인 상황에서 쓰이는 비격식체로 나누어진다. O□ X□

03 격식체는 높임의 차이로 아주 높임, 예사 높임, 예사 낮춤, 아주 낮춤으로 비격식체는 두루높임, 두루낮춤의 형식으로 분류할 수 있다. O□ X□

주체 높임법은 서술의 주체를 높이는 방법이다. 주체 높임은 서술어의 어간에 선어말 어미 '-(으)시-'가 붙어 실현되는 것이 일반적이지만, 그 밖에 '잡수시다, 주무시다'와 같이 높임의 뜻을 가진 특수 어휘를 사용하거나, 주격 조사 '이/가' 대신 '께서'를 사용하기도 한다.

주체 높임법의 개념 / 주체 높임의 실현 방법

가 할아버지께서 책을 읽으신다.

나 할아버지께서 떡을 잡수신다.

가와 나에서는 문장의 주어를 높이기 위해 높임의 주격 조사 '께서'와, 선어말 어미 '-(으)시-', 특수 어휘 '잡수시다'를 각각 사용하였다.

객체 높임법은 목적어나 부사어가 지시하는 대상, 즉 서술의 객체를 높이는 방법이다. 객체 높임은 '모시다, 뵈다, 뵙다, 드리다, 여쭈다, 여쭙다' 등과 같은 높임의 뜻을 가진 특수 어휘를 통해 실현되며, 부사어의 경우 조사 '에게' 대신 '께'를 사용하기도 한다.

객체 높임법의 개념 / 객체 높임의 실현 방법

가 진아가 할머니를 뵈러 갔다.

나 진아가 할머니께 과일을 드렸다.

가에서는 목적어인 '할머니'를 높이기 위해 '뵈다'라는 특수 어휘를 사용하였고, 나에서는 부사어인 '할머니'를 높이기 위해 조사 '께'와 특수 어휘 '드리다'를 사용하였다.

※ **보충** 주체 높임법에는 서술의 주체를 직접 높이는 직접 높임과 서술의 주체와 관련된 대상을 높임으로써 주체를 간접적으로 높이는 간접 높임이 있다. 간접 높임은 서술의 주체를 높이기 위해 그 사람의 신체 일부분이나 소유물, 가족, 생각 등과 관련된 서술어에 어미 '-(으)시-'를 결합하여 실현한다.
예 할아버지께서는 머리가 하얗게 세셨다.

확인학습

01 선어말 어미 -(으)시-는 주체 높임법에서만 사용되는 실현 방법이다. O☐ ×☐

02 잡수시다, 드시다와 같은 특수어휘에는 계시다, 뵈다, 모시다 등을 들 수 있다. O☐ ×☐

03 주격 조사 '이/가' 대신 '께서'를 사용하는 것은 객체 높임법의 실현 방법이다. O☐ ×☐

04 객체 높임법에서의 객체란 목적어나 부사어가 지시하는 대상을 의미한다. O☐ ×☐

05 조사 '에게' 대신 '께'를 사용하는 것은 객체 높임법의 실현 방법이다. O☐ ×☐

06 손님, 커피 나오셨습니다.'는 간접 높임법을 올바르게 사용한 예이다. O☐ ×☐

07 '할머니께서는 귀가 밝으시다'는 간접 높임법을 올바르게 사용한 예이다. O☐ ×☐

08 간접 높임법에서는 특수어휘를 사용하지 않고 선어말어미 '-(으)시-'를 결합하여 실현한다. O☐ ×☐

09 '선생님, 우리 어머니가 도시락을 안챙겨줬어요.'의 문장을 올바르게 높임표현을 하여 고쳐보고 어떠한 높임법이 쓰였는지 적어보자.
( )

그런데 이런 높임법의 원리를 모르고 일상생활에서 잘못된 높임 표현을 사용하는 경우가 많다. 다음 ㉮~㉰에서 잘못된 높임 표현을 찾고, 무엇이 잘못되었는지 생각해 보자.

㉮	㉯	㉰ 학급회의
고객님, 이 제품이 예쁘십니다.	선생님, 물어볼 것이 있어요.	이번에는 준호가 한번 말해 봐.

㉮에서는 서술의 주체인 '이 제품'을 선어말 어미 '-시-'를 사용하여 높이고 있다. 점원이 높이고자 한 대상은 '이 제품'이 아니라 '고객'이므로 상대 높임법만 사용하면 되는데, 주체 높임법을 함께 사용한 것이다.

불필요한 높임 표현을 사용함.

청자를 높이고자 하였으므로 상대 높임법만 사용하면 됨.

㉯에서 학생은 선생님께 '물어보다'라는 표현을 사용하였다. 학생의 입장에서 선생님은 높임의 대상이므로 '물어보다'가 아니라 '여쭈다'를 사용하는 것이 객체 높임법에 맞는 표현이다.

객체 높임 표현을 사용하지 않음.

㉰에서는 학급 회의와 같은 공적인 상황에서 예의를 갖추지 않고 상대를 낮추어 말하였다. 평소 친근한 사이라고 해도 공적인 상황에서는 상대를 높여 표현하는 것이 옳다.

공적인 상황에서 상대 높임 표현을 사용하지 않음.

공적인 상황에서는 예의를 지켜야 하기 때문

꼭 알고 가자!

어간

용언이 활용할 때에 변하지 않는 부분으로, '보다', '보니', '보고'에서 '보-'와 '먹다', '먹으니', '먹고'에서 '먹-'이 어간이다.

선어말 어미

어미는 그것이 나타나는 위치에 따라 어말 어미와 선어말 어미로 나뉜다. 어말 어미는 용언의 맨 뒤에 오는 어미이고, 선어말 어미는 어말 어미의 앞에 나타나는 어미이다. '가시겠다', '가시겠고'에서 '-다', '-고'가 어말 어미이고, '-시-'(높임의 선어말 어미), '-겠-'(시제의 선어말 어미)이 선어말 어미이다.

시간 표현

어떤 상태나 동작이 일어나는 시간과 관련된 일을 표현하기 위해 사용하는 문법 요소를 시간 표현이라고 하는데, 국어의 시간 표현에는 시제(時制)와 동작상(動作相)이 있다. 시제는 발화시(發話時)와 사건시(事件時)의 관계에 따라 과거 시제, 현재 시제, 미래 시제로 나뉜다. **과거 시제**는 사건시가 발화시보다 앞서 있는 시제이고, **현재 시제**는 사건시와 발화시가 일치하는 시제이며, **미래 시제**는 사건시가 발화시보다 나중인 시제이다. 시제는 다음과 같이 어미와 시간 부사를 통해 실현된다.

시제 구분의 기준(발화시는 말하는 이가 말하는 시점을 뜻하고, 사건시는 동작이나 상태가 일어나는 시점을 뜻한다.)

국어의 시간표현의 종류

시제의 종류

시제의 실현 방법

과거 시제	현재 시제	미래 시제
어제 바람이 불었다.	지금 바람이 분다.	내일 바람이 불겠다.

선어말 어미	-았-/-었-, -았었-/-었었-, -더-	• 동사: -는-/-ㄴ- • 형용사: 없음.	-겠-, -(으)리-
관형사형 어미	• 동사: -(으)ㄴ, -던 • 형용사: -던	• 동사: -는 • 형용사: -(으)ㄴ	-(으)ㄹ
시간 부사	어제, 아까 등	오늘, 지금 등	내일, 곧 등

관형사형 어미 : 문장에서 용언의 어간에 붙어 관형사와 같은 기능(체언을 수식하는)을 수행하게 하는 어미로 '-(으)ㄴ, -는, -(으)ㄹ, -던' 등이 있다.

동작상은 시간의 흐름 속에서 동작의 양상을 표현하는 것으로, 대표적인 것으로는 동작의 진행을 나타내는 진행상과 동작의 완료를 나타내는 완료상이 있다. 진행상은 '-고 있다', '-어(아) 가다' 등의 표현을 통해 실현되고, 완료상은 '-어(아) 버리다', '-어(아) 있다', '-어(아) 놓다' 등의 표현을 통해 실현된다. 예를 들어 '영우가 빵을 먹고 있다.'에서는 '-고 있다'를 통해 빵을 먹는 행위가 진행 중임을 나타내고, '영우가 빵을 다 먹어 버렸다.'에서는 '-어(아) 버리다'를 통해 빵을 먹는 행위가 완료되었음을 나타낸다.

동작상의 종류

확인학습

01 '불었다'는 '불-+-었-+-다'로 분석되어 과거 시제 선어말 어미 '-었-'이 쓰였음을 알 수 있다. O□ X□

02 '분다'는 '불-+-ㄴ-+-다'로 분석되어 관형사형 어미 -(으)ㄴ이 쓰였음을 알 수 있다. O□ X□

03 '불겠다'는 '불-+-겠-+-다'로 분석되어 선어말 어미 -겠-이 쓰였음을 알 수 있다. O□ X□

04 시간부사는 어제, 아까, 오늘, 지금, 내일, 곧 등 시제를 표현하는 부사를 의미한다. O□ X□

05 시제를 표현하는 방법으로는 (   )의 활용과 (   )를 통해 실현된다.

그런데 국어의 시간 표현은 단지 시간을 드러내기 위해서만 사용하는 것은 아니다. ㉮~㉰를 바탕으로 현재 시제 선어말 어미가 무엇을 표현하고 있는지 탐구해 보자.

㉮	㉯	㉰
진호가 지금 웃는다.	승주가 내일 떠난다.	이순신은 명량 대첩에 나아갔고, 기적 같은 승리를 거둔다.

㉮~㉰에는 모두 현재 시제를 실현하는 선어말 어미 '-는-/-ㄴ-'이 사용되었다. 그런데 ㉮의 '-는-'은 현재 시제를 표현하지만, ㉯의 '-ㄴ-'은 가까운 미래를 표현하고, ㉰의 '-ㄴ-'은 과거의 사건을 현장감 있게 표현하고 있다. 이처럼 표현 의도에 따라 현재 시제 선어말 어미를 다양하게 사용할 수 있다.

'-는-/-ㄴ-'의 표현 효과 ①
'-는-/-ㄴ-'의 표현 효과 ②
'-는-/-ㄴ-'의 표현 효과 ③

과거 시제 선어말 어미 '-았-/-었-'과 미래 시제 선어말 어미 '-겠-'도 마찬가지이다. '-았-/-었-'은 과거 시제를 표현하지만, '꽃이 활짝 피었구나.'에서와 같이 상태가 완료되어 발화시까지 지속되거나 영향을 미치고 있는 상황을 나타낼 때에도 사용한다. 또 '이대로만 공부하면 틀림없이 대학에 붙었다.'에서와 같이 발화시에서 볼 때 미래의 사건이나 일을 이미 정해진 사실인 것처럼 표현할 때에도 사용할 수 있다. '-겠-'은 미래 시제를 표현하지만, '고향에서는 벌써 추수를 끝냈겠다.'에서와 같이 추측을 나타내기도 하고, '올해는 목표를 꼭 달성하겠다.'에서와 같이 주체의 의지를 나타내기도 한다.

'-았-/-었-'의 표현 효과 ①
'-았-/-었-'의 표현 효과 ② → 과거 시제에 해당하지만 동작상의 의미를 드러낼 수도 있음.
'-았-/-었-'의 표현 효과 ③
'-겠-'의 표현 효과 ①
'-겠-'의 표현 효과 ②
'-겠-'의 표현 효과 ③

이처럼 국어의 시간 표현은 다양한 표현 효과를 낼 수 있다. 따라서 효과적인 의사소통을 하기 위해서는 시간 표현을 적절하게 선택하여 사용해야 한다.

확인학습

01 시제를 표현하는 선어말 어미는 시간을 드러내기 위한 기능만을 한다. O□ ×□

02 과거 시제를 표현하는 '-았-/-었-'은 시제 표현 뿐만 아니라 진행상을 나타내는 기능도 한다. O□ ×□

03 현재 시제를 표현하는 '-ㄴ-'은 시제 표현 뿐만 아니라 가까운 미래, 과거의 사건을 현장감 있게 표현하는 기능도 한다. O□ ×□

04 미래 시제를 표현하는 '-겠-'은 추측이나 의지를 나타내기도 한다. O□ ×□

05 동작상은 어떠한 행위가 진행되는 것인 (   )과, 완료된 것인 (   )으로 구분된다.

피동 표현

문장은 동작이나 행위를 한 주체를 주어로 하느냐 당한 대상을 주어로 하느냐에 따라 능동문과 피동문으로 나뉜다. 주어가 동작을 제힘으로 하는 것을 나타내는 표현을 능동(能動) 표현이라고 하고, 주어가 다른 주체에 의해서 동작을 당하게 되는 것을 나타내는 표현을 피동(被動) 표현이라고 한다. 피동 표현은 능동사의 어간에 피동 접미사 '-이-, -히-, -리-, -기-'가 붙어서 만들어진 피동사나, '-되다', '-어지다', '-게 되다'와 같은 표현을 통해 실현된다. 능동문이 피동문으로 바뀔 때에는 능동문의 목적어가 피동문의 주어가 되고, 능동문의 주어는 피동문의 부사어가 된다.

능동문과 피동문의 구분 기준 / 피동 표현의 실현 방법 / 능동문이 피동문으로 바뀔 때 일어나는 변화

피동 표현은 보통 화자나 필자의 의도나 심리를 담고 있을 때가 많다. ㉮와 ㉯에 담긴 표현 의도의 차이를 생각해 보자.

피동 표현의 특징

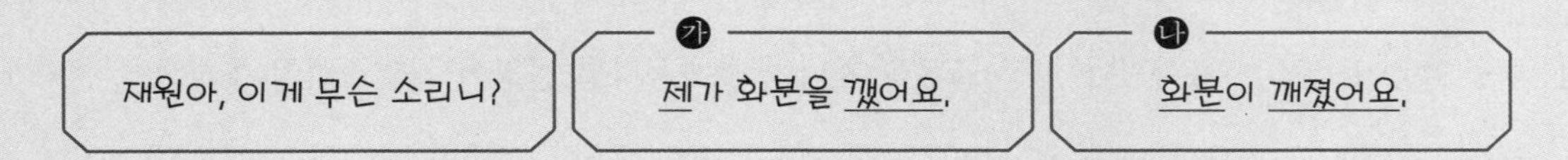

㉮에는 화분을 깬 행위의 주체인 '나(재원)'가 드러나 있다. 그러나 ㉯에는 화분을 깬 행위의 주체는 드러나 있지 않고, 행위를 당한 '화분'만 드러나 있다. 여기에는 화분을 주어로 내세움으로써 화분이 깨졌다는 사실을 강조하고, 화분을 깬 주체가 누구인지는 부각하지 않으려는 심리가 반영되어 있다고 볼 수 있다.

㉯에 담긴 화자의 의도와 심리 → 피동 표현의 특징

이와 같이 피동 표현은 행위를 당한 대상을 강조할 때뿐만 아니라, 행위의 주체를 밝히고 싶지 않은 경우, 행위의 주체가 중요하지 않거나 누구나 아는 대상이어서 말할 필요가 없는 경우, 행위의 주체가 누군지 분명히 알 수 없는 경우 등에 사용한다.

피동 표현을 사용하는 이유 ① / 피동 표현을 사용하는 이유 ② / 피동 표현을 사용하는 이유 ③ / 피동 표현을 사용하는 이유 ④

이러한 표현 효과가 있는 피동 표현을 적절히 사용하면 화자나 필자의 의도가 잘 반영된 담화를 구성할 수 있다.

확인학습

01 주어가 다른 주체에 의해서 동작을 당하게 되는 것을 나타내는 표현을 사동 표현이라고 한다. O□ X□

02 피동 표현은 능동사의 어간에 피동 접미사 '-되다', '-어지다', '-게 되다'가 붙어서 만들어진 피동사나, '-이-, -히-, -리-, -기-'같은 표현을 통해 실현된다. O□ X□

03 능동문이 피동문으로 바뀔 때에는 능동문의 목적어가 피동문의 주어가 되고, 능동문의 주어는 피동문의 부사어가 된다. O□ X□

04 '벌이 나를 쏘았다.'를 피동문으로 바꾸어 보고 문장 성분을 분석하시오.
( )

하지만 피동 표현을 부정확하거나 부적절하게 사용하면 그러한 의도를 효과적으로 드러내기 어렵다.

다음에 사용된 피동 표현의 문제점은 무엇인지 생각해 보자.

가	나
곤충의 몸은 머리, 가슴, 배로 나뉘어집니다.	이 건축물은 그에 의해 만들어졌습니다.

피동 표현은 대체로 피동사나 '-어지다', '-게 되다' 등의 표현 중 하나만 사용하면 되는데, 가에는 피동사 '나뉘다'(나누- + -이- + -다)와 '-어지다'가 둘 다 사용되었다. 둘 중 하나만 사용하여 '나뉩니다'(나누- + -이- + -ㅂ니다)나 '나누어집니다'(나누- + -어지- + -ㅂ니다)라고 해도 의미가 충분히 전달되는데 이중 피동 표현(피동 표현의 오용 사례 ①)을 사용한 것이다. 나는 '그가 이 건축물을 만들었습니다.'와 같이 능동문으로 표현해도 될 것을 굳이 피동문으로 표현하여 어색하게 만들었다. 이는 번역 투 문장에 해당하는데, 영어 문장에 익숙해지다 보니 피동 표현을 사용할 필요가 없는 상황에서도 피동 표현을 사용한 것이다(피동 표현의 오용 사례 ②).

이처럼 이중 피동 표현을 사용하거나 피동 표현을 지나치게 사용하면 문장이 자연스럽지 못하고 어색하게 될 수 있으므로, 그 표현이 바르고 적절한지 따져 보아야 한다.

인용 표현

다른 사람의 말이나 글을 자신의 말이나 글 속에 끌어 쓰는 것을 인용 표현이라고 하는데, 전달하는 방식에 따라(인용 표현의 구분 기준) 직접 인용과 간접 인용(인용 표현의 종류)으로 나뉜다.

가	나
종이접기, 수채화 그리기 등 미술 분야의 교육을 맡고 있는 최○○ 양은 "물감 하나에도 기뻐하는 아이들을 보며 봉사하는 매 순간 뿌듯함을 느끼고 있다."라고 말했다.	종이접기, 수채화 그리기 등 미술 분야의 교육을 맡고 있는 최○○ 양은 물감 하나에도 기뻐하는 아이들을 보며 봉사하는 매 순간 뿌듯함을 느끼고 있다고 말했다.

가와 같이 다른 사람의 말을 직접 인용할 때에는 인용하는 문장에 큰따옴표를 붙이며 조사 '라고'를 사용하고(직접 인용의 실현 방법), 나와 같이 다른 사람의 말을 간접 인용할 때에는 조사 '고'를 사용한다(간접 인용의 실현 방법). 그런데 이와는 반대로 직접 인용에 '고'를 사용하거나 간접 인용에 '라고'를 사용하는 경우가 많으므로 주의해야 한다(인용 표현의 오용 사례).

문법 요소를 정확하게 알고 적절하게 사용하는 것은 원활한 의사소통을 위해 중요한 일이다. 따라서 다양한 문법 요소의 특성을 잘 알고 이를 상황에 맞게 효과적으로 사용할 수 있는 능력을 기르도록 노력해야 한다.

확인학습

01 피동 표현을 중복해서 사용해도 의미 전달상 문제가 없으므로 괜찮다. O□ ×□

02 피동 표현을 잘못 사용한 예로는 이중 피동 표현과, 번역 투 문장이 해당한다. O□ ×□

03 인용하는 문장에 작은따옴표를 붙이고 조사 '라고'를 사용하는 것을 직접 인용이라 한다. O□ ×□

04 직접 인용에 '라고'를 사용하거나 간접 인용에 '고'를 사용하는 경우가 많으므로 주의해야 한다. O□ ×□

05 상대 높임법은 (　　　　　)표현을 통해 실현된다.

06 주체 높임법과 객체 높임법은 특수 어휘를 통해 실현되기도 한다. O□ ×□

07 공적인 상황이라도 친근한 사이에서는 높임 표현을 사용하지 않아도 된다. O□ ×□

08 시간 표현은 시간을 드러내기 위해서만 사용한다. O□ ×□

09 다음 문장의 시제를 구분해 보자.

(1) 미현이는 지금 영화를 본다. (　　　　　)

(2) 종현이는 어제 책을 읽었다. (　　　　　)

(3) 상우는 다음 주에 유학을 갈 것이다. (　　　　　)

10 다음 문장을 바르게 고쳐 보자

(1) 오늘은 책이 잘 읽혀지는 기분이다. (　　　　　　　　　　　　　　　　　　　　)

(2) 그녀는 내가 멋있다라고 말했다. (　　　　　　　　　　　　　　　　　　　　)

객관식 기본문제

01 다음 중 높임법을 잘못 사용한 문장은?

① (동네 할머니에게) 저는 지금 집에 가는 길입니다.
② 부모님께서는 날 아껴주신다.
③ 저희 어머니께서도 어머니 나름의 생각이 계십니다.
④ 어제 누나가 나 몰래 할아버지께 선물을 드렸나봐.
⑤ 모르는 문제가 있으면 선생님께 여쭈어 봐라.

02 〈보기〉의 (가)를 참고했을 때, (나)의 문장에서 실현된 높임 표현으로 알맞은 것은?

보기

(가) 우리말의 높임 표현은 높임의 대상에 따라 상대 높임법, 주체 높임법, 객체 높임법으로 나뉜다. 그런데 실제 언어생활에서 높임 표현이 실현되는 양상은 복합적이다.
(나) 채영아, 선생님께서 너를 찾으셔.

① 문장의 주체와 객체를 모두 높였다.
② 문장의 주체와 청자를 모두 높였다.
③ 문장의 주체는 높이고, 청자는 낮추었다.
④ 문장의 객체와 청자를 모두 높였다.
⑤ 문장의 객체는 높이고, 청자는 낮추었다.

03 〈보기〉의 ㉠~㉤을 통해 높임표현을 바르게 탐구한 내용을 올바르게 짝지은 것은?

보기

조카 : 이모, 오셨어요.
이모 : 동호야, 오랜만이구나. 오늘 같이 밥을 못 먹어서 아쉽네. ㉠공부 열심히 하렴.
조카 : 네, 이모. 안타깝지만 시험 기간이 얼마 남지 않아서요.
이모 : 그래. ㉡엄마는 어디 가셨니? 외할머니께서도 오고 계시는지 전화 드려볼래?
조카 : 아, ㉢외할머니께서 병환이 있으셔서 종일 누워계셨대요. 그래서 ㉣외할머니께서는 엄마와 함께 병원에 가셨다가 식당으로 가신다고 ㉤이모께 전해 드리래요.
이모 : 그래? 그럼 나도 그리로 가봐야겠네.

A : ㉠은 종결 어미를 사용하여 상대인 조카를 높이고 있다.
B : ㉡은 선어말 어미를 사용하여 객체인 '엄마'를 높이고 있다.
C : ㉢은 선어말어미를 사용하여 주체인 '외할머니'를 간접적으로 높이고 있다.
D : ㉣은 선어말어미를 사용하여 주체인 '외할머니'를 직접적으로 높이고 있다.
E : ㉤은 높임을 표시하는 부사격 조사를 사용하여 이모를 높이고 있다.

① A, E　② A, B　③ B, C　④ C, D　⑤ C, D, E

04 다음 〈보기〉에 대한 설명으로 바르지 못한 것은?

보기

할머니㉠께서 어제 서울㉡에 ㉢가시었다.

① 종결어미 '-다'를 사용한 평서문이다.
② ㉠, ㉡은 주로 체언 뒤에 붙는 품사이다.
③ ㉢은 용언이다.
④ ㉢의 '가-'는 활용을 할 때 변하지 않으므로 어근이다.
⑤ ㉢의 '-시-, '-었-'은 모두 선어말 어미이다.

05 다음 〈보기〉의 ㉠~㉤에 대한 설명으로 옳은 것은?

보기

㉠ 아범, 늦기 전에 어서 가게.
㉡ 영희야, 아버지 안 계시니?
㉢ 아버지께 전화 드리고 얼른 나가자.
㉣ 어머니께서 너 데리고 식당으로 오라셨어.
㉤ 이번 달 보름께 할머니를 뵈러 갈 생각이야.

① ㉠은 '격식체'를 사용하여 청자인 아범을 높이고 있어.
② ㉡은 '계시다'를 사용하여 객체인 아버지를 높이고 있어.
③ ㉢은 '께'를 사용하여 주체인 아버지를 높이고 있어.
④ ㉣은 '께서'를 사용하여 주체인 어머니를 높이고 있어.
⑤ ㉤은 '께'와 '뵈다'를 사용하여 객체인 할머니를 높이고 있어.

06 〈보기〉의 높임 표현에 대한 설명으로 적절하지 않은 것은?

보기

점원 : 손님, 무엇을 ㉠도와드릴까요?
손님 : 어머니 선물을 사러 왔어요. ㉡저희 어머니께서 생신이거든요.
점원 : 이 립스틱은 어떨까요? 선물로 ㉢드리시면 무척 좋아하실 겁니다.
손님 : 저희 어머니께서 ㉣피부가 희셔서 잘 맞을지 모르겠네요. ㉤당신께서 짙은 화장을 싫어하셔서요.
점원 : 그러시면 다른 걸 좀 더 골라 보도록 하죠.

① ㉠ : 보조사 '-요'를 통해 듣는 상대를 높이고 있다.
② ㉡ : '저희'라는 자신을 낮추는 어휘를 사용하여 상대인 점원 높이고 있다.
③ ㉢ : 특수 어휘를 사용해서 선물을 주는 사람을 높이고 있다.
④ ㉣ : '어머니'가 높임의 대상이므로 그 신체의 일부가 주어로 올 때도 간접 높임 표현을 쓰고 있다.
⑤ ㉤ : 3인칭 주어 '어머니'를 다시 대명사로 언급하면서 높이고 있다.

07 〈보기〉의 높임 표현 ㉠~㉣이 모두 사용된 문장은?

보기

우리말에는 일반적으로 ㉠선어말 어미나 종결 어미, ㉡조사 등을 통해 높임을 표현하지만 어휘를 통해 높임을 표현하는 경우도 있다. 높임 표현에 쓰이는 어휘들은 ㉢주체를 높이는 용언, 객체를 높이는 용언, 높여야 할 인물을 직접 높이는 명사, ㉣높여야 할 인물과 관련된 것을 높이는 명사로 분류할 수 있다.

① 나는 아직 그분의 성함을 기억하고 있다.
② 누나는 여쭐 것이 있다며 할머니 댁에 갔다.
③ 연세가 많으신 할머니께서는 홍시를 잘 잡수신다.
④ 우리는 부모님을 모시고 바닷가로 여행을 떠났다.
⑤ 어머니께서는 몹시 피곤하셨는지 거실에서 주무신다.

08 다음 문장에 사용된 높임 표현에 대한 설명으로 적절하지 않은 것은?

어머니께서 할머니를 모시고 병원에 가셨다.

① 높임의 대상은 ‘어머니’와 ‘할머니’이다.
② 주격조사를 사용하여 문장의 주체를 높이고 있다.
③ 객체를 높이기 위해 높임을 나타내는 목적격조사를 사용하였다.
④ 문장의 주체를 높이기 위한 선어말어미를 사용하였다.
⑤ 문장의 목적어를 높이기 위해 특수어휘를 사용하였다.

09 〈보기〉의 밑줄 친 부분에 나타나는 높임 표현의 양상을 설명한 것으로 적절한 것은?

보기

㉠ 어머니는 할머니께 과일을 드렸다.
㉡ 어머니는 어제 할머니를 뵙고 오셨다.
㉢ 어머니는 형을 잠깐 만나러 오셨습니다.
㉣ 아버지는 할머니께 커다란 선물을 드리셨다.
㉤ 아버지는 할머니를 아침 일찍 모시러 왔습니다.

① ㉠은 주체와 객체를 모두 높이고 있다.
② ㉡은 객체와 청자를 모두 높이고 있다.
③ ㉢은 주체와 청자를 모두 높이고 있다.
④ ㉣은 객체를 높이고, 주체는 낮추고 있다.
⑤ ㉤은 주체, 객체, 청자를 모두 동시에 높이고 있다.

10 담화 상황을 고려했을 때, 〈보기〉에서 높임 표현이 적절한 것을 고른 것은?

보기

ㄱ. (손자가 할아버지께) 할아버지, 아버지가 여기에 왔습니다.
ㄴ. (식당에서 점원이 손님에게) 손님, 주문하신 커피가 나왔습니다.
ㄷ. (교실에서 친구가 영수에게) 영수야, 선생님께서 너 교무실로 오시래.
ㄹ. (학교 방송에서 학생들에게) 잠시 후, 교장 선생님 말씀이 계시겠습니다.

① ㄱ, ㄴ　② ㄱ, ㄹ　③ ㄴ, ㄷ　④ ㄴ, ㄹ　⑤ ㄷ, ㄹ

11 〈보기〉의 ㉠, ㉡이 모두 사용된 문장은?

보기

우리말에서는 일반적으로 선어말어미나 종결어미, 조사 등을 통해 높임을 표현하지만, 어휘를 통해 높임을 표현하는 경우도 있다. 높임 표현에 쓰이는 어휘들은 다음과 같이 분류할 수 있다.

- 주체를 높이는 용언
- ㉠객체를 높이는 용언
- 높여야 할 인물을 직접 높이는 명사
- ㉡높여야 할 인물과 관련된 것을 높이는 명사

① 작은아버지는 살림이 넉넉하시다.
② 나는 아직 그 분의 성함을 기억한다.
③ 이번 주말에 할머니를 뵈러 가야한다.
④ 선생님께 따님에 대한 칭찬을 해 드렸다.
⑤ 나는 전화로 할아버지께 안부를 여쭈었다.

12 다음 밑줄 친 시간 표현에 대한 설명으로 잘못된 것은?

① 그렇게 어렵던 수학문제가 이제 술술 풀린다. → 과거 시제
② 그는 언젠가는 떠날 사람이야. → 미래 시제
③ 들에 핀 꽃이 참 곱다. → 현재 시제
④ 그 애가 무거운 짐을 들고서 걸어간다. → 완료상
⑤ 미나가 의자에 앉아 있다. → 진행상

13 다음 〈보기〉의 ㉠~㉤에 대한 설명으로 적절하지 않은 것은?

보기

㉠ 우리의 꿈을 이루겠다.
㉡ 공기가 매우 맑다.
㉢ 어제 먹은 빵이 매우 맛있었다.
㉣ 철수가 양손을 흔들고서 나에게 다가온다.
㉤ 그는 은퇴 후에도 여전히 바쁘고 있다.

① ㉠은 사건시가 발화시보다 뒤에 오는 시제이다.
② ㉡의 '맑다'에는 시제 표시가 따로 없다.
③ ㉢의 '먹은'에는 선어말어미 '-(으)ㄴ'을 써서 과거 시제를 나타내었다.
④ ㉣의 밑줄 친 부분은 연결 어미 '-고서'를 써서 어떤 동작이 시간의 흐름 속에서 이미 끝났다는 것을 표현하였다.
⑤ ㉤의 밑줄 친 부분이 어색한 이유는 '바쁘다'가 형용사이기 때문이다.

14 (가)와 (나)를 비교한 내용으로 적절한 것은?

(가) 고양이가 우유를 먹고 있었다.
(나) 고양이가 우유를 먹어 버렸다.

① (가)는 가능성을, (나)는 추측을 나타낸다.
② (가)는 과거와의 단절을, (나)는 회상을 나타낸다.
③ (가)는 보조 용언으로, (나)는 선어말 어미로 동작상을 나타낸다.
④ (가)는 동작이 시간의 흐름 속에서 이어지고 있음을, (나)는 동작이 이미 끝났음을 나타낸다.
⑤ (가)는 발화시와 사건시가 일치하는 사건을, (나)는 사건시가 발화시보다 앞선 사건을 나타낸다.

15 〈보기〉는 시간을 표현하는 방법에 대해 조사한 것이다. 각 문장에 대한 시간 표현을 잘못 설명한 것은?

보기

ㄱ. 시제란 사건이 발생한 시점(사건시)이 그 사건을 언어로 표현하는 시점(발화시)보다 이전인지 이후인지 아니면 일치하는지를 나타내는 문법 요소이다.

ㄴ. 동작상은 발화시를 기준으로 동작이 일어나고 있는 모습을 표현한 것인데, 동작이 진행되고 있음을 표현하는 진행상과 동작이 이미 완결되었음을 표현하는 완료상이 있다.

㉠	어제 친구를 만나 영화를 보았다.	부사와 선어말 어미를 써서 발화시보다 사건시가 앞서는 과거시제를 표현한다.
㉡	이렇게 비가 오니 농사는 다 지었다.	미래의 일을 확정적으로 받아들임을 나타낸다.
㉢	지난 여름에는 정말 덥더라.	과거 어느 때의 일이나 경험을 회상할 때에 사용한다.
㉣	나도 그건 할 수 있겠다.	미래 시제를 나타내는 것 이외에 능력을 표현하기도 한다.
㉤	그 책은 동생에게 줘 버렸고, 지금은 이 책을 읽고 있어.	발화시를 기준으로 동작이 둘 다 동시에 진행되고 있음을 표현하고 있다.

① ㉠ ② ㉡ ③ ㉢ ④ ㉣ ⑤ ㉤

16 밑줄 부분의 동작상을 나타낸 것으로 적절하지 않은 것은?

〈문장〉	〈동작상〉
① 철수가 빵을 먹고 있을 것이다.	진행상
② 널어둔 빨래가 말라 버렸다.	완료상
③ 철수가 그림을 거의 그려 간다.	완료상
④ 그녀가 손을 흔들면서 웃었다.	진행상
⑤ 그가 한 번 웃고서 내게 온다.	완료상

17 〈보기〉의 시간 표현에 대한 설명으로 적절한 것만을 고른 것은?

보기

ⓐ 친구가 지금 읽는 책은 소설이다.
ⓑ 동생은 어제 교실 창문을 닦았다.
ⓒ 발표 준비하려면 오늘도 잠은 다 잤어.

ㄱ. ⓐ는 어미 '-는', '-은'을 사용하여 현재 시제를 표현하고 있다.
ㄴ. ⓑ는 부사와 선어말어미를 활용하여 과거 시제를 표현하고 있다.
ㄷ. ⓒ는 과거 시제 선어말어미 '-았-'을 사용하여 발화시보다 앞선 사건을 서술하고 있다.

① ㄱ ② ㄴ ③ ㄷ ④ ㄴ, ㄷ ⑤ ㄱ, ㄴ, ㄷ

18 밑줄 친 부분이 〈보기〉의 ⓐ와 가장 유사한 의미로 사용된 것은?

보기

미래 시제를 나타내는 '-겠-'은 추측이나 ⓐ의지, 가능성 등의 의미도 나타낸다.

① 그 일을 혼자 다 할 수 있겠어?
② 내일은 하루 종일 비가 오겠습니다.
③ 지금쯤이면 그가 서울역에 벌써 도착했겠다.
④ 내년에는 저도 그 학교에 지원해 보겠습니다.
⑤ 잠시 후 대통령 내외분이 식장으로 입장하시겠습니다.

19 다음 문장과 같은 시제가 사용된 문장은?

보기

이번 여름은 날씨가 정말 더웠다.

① 나는 내일 독도로 떠난다.
② 저는 지금 지하철을 탑니다.
③ 초등학교 때는 공부를 잘했었다.
④ 나 이제 우리 부모님한테 죽었다.
⑤ 해는 동쪽에서 떠서 서쪽으로 진다.

20 〈보기〉를 바탕으로 '동작상'에 대해 탐구한 내용으로 가장 적절한 것은?

보기

시제가 사건시와 발화시의 선후 관계를 표현한다면, 동작상은 사건 또는 동작 자체의 시간적 속성을 표현한다. 예를 들어 '먹다'라는 동작은 과거에서 지금까지 먹고 있는 움직임이 진행 중인 상태와 먹는 움직임이 끝난 상태로 분석할 수 있다. 이와 같이, 동작 내부의 시간적 흐름을 표현하는 문법 요소가 동작상이다. 동작상에는 진행상과 완료상이 있다. 진행상이란 어떤 동작이 시간의 흐름 속에서 계속 이어지고 있을 때 사용하는 문법 요소이고, 완료상이란 어떤 동작이 시간의 흐름 속에서 이미 끝났거나 그 결과가 지속될 때 사용하는 문법 요소이다.

ⓐ 그의 감기가 낫고 있다.
ⓑ 화단에 꽃이 피어 있다.

① '그는 바람처럼 훌쩍 떠나 버렸다.'는 ⓐ와 같은 동작상의 예에 해당한다.
② '누나는 밥을 먹으면서 신문을 본다.'는 ⓑ와 같은 동작상의 예에 해당한다.
③ ⓐ는 시간이 흐름 속에서 '낫다'라는 동작이 끝난 후 그 결과가 지속되고 있음을 표현하고 있다.
④ ⓐ의 '낫고 있다'를 '-아/-어 가다'의 형태로 바꿔도 같은 의미의 문장이다.
⑤ ⓑ는 시간의 흐름 속에서 '피다'라는 동작이 계속 이어지고 있음을 표현하고 있다.

21 〈보기〉의 ⓐ~ⓒ에 해당하는 예로 적절한 것은?

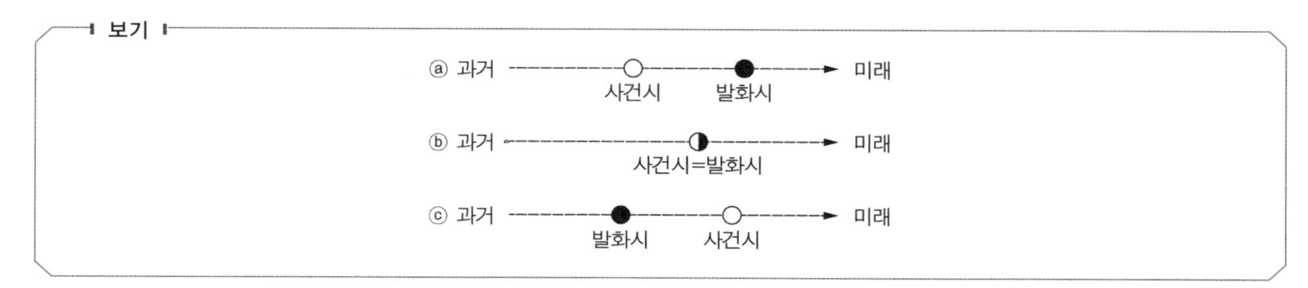

① ⓐ : 오늘 영희는 친구를 만나 영화를 볼 것이다.
② ⓐ : 지금 네가 하는 공부는 무슨 과목이니?
③ ⓑ : 철수는 장차 훌륭한 어른이 되겠다.
④ ⓑ : 조금 전만 해도 창밖에 비바람이 치고 있었다.
⑤ ⓒ : 이 식당은 주말에 개업식을 할 것이다.

22 과거 시제를 표현하는 방법으로 적절하지 않은 것은?

① 선어말 어미 '-았-/-었-'을 사용하여 과거 시제를 표현한다.
② 부사어 '어제', '아까', '이미' 등을 사용하여 과거 시제를 표현한다.
③ 과거 시제를 표현하기 위한 관형사형 어미로 동사의 경우 '-던'을 쓴다.
④ 과거 시제를 표현하기 위한 관형사형 어미로 형용사의 경우 '-(으)ㄴ'을 쓴다.
⑤ 과거의 일이나 경험을 회상하는 의미를 덧붙이기 위해 선어말 어미 '-더-'를 쓴다.

23 〈보기〉의 ⓐ, ⓑ에 대한 설명으로 적절하지 않은 것은?

보기

동작 내부의 시간적 흐름을 표현하는 국어의 문법 요소를 동작상이라고 한다. 동작상에는 ⓐ진행상과 ⓑ완료상이 있다.

① ⓐ는 발화시를 기준으로 동작이 진행되고 있는 상황이다.
② ⓑ는 발화시를 기준으로 동작이 완료된 상황이다.
③ ⓐ의 예로서 '철수는 손을 흔들면서 집에 간다.'를 들 수 있다.
④ ⓑ의 예로서 '철수는 집에 가 버렸다.'를 들 수 있다.
⑤ ⓐ를 표현할 때는 주로 보조 용언 '-아/어 있다'를 쓰고, ⓑ를 표현할 때는 보조 용언 '-고 있다'를 쓴다.

24 다음 중 피동문이 아닌 것은?

① 어제 영어 시험을 망쳐서 스트레스가 쌓였어.
② 어느새 그의 눈가에 눈물이 맺혔다.
③ 제발 날 울리지 말아줘.
④ 아기가 엄마에게 안겼다.
⑤ 곧 놀라운 사실을 알게 될 거야.

25 〈보기〉에서 피동접미사를 사용한 피동 표현이 있는 문장만을 모두 고른 것은?

보기
㉠ 붕어빵이 백 개나 팔렸다.
㉡ 그의 독점으로 승부가 뒤집어졌다.
㉢ 정보화 사회에는 잊힐 권리가 필요하다.
㉣ 그녀 덕분에 막냇동생이 혼사를 이루게 되었다.

① ㉠, ㉡ ② ㉠, ㉢ ③ ㉡, ㉢ ④ ㉡, ㉣ ⑤ ㉢, ㉣

26 잘못 쓰인 표현을 바르게 고친 것은?

① 내 이름이 불리게 되자 깜짝 놀랐다.
→ 내 이름이 불려지자 깜짝 놀랐다.
② 그가 우승을 했더니 믿겨지지 않는다.
→ 그가 우승을 했다니 믿어지지 않는다.
③ 나는 책에서 무엇이 배워졌는지 기록하였다.
→ 나는 책에서 무엇을 배웠는지 기록되었다.
④ 공사 과정에서 발생된 소음으로 피해가 크다.
→ 공사 과정에서 발생되어진 소음으로 피해가 크다.
⑤ 현서는 초등학교 3학년 때 백일장에 참가하게 되었다.
→ 현서는 초등학교 3학년 때 백일장에 참가되었다.

27 〈보기〉의 ㉠이 사용되지 않은 것은?

보기

㉠피동 표현은 주어가 다른 주체에 의해서 어떤 동작을 당하거나 영향을 받는 것을 말하는 국어의 문법 요소이다.

① 친구가 나를 바보라고 놀렸다.
② 종이에 베인 그 상처가 꽤 깊다.
③ 엄마 등에 업힌 아이가 잠을 자고 있다.
④ 그가 내민 쪽지는 아주 작게 접혀 있었다.
⑤ 철수는 닫힌 문을 열지 못해 애를 쓰고 있다.

[28] 다음 글을 읽고 물음에 답하시오.

요즈음 국어에서 피동 표현의 사용이 늘고 있다. 몇몇 사람들은 이러한 현상이 영어 번역 투에서 시작되었다고 본다. 영어를 한국어로 번역할 때 영어의 특성이 그대로 남아 있게 되고, 그 특성이 국어 사용에 영향을 준다는 것이다.

(ㄱ) 기본문장 : 허균이 「홍길동전」을 지었다.
(ㄴ) 한국어 문장 : 「홍길동전」은 허균이 지었다.
(ㄷ) 영어 직역 문장 : 「홍길동전」은 허균에 의해 지어졌다.

위와 같이 한국어 문장은 어순이 비교적 자유로워 문장의 첫머리에 서술의 대상이 와도 능동 표현이 가능하다. 하지만 영어에서는 문장의 첫머리에 오는 성분은 주어여야 하므로 같은 상황에서 서술어를 피동 형태로 바꾸어야 한다. 이처럼 한국어와 영어의 차이점을 고려하지 않고 ㉠영어 문장을 직역하면 불필요한 피동 표현을 쓸 수밖에 없다.

28 윗글을 읽은 후 나타난 반응으로 적절하지 않은 것은?

① 우리말은 영어에 비해 어순이 비교적 자유롭구나.
② 우리가 사용하는 말 중 불필요하게 피동 표현을 쓰는 경우가 많은가 봐.
③ (ㄴ)은 능동 표현, (ㄷ)은 피동 표현이겠네.
④ (ㄴ)에서 「홍길동전」은 문장의 첫머리에 왔으니 주어야.
⑤ (ㄷ)은 우리말다운 표현이라고 말하기 어렵겠구나.

[29] 다음 글을 읽고 물음에 답하시오.

제힘으로 움직이는 행위의 주체가 주어인 문장을 능동문이라 한다. 이와 달리 피동문은 행위의 주체가 아닌 행위의 대상이 주어가 된다. 따라서 능동문을 피동문으로 바꿀 때에는 능동문의 주어와 목적어를 각각 피동문의 부사어와 주어로 바꾸고, 능동문의 서술어에 알맞은 피동 접미사 '-이-, -히-, -리-, -기-' 혹은 '-되다', '-아지다/-어지다'혹은 '-게 되다'를 붙여 피동문의 서술어로 만든다.

피동문을 쓸 때에는 지나친 피동 표현(ⓐ이중 피동)이 되지 않도록 유의해야 한다.

29 윗글을 참고하여 〈보기〉를 이해한 내용으로 적절하지 않은 것은?

보기

ㄱ. 태풍에 건물이 흔들린다.
ㄴ. 작은 나룻배가 파도에 뒤집혔다.

① ㄱ을 능동문으로 바꾸려면 '건물이'가 목적어가 되어야 한다.
② ㄱ을 능동문으로 바꾸려면 '태풍에'가 행위의 대상이 되어야 한다.
③ ㄱ의 '흔들리다'는 '흔들다'의 어간에 피동 접미사 '리'가 붙은 경우이다.
④ ㄴ을 능동문으로 바꾸면 행위의 주체가 '파도'가 된다.
⑤ ㄴ의 '뒤집혔다' 대신 '뒤집다'의 어간에 '-어졌다'를 붙여도 피동문이 된다.

30 인용 표현을 올바르게 사용한 문장은?

① 철수는 어머니께 사랑합니다라고 말했다.
② 인태는 "수정이가 방금 운동장에 나갔어."고 말했다.
③ 처음 바다를 본 동생은 바다가 정말 넓구나고 혼잣말을 했다.
④ 어머니께서는 실패란 하나의 사건일 뿐이라고 말씀하셨다.
⑤ 손님이 점원에게 "이 옷이 얼마냐?"고 물었다.

31 직접 인용문을 간접 인용문으로 바꾼 것으로 적절하지 않은 것은?

① 오빠가 "저 집이다."라고 외쳤다.
→ 오빠가 저 집이라고 외쳤다.
② 오빠는 "조용히 해라."라고 말했다.
→ 오빠는 조용히 하라고 말했다.
③ 오빠가 내게 "많이 아프니?"라고 물었다.
→ 오빠가 내게 많이 아프냐고 물었다.
④ 오빠는 "여기가 내가 사는 곳이야."라고 말했다.
→ 오빠는 거기가 내가 사는 곳이라고 말했다.
⑤ 오빠는 어제 "선생님이 내일 오신다."라고 말했다.
→ 오빠는 어제 선생님이 오늘 오신다고 말했다.

32 〈보기〉의 ⓐ~ⓓ에 들어갈 말을 올바르게 짝지은 것은?

보기

직접인용 : 실망한 제게 어머니께서는 "실패란 하나의 사건일 뿐이다."라고 말씀해 주셨습니다.
간접인용 : 실망한 제게 어머니께서는 실패란 하나의 사건일 ___ⓐ___ 말씀해 주셨습니다.

직접인용 : 철수는 어머니께 "사랑합니다"라고 말했다.
간접인용 : 철수는 어머니께 ___ⓑ___ 말했다.

간접인용 : 인태는 수정이가 방금 운동장에 나갔다고 말했다.
직접인용 : 인태는 "수정이가 방금 운동장에 ___ⓒ___ 말했다.

간접인용 : 처음 바다를 본 그녀는 바다가 정말 넓다고 혼잣말을 했다.
직접인용 : 처음 바다를 본 그녀는 "바다가 정말 ___ⓓ___ 혼잣말을 했다.

	ⓐ	ⓑ	ⓒ	ⓓ
ㄱ	뿐이라고	사랑한다고	나갔어"고	넓구나"고
ㄴ	뿐이라고	사랑한다고	나갔어"라고	넓구나"라고
ㄷ	뿐이라고	사랑한다라고	나갔어"고	넓구나"고
ㄹ	뿐이라고	사랑한다라고	나갔어"고	넓구나"라고
ㅁ	뿐이라고	사랑한다라고	나갔어"라고	넓구나"고

① ㄱ ② ㄴ ③ ㄷ ④ ㄹ ⑤ ㅁ

33 다음 표는 직접 인용을 간접 인용으로 바꾼 것이다. 적절하지 않은 것은?

	직접 인용		간접 인용
㉠	철수는 어머니께 "사랑합니다."라고 말했다.	→	철수는 어머니께 사랑한다고 말했다.
㉡	전화 통화 중 언니는 "거기에도 비가 와?"라고 물었다.	→	전화 통화 중 언니는 여기에도 비가 오냐고 물었다.
㉢	처음 바다를 본 그녀는 "바다가 정말 넓구나." 라고 혼잣말을 했다.	→	처음 바다를 본 그녀는 바다가 정말 넓다고 혼잣말을 했다.
㉣	상이는 새로 짝꿍이 된 친구에게 "우리 앞으로 친하게 지내자."라고 말했다.	→	상이는 새로 짝꿍이 된 친구에게 앞으로 친하게 지내자고 했다.
㉤	태연이는 "모둠 활동에서 내가 발표를 맡을래."라고 외쳤다.	→	태연이는 모둠 활동에서 내가 발표를 맡겠다고 외쳤다.

① ㉠ ② ㉡ ③ ㉢ ④ ㉣ ⑤ ㉤

객관식 심화문제

01 〈보기〉의 ⓐ~ⓔ에 들어갈 말을 올바르게 짝지은 것은?

보기

㉠ 미나 어머니께서는 "너희 어머니는 잘 지내니?"라고 물어 보셨다.
㉡ 미나 어머니께서는 우리 어머니께서 잘 지내시냐고 물어 보셨다.

㉠은 미나 어머니의 발화를 그대로 옮긴 직접 인용이고, ㉡은 미나 어머니의 발화를 풀어 쓴 간접 인용이다. 그런데 직접 인용을 간접 인용으로 바꿀 때나 간접 인용을 직접 인용으로 바꿀 때는 인용절 속의 어미, 인용 조사, 대명사, 지시 표현, 높임 표현 등에 변화가 생길 수 있다.

직접 인용	아들이 어제 저에게 "내일 병원에 모시고 갈게요."라고 말했습니다.

⇩

간접 인용	아들이 어제 저에게 (ⓐ) 병원에 (ⓑ) 말했습니다.
직접 인용	철수는 어머니께 "사랑합니다."라고 말했다.

⇩

간접 인용	철수는 어머니께 (ⓒ) 말했다.
직접 인용	선우가 "교실에서 조용히 합시다."라고 말했다.

⇩

간접 인용	선우가 교실에서 조용히 (ⓓ) 말했다.

	ⓐ	ⓑ	ⓒ	ⓓ
①	어제	모시고 간다고	사랑하냐고	하자고
②	오늘	데려 간다고	사랑한다고	하자고
③	오늘	모시고 간다고	사랑한다라고	하라고
④	오늘	데려 간다고	사랑하냐고	하자고
⑤	어제	데려 간다고	사랑한다고	하라고

03 〈보기〉의 ㉠~㉡에 해당하는 사례로 적절하지 않은 것은?

보기

'피동'이란 주어가 스스로 행동하지 않고 남의 동작을 받는 것을 말한다. 타동사 어근에 피동 접미사 '-이-, -히-, -리-, -기-'가 붙어서 이루어진 ㉠파생적 피동과 용언의 어간에 '-어지다', '-게 되다'가 붙어서 이루어진 ㉡통사적 피동 등이 있다.

① ㉠ : 도둑이 경찰에게 잡혔다.
② ㉠ : 우연히 음악 소리를 들었다.
③ ㉡ : 나에 대한 오해가 풀어졌다.
④ ㉡ : 그는 결국 징역을 살게 되었다.
⑤ ㉡ : 경기의 승부가 그의 득점으로 뒤집어졌다.

02 〈보기〉의 ㉠~㉤을 고친 문장과 오류 내용이 모두 알맞은 것은?

보기

㉠ 그녀는 아까 도서관에 가고 있어.
㉡ 철수야, 선생님이 너를 모시고 오시래.
㉢ 할아버지는 매일 이 시간이면 낮잠을 자.
㉣ 창문이 닫혀지지 않아 찬바람이 들어온다.
㉤ 사육장 관계자는 시설의 개선이 필요하다라고 말했습니다.

고친 문장	오류 내용
㉠ 그녀는 아까 도서관에 가고 있었어.	시제 오류
㉡ 철수야, 선생님이 너를 데리고 오라고 하셔.	높임 오류
㉢ 할아버지는 매일 이 시간이면 낮잠을 주무셔.	높임 오류
㉣ 창문이 닫히지 않아 찬바람이 들어온다.	사동 오류
㉤ 사육장 관계자는 시설의 개선이 필요하다고 말했습니다.	시제 오류

① ㉠ ② ㉡ ③ ㉢ ④ ㉣ ⑤ ㉤

05 〈보기〉의 ㉠에 들어갈 문장으로 가장 적절한 것은?

보기

우리말의 높임 표현은 높임의 대상이 무엇이냐에 따라 세 종류로 나뉜다. 상대 높임법은 화자가 청자, 즉 상대를 높이거나 낮추는 방법으로 종결 어미에 의해 실현된다. 주체 높임법은 문장에서 서술의 주체를 높이는 방법으로 조사, 선어말 어미, 특수 어휘에 의해 실현된다. 또한, 객체 높임법은 문장에서 목적어와 부사어가 지시하는 대상, 즉 객체를 높이는 방법으로 조사와 특수 어휘에 실현된다.

그런데 실제 언어생활에서 높임 표현은 위의 높임 표현 두세 가지가 동시에 사용되어 실현 양상이 복합적이다.

예를 들어 '영수야, 할아버지 오셨어.'와 같은 문장은 상대는 낮추고 주체는 높여서 표현한 것이다. 그리고 ____㉠____는 상대를 높이고 주체와 객체도 높여서 표현한 것이다.

① 아버지께서는 할아버지를 뵙고 오셨어요.
② 할머니께서는 진지를 드시고 계셨습니다.
③ 철수가 손님들을 모시고 공원으로 갔어요.
④ 어머니께서는 나의 저녁밥을 차려 주였어.
⑤ 요즘 중간고사 시험 준비로 많이 힘드시죠?

04 〈보기〉를 바탕으로 높임 표현에 대해 탐구한 내용으로 적절하지 않은 것은?

보기

㉠ 아버지께서 저녁을 드시러 나가셨습니다.
㉡ 선생님께 문제의 풀이 과정을 여쭤보았다.
㉢ 어머니께서는 손이 아프셔서 무거운 짐을 드실 수 없어.
㉣ (가게 안을 두리번거리는 손님에게) 손님, 무엇을 찾으십니까?

① ㉠과 ㉡에서 주어가 나타내는 대상을 높일 때 사용하는 조사가 드러난다.
② ㉡은 특수 어휘를 사용하여 부사어가 나타내는 대상을 높이고 있다.
③ ㉢은 '어머니'의 신체 부분을 높여 문장의 주체를 높이고 있다.
④ ㉣은 종결 어미를 통해 듣는 상대를 아주 높여 말하고 있다.
⑤ ㉠과 ㉣은 주어가 나타내는 대상을 높일 때 사용하는 선어말 어미가 드러난다.

06 〈보기1〉을 참고할 때, 〈보기2〉의 '-겠-'과 유사한 의미를 지닌 예로 가장 적절한 것은?

보기 1

미래 시제를 나타내는 선어말 어미 '-겠-'은 용언의 어간에 붙어 미래 시제를 나타내는 것 이외에 추측이나 의지, 가능성이나 능력, 완곡하게 말하는 태도 등의 의미로 쓰인다.

보기 2

영희야, 이 많은 일을 어떻게 혼자 다 하겠니?

① 하늘을 보니 내일은 비가 오겠다.
② 이 정도 수학 문제는 어린 아이도 풀 수 있겠다.
③ 지금쯤 이모네 가족들이 인천 공항에 도착했겠네.
④ 나는 이번 하반기 입사 시험에 합격하고야 말겠다.
⑤ 비가 그칠 때까지 잠시 옆자리에 앉아도 되겠습니까?

07 〈보기〉의 ㉠~㉢에 해당하는 예로 적절하지 않은 것은?

보기

높임 표현은 화자가 대상의 높고 낮은 정도에 따라 언어적으로 구별하여 표현하는 국어의 문법 요소이다. 높임 표현은 높임의 대상에 따라 ㉠상대 높임법, ㉡주체 높임법, ㉢객체 높임법으로 나뉜다.

① ㉠ : 철수야, 학교에 잘 다녀오너라.
② ㉠ : 오늘의 영광을 부모님께!
③ ㉡ : 아버지께서는 집에 계신다.
④ ㉡ : 할아버지께서는 이미 진지를 잡수셨다.
⑤ ㉢ : 우리는 할머니를 모시고 여행을 갔다.

08 높임법에 맞게 고쳐 쓴 문장과 그 이유가 적절하지 않은 것은?

① 나는 집에 있어.
→ (부모님께) 저는 집에 있어요.
이유 : 부모님께는 자신을 낮춰야 한다.
② 할아버지께서는 이가 안 좋으시다.
→ 할아버지께서는 치아가 안 좋으시다.
이유 : 높임의 대상과 밀접한 사람이나 사물, 신체의 일부 등을 높임으로써 해당 인물을 높이는 간접높임을 사용하고 있다.
③ 나는 어머니께 꽃다발을 주었다.
→ 나는 어머니께 꽃을 주었다.
이유 : '주었다'에 어울리는 낱말은 '꽃'이므로 '꽃다발'은 어울리지 않다.
④ 안녕하세요, 회장님? 신입사원00라고 합니다.
→ 안녕하십니까, 회장님? 신입사원 00라고 합니다.
이유 : 공적인 자리에서는 격식체를 사용해야만 한다.
⑤ 동생이 할아버지를 보고 말을 했다.
→ 동생이 할아버지를 뵙고 말씀을 드렸다.
이유 : 객체를 높이기 위하여 높임의 의미가 있는 특수한 어휘를 사용하기도 한다.

09 〈보기〉의 밑줄 친 부분에 해당하는 예로 적절한 것은?

보기

피동 표현을 쓸 때 피동사에 '-아지다/-어지다'나 '-게 되다'를 또 붙여서 이중 피동을 만드는 경우가 있는데, 이는 잘못된 표현이다. 또 불필요한 피동 표현이 사용된 경우에는 능동 표현으로 바꾸어 써야 한다. 한국어와 영어의 차이점을 고려하지 않고 영어 문장을 직역하면 불필요한 피동 표현을 쓸 수 밖에 없다. 그리고 이러한 문장에 익숙해지면 정작 피동 표현을 써야 할 때에 이중 피동 표현을 쓰게 된다. 그래야만 피동 표현이 강조되는 것처럼 느껴지기 때문이다. 한 예로, 인터넷상의 개인 정보를 삭제할 수 있는 권리는 '잊힐 권리'는 흔히 이중 피동 표현인 '잊혀질 권리'로 잘못 쓰인다.

① 많은 물고기가 국어선생님에게 잡혔다.
② 오래된 그 집이 사람들에게 헐리어졌다.
③ 내 이름이 불리자 깜짝 놀랐다.
④ 고분에서 많은 유물이 발굴되었다.
⑤ 경기의 승부가 그의 마지막 득점으로 뒤집혔다.

[10~11] 다음은 토론 중의 발언이다. 발언을 읽고 물음에 답하시오.

높임 표현은 화자가 대상의 높고 낮은 정도에 따라 언어적으로 구별하여 표현하는 국어의 문법 요소이다. 높임 표현은 높임의 대상에 따라 상대 높임법, 주체 높임법, 객체 높임법으로 나뉜다.

상대 높임법은 청자를 높이거나 낮추는 방법이다. 높임과 낮춤의 정도에 따라 종결 어미가 달라진다. 화자 자신을 낮추는 것 '저', '제' 등의 어휘를 쓰기도 한다.

주체 높임법은 문장의 주체를 높이는 방법이다. 주격 조사 '이/가' 대신 '께서'를 사용하고, 일반적으로 서술어에 선어말 어미 '-(으)시-'가 붙어 실현된다. ㉠'있다', '먹다' 같은 단어 대신 '계시다', '잡수시다' 같은 특수 어휘를 쓰기도 한다.

[A] 최근 '주문하신 커피 나오셨습니다.' '문의하신 상품은 품절이십니다.'처럼 서비스업이나 판매업 종사자들이 고객을 존대하려는 의도로 불필요한 '-시-'를 넣은 표현을 적지 않게 사용하고 있다. 높여야 할 대상의 신체 부분, 성품, 심리, 소유물과 같이 주어와 밀접한 관계를 맺고 있는 대상을 통하여 주어를 간접적으로 높이는 '간접 존대'에는 '눈이 크시다.', '걱정이 많으시다', '선생님, 넥타이가 멋있으시네요.'처럼 '-시-'를 동반한다. 그러나 '주문하신 커피 나오셨습니다.', '문의하신 상품은 품절이십니다.'처럼 '-시'를 남용하는 것은 바른 경어법이 아니다.

객체 높임법은 문장의 목적어나 부사어가 지시하는 대상, 즉 서술의 객체를 높이는 방법이다. 서술의 객체가 화자보다 나이가 많거나 사회적 지위가 높을 때 사용한다. 부사격 조사 '에게' 대신 '께'를 사용하고, ㉡'만나다', '묻다' 같은 단어 대신 '뵈다', '여쭈다' 같은 특수 어휘를 쓰기도 한다.

10 다음 중 ㉠, ㉡이 모두 사용된 문장은?

① 누나는 여쭈어볼 것이 있다며 선생님 댁에 갔다.
② 연세가 많으신 할머니께서는 아직도 홍시를 잘 잡수신다.
③ 어머니께서는 몹시 피곤하신지 오시자마자 거실에서 주무신다.
④ 할아버지를 모시고 식당으로 가서 무엇을 잡수실 건지 여쭙거라.
⑤ 아버지께서는 할머니를 뵙고 추석 선물을 드리며 반갑게 인사를 하셨다.

11 윗글의 [A]를 제대로 이해하지 못한 사람은?

① (선생님께) '오늘 입으신 옷이 멋지시네요.'는 옷을 통해 선생님을 간접적으로 높이려는 것이군.
② (미용실에서) '손님, 이제 머리 감기실게요.'는 문장의 주어인 손님을 높이려는 의도로 -시-를 썼군.
③ (사장님께) '사장님 따님이 참 착하시네요.'는 화자보다 사장의 딸이 어린 경우에는 사장을 높이기 위한 간접 존대에 해당해야겠군.
④ (상점에서) '손님 성격이 참 좋으시네요.'의 '성격'은 높여야 할 대상과 밀접한 관계를 맺고 있으므로 틀린 표현이 아니겠군.
⑤ (식당에서) '문의하신 날짜는 예약이 꽉차셔서 불가능하십니다.'는 '-시'의 남용에 해당하겠군.

[12~13] 다음 글을 읽고 물음에 답하시오.

높임 표현은 화자가 대상의 높고 낮은 정도에 따라 언어적으로 구별하여 표현하는 국어의 문법 요소이다. 높임 표현은 높임의 대상에 따라 상대 높임법, 주체 높임법, 객체 높임법으로 나뉜다.

㉮상대 높임법은 청자를 높이거나 낮추는 방법이다. 높임과 낮춤의 정도에 따라 종결 어미가 달라진다.

㉯주체 높임법은 문장의 주체를 높이는 방법이다. 주격 조사 '이/가' 대신 '께서'를 사용하고, 일반적으로 서술어에 선어말 어미 '-(으)시-'가 붙어 실현된다. 특수 어휘를 쓰는 단어도 있다.

㉰객체 높임법은 문장의 목적어나 부사어가 지시하는 대상, 즉 서술의 객체를 높이는 방법이다. 서술의 객체가 화자보다 나이가 많거나 사회적 지위가 높을 때 사용한다.

12 위 글의 예시로 적절하지 않은 것은?

① ㉮ : 저는 밥 먹으러 직접 가겠습니다.
② ㉮ : 어머님, 제가 무거운 것을 들고 가겠습니다.
③ ㉯ : 아버지께서는 안방에 계신다.
④ ㉯ : 선생님께서는 아름다운 따님이 두 명이나 계신다.
⑤ ㉰ : 영희가 할머니께 드릴 선물을 구입했어요.

13 다음 발표문에 대한 평가로 적절하지 않은 것은?

안녕? 나는 뽀로로라고 해.
문학에 관심이 많은 나는 초등학교 3학년 때 백일장에 참가되었어. 하루 종일 고생해서 시를 써냈지만 수상하지 못했지. 실망할 나에게 어머니께서는 "실패란 하나의 사건일 뿐이다."라고 말해 주었어. 실패는 끝이 아니라 과정이며, 실패를 통해 무엇이 배워졌는지가 더 중요하다는 사실을 깨달았지. 그 후 나는 8년간 계속해서 백일장에 참가하고 있어. 앞으로도 많이 실패하였지만 계속 도전할 거야.

① 부적절한 피동 표현은 능동 표현으로 고쳐쓴다.
② 잘못 쓰인 과거 시제와 미래 시제 표현을 수정한다.
③ 높임의 대상을 표현하기 위해 높임 표현을 사용해야 한다.
④ 직접 인용을 사용해야 하는 부분에 간접 인용을 사용하고 있다.
⑤ 공식적인 자리에서 발표하기 위해 청자를 높이는 표현으로 수정한다.

14 (가)~(마)에 대한 설명으로 옳지 않은 것은?

보기

(가) A는 연세가 많으시다.
(나) A께서 낮잠을 주무신다.
(다) A가 B께 용돈을 드렸다.
(라) 저는 이곳이 처음입니다.
(마) A께서 B를 모시고 떠나셨습니다.

① (가)에서 화자는 특수 어휘 '연세'와 선어말 어미 '-시-'를 사용하여 주체인 A를 간접적으로 높이고 있다.
② (나)에서 화자는 조사 '께서'와 선어말 어미 '-시-'를 사용하여 주체인 A를 직접 높이고 있다.
③ (다)에서 화자는 조사 '께'와 특수 어휘 '드리다'를 사용하여 객체인 B를 높이고 있다.
④ (라)에서 화자는 특수 어휘 '저'를 사용하여 자신을 낮추고, 종결 어미 '-ㅂ니다'를 사용하여 청자를 높이고 있다.
⑤ (마)에서 화자는 청자, 주체인 A, 객체인 B를 모두 높이고 있다.

15 각 쌍의 밑줄 친 부분에 대한 설명으로 옳지 않은 것은?

보기

(가) ㉠ 친구와 함께 영화를 본다.
㉡ 친구와 함께 영화를 보겠다.
(나) ㉢ 철수는 예전에 이 집에 살았다.
㉣ 철수는 예전에 이 집에 살았었다.
(다) ㉤ 동생이 먹은 빵이다.
㉥ 기온이 높은 날씨다.
(라) ㉦ 언니가 의자에 앉고 있다.
㉧ 언니가 의자에 앉아 있다.
(마) ㉨ 준현이가 손을 흔들면서 내게 다가온다.
㉩ 준현이가 손을 흔들고서 내게 다가온다.

① (가) : ㉠은 사건시가 발화시보다 앞서고, ㉡은 발화시가 사건시보다 앞서는 것을 나타낸다.
② (나) : ㉢과는 달리 ㉣은 '과거의 시간이 현재와 다르든가 단절되어 있음'을 나타낸다.
③ (다) : 관형사형 어미 '-(으)ㄴ'은 ㉤에서는 과거 시제를, ㉥에서는 현재 시제를 표현하는 데 사용되었다.
④ (라) : ㉦은 어떤 동작이 '진행되고 있음'을, ㉧은 '이미 끝났거나 그 결과가 지속되고 있음'을 나타낸다.
⑤ (마) : (라)와 (마)를 비교해 보면, ㉨의 시제와 동작상은 (라)의 ㉦과 ㉩은 (라)의 ㉧과 동일하다고 할 수 있다.

16 국어 문법에 어긋나는 어색한 표현을 고쳐 쓴 문장 또는 그 이유가 적절하지 않은 것은?

① 어색한 표현 : 날이 벌써 어두워 있다.
어색한 이유 : 형용사를 동작상과 함께 사용하였다.
고쳐 쓴 표현 : 날이 벌써 어둡다.
② 어색한 표현 : 그 말은 정말 믿겨지지 않았다.
어색한 이유 : 이중 피동 표현을 사용하였다.
고쳐 쓴 표현 : 그 말은 정말 믿기지 않았다.
③ 어색한 표현 : 고객님, 신분증이 계신가요?
어색한 이유 : 물건은 높임의 대상이 아니다.
고쳐 쓴 표현 : 고객님, 신분증이 있어요?
④ 어색한 표현 : 형은 "노래는 내가 잘한다."고 말했다.
어색한 이유 : 조사를 잘못 사용하였다.
고쳐 쓴 표현 : 형은 "노래는 내가 잘한다."라고 말했다.
⑤ 어색한 표현 : 혜영아, 아까 어디에 가고 있어?
어색한 이유 : 부사어와 서술어의 시제가 불일치한다.
고쳐 쓴 표현 : 혜영아, 아까 어디에 가고 있었어?

17 〈보기1〉을 〈보기2〉로 고쳐 쓴 과정에서 반영되지 않은 조건은?

보기 1

초등학교 4학년 때, 나는 백일장에 참가하였지만 입상하지 못했지. 어머니는 실망할 내게 실패는 끝이 아니라 하나의 과정이며, 실패를 통해 무엇이 배워졌는지가 더 중요하다고 말해 주었어. 그 후 나는 8년간 계속해서 백일장에 참가하고 있으면서 많이 실패하겠지만 앞으로 계속 도전할 거야.

보기 2

초등학교 학년 때, 저는 백일장에 참가하게 되었지만 입상하지 못했습니다. 어머니께서는 실망한 제게 "실패는 끝이 아니라 하나의 과정이야. 실패에서 무엇이 배워졌는지가 더 중요하지."라고 말씀해 주셨습니다. 그 후 저는 8년간 계속해서 백일장에 참가하면서 많이 실패하였지만 앞으로 계속 도전할 겁니다.

① 청자를 높이는 표현으로 고쳐 쓴다.
② 간접 인용을 직접 인용으로 고쳐 쓴다.
③ 잘못 쓰인 높임 표현을 바르게 고쳐 쓴다.
④ 잘못 쓰인 시간 표현을 바르게 고쳐 쓴다.
⑤ 부적절한 피동 표현을 능동 표현으로 고쳐 쓴다.

18 ㉠~㉤의 잘못된 문장을 수정한 이유로 적절하지 않은 것은?

	잘못된 문장 → 수정한 문장
㉠	할아버지께서 우리에게 세뱃돈을 줬다. → 할아버지께서 우리에게 세뱃돈을 주셨다.
㉡	그의 말이 정말 믿겨지지 않았다. → 그의 말이 정말 믿기지 않았다.
㉢	그는 신발을 신고 있다. → 그는 신발을 신는 중이다.
㉣	그는 나에게 "밥 언제 먹을 거니?"고 물었다. → 그는 나에게 "밥 언제 먹을 거니?"라고 물었다.
㉤	그녀의 머릿결은 언제나 아름답고 있다. → 그녀의 머릿결은 언제나 아름답다.

① ㉠ : 서술어 '줬다'의 주체가 높임의 대상이기 때문이다.
② ㉡ : 이중 피동 표현을 사용하였기 때문이다.
③ ㉢ : 중의적 의미로 해석이 가능하기 때문이다.
④ ㉣ : 인용의 조사가 잘못되었기 때문이다.
⑤ ㉤ : 시제를 잘못 사용하였기 때문이다.

19 〈보기〉의 ㉠~㉦에 대해 설명한 것으로 적절하지 않은 것은?

보기

내가 예전에 여기에 ㉠왔을 때 ㉡본 나무들, 그토록 ㉢예쁘던 그 꽃나무들은 다 어떻게 ㉣돼 버렸을까? 그 나무들을 보면서 큰 기쁨을 ㉤느꼈었는데.
아, ㉥초등학생이던 내가 손수 심은 나무들도 다 ㉦사라졌구나.

① ㉠과 ㉦은 선어말어미 '-았/었-'을 사용했으므로 과거시제이다.
② ㉡은 관형사형 어미 '-ㄴ'이 붙어 과거시제가 되었으므로, '보다'의 품사는 동사이다.
③ ㉢과 ㉥에 관형사형 어미 '-던'이 붙어 과거시제가 되었으므로, 이들 품사는 동사이다.
④ ㉣은 '-어 버리다'에 선어말어미 '-었-'이 결합한 것으로, 과거시제 완료상이다.
⑤ ㉤은 선어말어미 '-었었-'을 사용했으므로 현재에는 그렇지 않음을 나타내는 과거시제이다.

20 〈보기〉에 쓰인 높임표현을 탐구한 내용으로 적절하지 않은 것은?

보기

ㄱ. 그녀가 할머니께 모자를 사 드렸다.
ㄴ. 삼촌께서 밖으로 나가시는 모습이 보인다.
ㄷ. 엄마, 숙부께서 할아버지를 뵙자고 하시네요.
ㄹ. 선생님, 이번에는 제 말씀을 좀 들어 보십시오.

① ㄱ의 '드렸다'는 주체를 높이기 위해 사용된 것이군.
② ㄴ과 ㄷ의 '께서'와 '-시-'는 주체를 높이기 위해 사용된 것이군.
③ ㄷ의 '뵙자고'는 객체를 높이기 위해 사용된 것이군.
④ ㄷ의 '요'는 비격식 상황에서 상대방을 높이기 위해 사용된 것이군.
⑤ ㄹ의 '-십시오'는 격식이 있는 상황에서 상대방을 높이기 위해 사용된 것이군.

21 〈보기〉의 ㉠에 들어갈 말로 가장 적절한 것은?

보기

선생님 : 우리말의 높임 표현에는 주체 높임법, 객체 높임법, 상대 높임법이 있습니다. 그런데 실제 언어 생활에서 '높임 표현'이 실현되는 양상은 복합적입니다.
예문을 볼까요? '철수야, 선생님께서 찾으셔.'는 상대는 낮추고 주체는 높여서 표현한 것입니다. 그리고 (㉠)은(는) 상대를 높이고 객체도 높여서 표현한 것입니다.

① 내일 우리 같이 밥 먹어요.
② 제가 할머니를 모시고 왔습니다.
③ 이 손수건 좀 할아버지께 갖다 드려.
④ 요즘 여러 가지 일로 많이 바쁘시죠?
⑤ 어머니께서 아버지의 손수건을 만드셨어.

22 〈보기〉를 참고하여 '-겠-'의 의미가 나머지와 다른 하나는?

보기

미래 시제를 표현하는 선어말 어미 '-겠-'은 미래 시제를 나타내는 것 이외에 추측이나 의지, 가능성이나 능력, 완곡하게 말하는 태도 등을 표현하기도 한다.

① 제가 마저 써도 되겠습니까?
② 책을 읽어봐도 괜찮겠습니까?
③ 이걸 어떻게 혼자 다 하겠니?
④ 내가 먼저 말해도 되겠니?
⑤ 어제 그만 돌아가 주시겠어요?

23 〈보기〉의 ㉠과 ㉡에 대한 설명으로 적절하지 않은 것은?

> 보기
> ㉠ 깨끗한 경치를 보니 어머니를 모시고 오고 싶어.
> ㉡ 저는 따뜻한 차를 마시며 앉아 있으니 기분이 좋습니다.

① ㉠은 사적이고 친근감이 나타나는 표현이고, ㉡은 공적이고 심리적 거리가 느껴지는 표현이다.
② ㉠과 청자를 낮추어 말하는 표현이고, ㉡은 청자를 높여 말하는 표현이다.
③ ㉠은 서술의 객체를 높여 말하는 표현이고, ㉡은 주체를 낮추어 말하는 표현이다.
④ ㉠과 ㉡은 형용사에 관형사형 어미 '-(으)ㄴ'을 써서 현재의 일을 나타내고 있다.
⑤ ㉠과 ㉡은 모두 사건이 발생한 시점과 그 사건을 언어로 표현하는 시점 사이에 시간 차이가 존재한다.

24 다음 중 문법 요소가 올바르게 쓰인 것은?

① 동생에게 사탕을 빼앗겼다.
② 나는 일이 잘 마무리되어지길 바란다.
③ 어제 동생이 "누나, 바다 보고 싶다."고 말했다.
④ 할아버지께서 병원에 혼자 가신다고 말해 주었어.
⑤ 편견 없는 사회가 만들어지려면 나부터 노력해야 해.

25 (가)~(다)에 대하여 시간표현 선어말어미의의미를 중심으로 설명한 것 중 가장 적절한 것은?

> (가) 은경이는 어제 불암도서관에서 책을 빌리더라.
> (나) 정일이는 어제 불암도서관에서 책을 빌렸어.
> (다) 목감기로 승철이는 목구멍이 아직도 부었어.

① **원균** : (가)와 (나)는 모두 이전에 일어난 사건에 대한 사실을 전달하고 있어.
② **은희** : (가)는 (나)와 달리 이전에 일어난 사건이 지금까지 지속되고 있음을 나타내고 있어.
③ **영재** : (가)와 (다)는 모두 이전에 일어난 사건이 지금까지 지속되고 있음을 나타내고 있어.
④ **영관** : (나)와 (다)는 모두 이전에 일어난 사건의 사실을 화자가 직접 경험하여 알게 되었음을 나타내고 있어.
⑤ **지현** : (다)는 (가)와 달리 이전에 일어난 사건의 사실을 전달하는 동시에 그 사실을 화자가 직접 경험하여 알게 되었음을 나타내고 있어.

[26~27] 다음 글을 읽고 물음에 답하시오.

'높임 표현'이란 말하는 이가 어떤 대상을 높이거나 낮추는 정도를 구별하여 표현하는 방법을 말한다. 국어에서 높임 표현의 대상에 따라 주체 높임, 상대 높임, 객체 높임으로 나누어진다.

주체 높임은 서술의 주체를 높이는 방법이다. 주체 높임을 실현하기 위해 선어말 어미 '-(으)시-'를 사용하며, 주격 조사 '이/가' 대신에 '께서'를 쓰기도 한다. 그 밖에 '계시다', '주무시다' 등과 같은 특수 어휘를 사용하여 높임을 드러내기도 한다. 그리고 주체 높임에는 직접 높임과 간접 높임이 있다. ㉠직접 높임은 높임의 대상인 주체를 직접 높이는 것이고, ㉡간접 높임은 높임의 대상인 주체의 신체 일부, 소유물, 가족 등을 높임으로써 주체를 간접적으로 높이는 것이다.

상대 높임은 말하는 이가 듣는 이를 높이거나 낮추어 말하는 방법이다. 상대 높임은 주체로 종결 표현을 통해 실현되는데, 아래와 같이 크게 격식체와 비격식체로 나뉜다.

격식체	하십시오체	예 합니다, 합니까? 등
	하오체	예 하오, 하오? 등
	하게체	예 하네, 하는가? 등
	해라체	예 한다, 하냐? 등
비격식체	해요체	예 해요, 해요? 등
	해체	예 해, 해? 등

격식체는 격식을 차리는 자리나 공식적인 상황에서 주로 사용하며, 비격식체는 격식을 덜 차리는 자리나 사적인 상황에서 주로 사용한다. 그렇기 때문에 같은 대상이라도 공식적인 자리인지 사적인 자리인지에 따라 높임 표현이 달리 실현되기도 한다.

㉢객체 높임은 목적어나 부사어가 지시하는 대상, 즉 서술의 객체를 높이는 방법이다. 객체 높임은 '모시다', '여쭈다' 등과 같은 특수 어휘를 통해 실현되며, 부사격 조사 '에게' 대신 '께'를 사용하기도 한다.

26 윗글을 바탕으로 〈보기〉를 밑줄 친 ㉠, ㉡, ㉢에 해당하는 것으로 구분하여 묶은 것으로 가장 적절한 것은?

보기

㉮ 교수님께서는 책이 많으시다.
㉯ 나는 할머니를 모시고 병원에 갔다.
㉰ 교장선생님의 말씀이 있으시겠습니다.
㉱ 아무래도 네가 선생님을 직접 뵈어야겠다.
㉲ 아버지께서 지병 때문에 매일 한약을 드신다.

	㉠직접 높임	㉡간접 높임	㉢객체 높임
Ⓐ	㉮, ㉲	㉰, ㉱	㉯
Ⓑ	㉯	㉮, ㉰	㉱, ㉲
Ⓒ	㉰	㉮, ㉲	㉯, ㉱
Ⓓ	㉱	㉮, ㉰	㉯, ㉲
Ⓔ	㉲	㉮, ㉰	㉯, ㉱

① Ⓐ ② Ⓑ ③ Ⓒ ④ Ⓓ ⑤ Ⓔ

27 윗글을 바탕으로 〈보기〉의 ⓐ~ⓔ를 탐구한 내용으로 가장 적절한 것은?

보기

(복도에서 친구 선희와 만난 상황)

경화 : 선희야, ⓐ선생님께서 너 지금 교무실로 오라셔.

선희 : 응, 알았어.

(선희가 교무실로 선생님을 찾아간 상황)

선희 : 선생님, 부르셨어요?

선생님 : 그래. 방과 후에 있는 '탐구 논문 발표' 때 사용할 발표 자료를 점심시간 전까지 가져올 수 있니?

선희 : 점심시간 전까지 ⓑ선생님께 발표 자료를 드리기 어려운데요.

선생님 : 그러면 종례 끝나고 바로 발표 행사를 시작하니, 6교시 쉬는 시간까지는 제출해야 한다.

선희 : 발표 행사가 시작되면 바로 발표를 시작하나요?

선생님 : 아니. 행사를 시작하면 먼저 ⓒ교장선생님의 말씀이 있으실거야. 그 다음부터 순번대로 발표를 하게 될 거고. 너희가 첫 번째 순서이니까 미리 준비를 해야겠지?

선희 : 네. 그러면 6교시 쉬는 시간에 지현이와 함께 오겠습니다.

(6교시가 끝나고 지현이와 선희가 교무실로 선생님을 찾아간 상황)

지현 : 선생님, 발표 자료 여기 있어요.

선희 : ⓓ저희 열심히 준비했어요.

선생님 : 그래. 준비한 대로 발표 잘 하렴.

(발표 대회에서 발표를 하는 상황)

선희 : ⓔ이상으로 발표를 마칠게요.

미령 : 궁금한 점이 있는데, 질문해도 될까?

① **근화** : ⓐ는 서술의 주체인 선생님을 높이기 위하여 조사 '께서'와 오는 동작의 주체를 높이는 선어말어미 '-시-'를 사용하였어.

② **원균** : ⓑ는 서술의 주체인 선생님을 높이기 위하여 조사 '께'와 높임의 특수한 어휘인 '드리다'를 사용하였어.

③ **은희** : ⓒ는 높임의 대상인 주체와 관련된 사물을 높이기 위하여 '말씀'이라는 높임 어휘와 높임의 특수 어휘인 '있으시다'를 사용하였어.

④ **영재** : ⓓ는 듣는 사람인 선생님을 높이기 위하여 자신을 낮추는 표현을 사용하였어.

⑤ **영관** : ⓔ는 탐구 논문 발표라는 공식적인 자리에 맞게 높임을 나타내는 격식체의 종결 표현을 사용하였어.

[28~30] 다음 글을 읽고 물음에 답하시오.

(가) 높임 표현은 화자가 대상의 높고 낮은 정도에 따라 언어적으로 구별하여 표현하는 국어의 문법 요소이다. 높임 표현은 높임의 대상에 따라 상대높임법, 주체높임법, 객체높임법으로 나뉜다.

상대높임법은 청자를 높이거나 낮추는 방법이다. 높임과 낮춤의 정도에 따라 종결 어미가 달라진다. 화자 자신을 낮추는 '저', '제' 등의 어휘를 쓰기도 한다.

주체 높임법은 문장의 주체를 높이는 방법이다. 주격조사 '이/가' 대산 '께서'를 사용하고, 일반적으로 서술어에 선어말 어미 '-(으)시-'가 붙어 실현된다. '있다', '먹다' 같은 단어 대신 '계시다', '잡수시다' 같은 특수 어휘를 쓰기도 한다.

객체 높임법은 문장의 목적어나 부사어가 지시하는 대상, 즉 서술의 주체를 높이는 방법이다. 서술의 객체가 화자보다 나이가 많거나 사회적 지위가 높을 때 사용한다. 부사격 조사 '에게' 대신 '께'를 사용하고, '만나다', '묻다' 같은 단어 대신 '뵈다', '여쭈다' 같은 특수 어휘를 쓰기도 한다.

(나) 시간 표현은 시간을 언어적으로 표현한 것으로, 시간 표현에는 시제와 동장상이 있다. 시제는 사건이 발생한 시점(사건시)이 그 사건을 언어로 표현하는 시점(발화시)보다 이전인지 이후인지, 아니면 일치하는지를 나타내는 국어의 문법 요소이다. 시제에는 과거 시제, 현재 시제, 미래 시제가 있다.

과거 시제는 사건시가 발화시보다 앞서는 시제이다. 과거 시제를 표현할 때에는 선어말 어미 '-았-/-었-'을 쓰며, 과거의 일이나 경험을 회상하는 의미를 덧붙이고 싶을 때에는 선어말 어미 '-더'를 쓴다. 관형사형 어미는 동사의 경우 '-(으)ㄴ'과 '-던'을, 형용사와 서술격 조사의 경우 '-던'을 쓴다. '어제', '아까', '이미' 등과 같은 부사어를 쓰기도 한다.

현재 시제는 사건시와 발화시가 일치하는 시제이다. 현재 시제를 표현할 때에는 동사의 경우 선어말 어미 '-ㄴ-/-는-'을 쓰는데, 형용사와 서술격 조사의 경우에는 현재 시제 표시가 따로 없다. 관형사형 어미는 동사의 경우 '-는-을, 형용사와 서술격 조사의 경우 '-(으)ㄴ'을 쓴다. '오늘', '지금', '현재' 등과 같은 부사어를 쓰기도 한다.

미래 시제는 사건시가 발화시보다 뒤에오는 시제이다. 미래 시제를 표현할 때에는 선어말 어미 '-겠-', 관형사형 어미 '-(으)ㄹ 것'을 쓰기도 한다. 예스럽게 표현할 때에는 선어말 어미 '-(으)리'를 쓴다. '내일', '장차' 등과 같은 부사어를 쓰기도 한다.

한편, 선어말어미 '-겠-'은 미래시제를 나타내는 것 이외에 추측이나 의지, 가능성이나 능력, 완곡하게 말하는 태도 등을 표현하기도 한다.

28 (가)를 읽고 〈보기〉를 설명한 것으로 적절하지 않은 것은?

보기

동생이 할아버지를 모시고 병원에 간다. ······ ㉠
언니가 할머니께 선물을 드린다. ······ ㉡
아주머니, 저는 이곳이 처음입니다. ······ ㉢
김과장이 맡았던 업무는 사장님께 여쭈어 보게 ······ ㉣
용준아, 선생님께서 너를 데리고 오라셔 ······ ㉤

① ㉠에서 높임의 대상은 '할아버지'이고 문장의 객체여서 특수어휘 '모시다'를 통해 실현하였다.
② ㉡에서 높임의 대상은 '할머니'이고 문장의 객체여서 부사격조사 '께'와 특수어휘 '드린다'를 통해 실현하였다.
③ ㉢에서 높임의 대상은 '아주머니'이고 듣는 이여서 '저'와 상대 높임의 종결어미 '-ㅂ니다'를 통해 높임을 실현하였다.
④ ㉣에서 높임의 대상은 '사장님'이고 문장의 주체여서 부사격조사 '께'를 사용하였고 특수어휘 '여쭈다'를 이용하여 높임을 실현하였다.
⑤ ㉤에서 높임의 대상은 '선생님'이고 문장의 주체에서 주격조사 '께서'와 선어말어미 '-시-'를 사용하여 높임을 실현하고 있다.

29 (나)의 내용과 일치하지 않는 것은?

① 시간 표현은 시제와 동작상이 있는데, 시간을 추상적으로 표현한 것이다.
② 시제는 사건시와 발화시의 선후 및 일치관계를 나타내는 국어의 문법요소이다.
③ 과거 시제는 사건시가 발화시보다 앞서는 시제로, 표현할 때에는 선어말 어미 '-았-/-었'을 쓴다.
④ 현재 시제는 사건시와 발화시가 일치하는 시제로 형용사와 서술격 조사의 경우에는 현재 시제 표시가 따로 없다.
⑤ 미래 시제는 사건시가 발화시보다 뒤에 오는 시제로, 미래이긴 하나 예스럽게 표현할 때에는 선어말 어미 '-(으)리'를 쓴다.

30 윗글을 읽고 〈보기〉의 ㉠~㉤에 대해 탐구한 결과로 적절하지 않은 것은?

보기

㉠ 막차를 놓쳤으니 나는 집에 다 갔다.
㉡ 내가 떠날 때 비가 왔다.
㉢ 거기에는 눈이 왔겠다.
㉣ 그는 내년에 진학한다고 한다.
㉤ 오늘 보니 그는 키가 작다.

① ㉠을 보니, 선어말 어미 '-았-'이 과거 시제를 나타내지 않는 경우도 있군.
② ㉡을 보니, 관형사형 어미 '-ㄹ-'이 붙을 때 미래의 사건을 나타내지 않는 경우도 있군.
③ ㉢을 보니, 선어말 어미 '-겠-'이 미래에 일어날 말을 완곡하게 표현하는 데 쓰이고 있군.
④ ㉣을 보니, 현재 시제 선어말 어미 '-ㄴ-'이 미래에 일어날 사건을 나타낼 때도 쓰이고 있군.
⑤ ㉤을 보니, 형용사에서 현재 시제를 나타낼 때 현재 시제 선어말 어미를 사용하고 있지 않고 있군.

[31] 다음 글을 읽고 물음에 답하시오.

(가) 시제가 사건시와 발화시의 선후 관계를 표현한다면, 동작상은 사건 또는 동작 자체의 시간적 속성을 표현한다. 예를 들어 '먹다'라는 동작은 과거에서부터 지금까지 먹고 있는 움직임이 진행 중인 상태와 먹는 움직임이 이미 끝난 상태로 분석할 수 있다. 이와 같이 동작 내부의 시간적 흐름을 표현하는 국어의 문법 요소를 동작상이라고 한다. 동작상에는 진행상과 완료상이 있다.

㉠진행상이란 어떤 동작이 시간의 흐름 속에서 계속 이어지고 있을 때 사용하는 문법 요소이다. 진행상을 표현할 때에는 주로 보조 용언 '-고 있다' 또는 '-아 가다/-어 가다'를 쓴다. 문장이 이어질 때에는 연결어미 '-(으)면서'를 쓴다.

㉡완료상이란 어떤 동작이 시간의 흐름 속에서 이미 끝났거나 그 결과가 지속될 때 사용하는 문법요소이다. 완료상을 표현할 때에는 주로 보조 용언 '-아 있다/-어 있다' 또는 '-아 버리다/-어 버리다'를 쓴다. 문장이 이어질 때에는 연결어미 '-고서'를 쓴다.

(나) 인용 표현은 다른 데에서 들은 말이나 읽은 글을 문장 속에 넣어서 전달하는 국어의 문법 요소이다. 이때 문장 속에 넣어진 말이나 글을 인용절이라고 한다. 인용 표현에는 직접 인용과 간접 인용이 있다.

직접 인용은 다른 데에서 들은 말이나 읽은 글을 인용할 때에 원래의 내용과 형식을 그대로 유지한 채 인용하는 방식이다. 직접 인용 표현을 할 때에는 인용절에 큰 따옴표를 하여 표시하고, 큰따옴표 뒤에 조사 '라고'를 쓴다.

간접 인용은 다른 데에서 들은 말이나 읽은 글을 인용할 때 그 형식은 유지하지 않고 내용만 인용하는 방식이다. 그래서 간접 인용 표현을 사용할 때에는 인용절의 시간 표현, 높임 표현, 지시어, 종결 어미 등을 문장에 맞도록 적절히 바꾸어야 한다. 간접 인용은 직접 인용과 달리 따옴표를 쓰지 않으며, 해당 인용절 다음에 조사 '고'를 쓴다.

인용 표현을 사용할 때에는 원작자의 의도를 손상시키지 않아야 하고, 반드시 인용할 말이나 글의 출처를 밝혀야 한다. 원문의 앞뒤를 잘라 내거나 일부만 뽑아서 자기가 전달하고 싶은 뜻에 끼워 맞추는 행위, 출처를 밝히지 않고 원문을 사용하는 행위 등은 인용의 윤리에 어긋날 뿐만 아니라 저작권을 침해하는 것이 된다.

31 ㉠과 ㉡의 예로 적절하지 않은 것은?

① ㉠ : 은서가 그림을 그려 버렸다.
② ㉠ : 아까 널어 둔 빨래가 벌써 마르고 있다.
③ ㉡ : 준현이가 반갑게 양손을 흔들고서 내게 다가온다.
④ ㉡ : 토론대회 준비를 위해 나는 내일 학교에 남아 있겠다.
⑤ ㉡ : 국어시간에 너무 잠이 온 민호가 책상에 엎드려 버렸다.

32 〈보기〉를 참고할 때, '피동문'으로 바꿀 수 없는 것은?

보기

피동사는 주어가 제 힘으로 행하는 동작을 나타내는 능동사 어간에 피동 접미사 '-이-, -히-, -리-, -기-' 등이 결합되어 만들어진 것이다.

이와 같은 피동문은 다음과 같은 과정을 통해 만들어진다.

A. 능동사가 서술어로 쓰인 문장 :

사냥꾼이 호랑이를 잡았다.
주어 목적어 서술어

B. 피동사가 서술어로 쓰인 문장 :

호랑이가 사냥꾼에게 잡히었다.
주어 목적어 서술어

A의 목적어가 B의 주어가 되고 A의 주어가 B의 부사어가 된다. 그리고 A의 능동사 '잡았다'의 어간에 '-히-'가 결합된 피동사 '잡히었다'가 B의 서술어가 된다. 그렇지만 모든 능동사 어간에 피동 접미사가 결합될 수 있는 것은 아니다.

① 아빠가 아기를 안았다.
② 뱀이 개구리를 먹었다.
③ 바람이 나뭇가지를 꺾었다.
④ 비바람이 사과를 세차게 흔들었다.
⑤ 영희가 귀갓길에 소나기를 만났다.

33 〈보기〉의 ㉠과 ㉡에 대한 설명으로 가장 적절한 것은?

보기

㉠ 너는 어디로 가니?
㉡ 저는 집에 갑니다.

① ㉠은 청자를 낮추어 말하는 표현이고, ㉡은 청자를 높여 말하는 표현이다.
② ㉠은 상대를 직접적으로 낮추는 표현이고, ㉡은 상대를 간접적으로 높이는 표현이다.
③ ㉠은 사적인 경우와 공적인 경우에 쓰는 표현이고, ㉡은 공적인 경우에 쓰는 표현이다.
④ ㉠은 문장의 주체를 낮추어 말하는 표현이고, ㉡은 문장의 주체를 높여 말하는 표현이다.
⑤ ㉠은 서술의 객체를 낮추어 말하는 표현이고, ㉡은 서술의 객체를 높여 말하는 표현이다.

34 과거 시제를 표현하는 방법으로 적절하지 않은 것은?

① 선어말 어미 '-았-/-었-'을 사용하여 과거 시제를 표현한다.
② 부사어 '어제', '아까', '이미' 등을 사용하여 과거 시제를 표현한다.
③ 과거 시제를 표현하기 위한 관형사형 어미로 동사의 경우 '-던'을 쓴다.
④ 과거 시제를 표현하기 위한 관형사형 어미로 형용사의 경우 '-(으)ㄴ'을 쓴다.
⑤ 과거의 일이나 경험을 회상하는 의미를 덧붙이기 위해 선어말 어미 '-더-'를 쓴다.

35 인용 표현을 할 때 유의점으로 적절하지 않은 것은?

① 직접인용은 다른 데에서 들은 말이나 읽은 글을 인용할 때 원래의 내용과 형식을 그대로 유지한 채 인용하는 방식이다.
② 간접인용은 다른 데에서 들은 말이나 읽은 글을 인용할 때 원래의 내용과 형식을 변형할 수 있다.
③ 직접 인용 표현을 할 때에는 인용절에 큰따옴표를 하여 표시하고, 큰따옴표 뒤에 조사 '-라고'를 쓴다.
④ 간접 인용 표현을 할 때에는 따옴표 없이 인용절 다음에 조사 '고'를 쓴다.
⑤ 간접 인용 표현을 할 때에는 인용절의 시간 표현, 높임 표현 등을 문장에 맞도록 적절히 바꾸어야 한다.

36 〈보기〉의 ㉠~㉤에 해당하는 문장으로 적절하지 않은 것은?

보기
미래 시제를 표현할 때에는 선어말 어미 '-겠-', 관형사형 어미 '-(으)ㄹ'을 쓰거나 '-(으)ㄹ'에 의존 명사 '것'이 결합된 '-(으)ㄹ 것'을 쓰기도 한다. 선어말 어미 '-겠-'은 미래 시제를 나타내는 것 이외에 ㉠추측이나 ㉡의지, ㉢가능성이나 ㉣능력, ㉤완곡하게 말하는 태도 등을 표현하기도 한다.

① ㉠ : 지금 떠나면 저녁에 도착하겠구나.
② ㉡ : 다음에는 꼭 찾아뵙도록 하겠습니다.
③ ㉢ : 늦어도 어제는 고향에 소포가 도착했겠다.
④ ㉣ : 나도 그 정도의 문제는 풀 수 있겠다.
⑤ ㉤ : 선생님, 제가 잠시 들어가도 되겠습니까?

37 〈보기〉의 내용에 따를 때, 성격이 다른 하나는?

보기

시제가 사건시와 발화시의 선후 관계를 표현한다면, 동작상은 사건 또는 동작 자체의 시간적 속성을 표현한다. 예를 들어 '먹다'라는 동작은 과거에서부터 지금까지 먹고 있는 움직임이 진행 중인 상태와 먹는 움직임이 이미 끝난 상태로 분석할 수 있다. 이와 같이 동작 내부의 시간적 흐름을 표현하는 국어의 문법 요소를 동작상이라고 한다. 동작상에는 진행상과 완료상이 있다.

① 홍구는 학교에 가고 있다.
② 은서가 그림을 그리고 있다.
③ 민호가 책상에 엎드려 버렸다.
④ 아까 널어 둔 빨래가 벌써 마르고 있다.
⑤ 준현이가 반갑게 양손을 흔들면서 내게 다가온다.

38 〈보기〉의 ㉠, ㉡이 모두 사용된 문장은?

보기

우리말에서는 일반적으로 선어말 어미나 종결 어미, 조사 등을 통해 높임 표현을 하지만, 다음과 같이 특수한 어휘를 통해 높임을 표현하는 경우도 있다.

- 주체를 높이는 동사나 형용사
- 객체를 높이는 동사나 형용사 ······ ㉠
- 높여야 할 인물을 직접 높이는 명사
- 높여야 할 인물과 관련된 것을 높이는 명사 ······ ㉡

① 교장 선생님께서 훈화 말씀을 하셨다.
② 아버지께서 할머니를 뵈러 큰댁에 가셨다.
③ 생신을 맞으신 할머니께서 홍시를 드신다.
④ 영희는 아직 선생님의 성함을 기억하고 있다.
⑤ 우리 가족은 할머니를 모시고 제주도로 여행을 갔다.

39 높임법에 맞게 고쳐 쓴 문장이 적절하지 않은 것은?

① 나는 이곳이 처음이다.
→ (청자를 높일 때) 저는 이곳이 처음입니다.
② 이 구두는 최신 유행 상품이다.
→ (청자를 높일 때) 이 구두는 최신 유행 상품입니다.
③ 민서는 할머니에게 사과를 주었다.
→ (객체를 높일 때) 민서는 할머니께 사과를 드렸다.
④ 어려운 문제를 선생님에게 물어 보았다.
→ (객체를 높일 때) 어려운 문제를 선생님께 물어 보았다.
⑤ 동생이 할아버지를 데리고 병원에 갔다.
→ (객체를 높일 때) 동생이 할아버지를 모시고 병원에 갔다.

40 〈보기〉에서 피동 표현이 바르게 사용된 문장만을 있는 대로 고른 것은?

보기

ㄱ. 밧줄을 세차게 당겼다.
ㄴ. 컴퓨터 파일이 복구되었다.
ㄷ. 새로운 사실이 그에 의해 밝혀졌다.
ㄹ. 성금은 불우 이웃에게 쓰여질 것이다.

① ㄱ, ㄴ ② ㄱ, ㄷ ③ ㄴ, ㄷ ④ ㄱ, ㄴ, ㄷ ⑤ ㄴ, ㄷ, ㄹ

41 〈보기〉의 ㉠ ~ ㉤에 대한 설명으로 적절하지 않은 것은?

보기

㉠ 친구가 읽는 책은 소설이다.
㉡ 고향에서는 벌써 추수를 끝냈겠다.
㉢ 학생들이 운동장에서 축구를 한다.
㉣ 언니는 입시 준비를 하느라 항상 바쁘다.
㉤ 오늘까지 발표 준비를 하려면 잠은 다 잤다.

① ㉠ : 관형사형 어미 '-는'으로 현재 시제를 나타내는군.
② ㉡ : 선어말 어미 '-겠-'으로 '추측'의 의미를 드러내고 있다.
③ ㉢ : 선어말 어미 '-ㄴ-'은 동사에 붙어 시제를 나타내는군.
④ ㉣ : 형용사는 선어말 어미가 없이 기본형으로 현재 시제를 나타내는군.
⑤ ㉤ : 선어말 어미 '-았-'으로 과거 시제를 나타내는군.

서술형 심화문제

01 다음 문장에서 잘못 쓰인 표현을 찾아 바르게 고치시오. (단, 문장 부호는 고치지 않는다.) 그리고 고친 이유를 각각 한 문장으로 서술하시오.

보기
1) 국어책은 다른 책보다 잘 읽혀진다.
2) 누군가 어둠 속에서 "철수가 바로 범인이다."고 소리쳤어.

02 다음 문장에서 잘못된 표현을 바르게 고치고, 이유를 서술하시오.

조건
• 완성된 문장 형태로 고쳐 쓰고, 잘못된 이유를 정확하게 서술할 것

(1) 그는 은퇴 후에도 여전히 바쁘고 있다.

(2) 이 제품이 요즘 제일 잘 나가는 색상이세요.

03 〈보기〉의 문장을 〈조건〉에 따라 고쳐 쓰시오.

보기
철수는 선생님에게 영희가 아프다고 말씀드렸습니다.

조건
• 직접 인용으로 바꾸어 쓸 것
• 인용문의 종결 어미는 '-ㅂ니다'를 사용할 것
• 조사를 사용하여 객체높임법을 실현할 것

04 〈보기〉에서 상황에 따른 문법 요소의 활용이 적절하지 않은 곳을 있는 대로 찾아 〈조건〉에 따라 각각 올바른 형태로 고치시오.

보기

저는 그것이 옳지 않다라고 생각했기 때문에 선생님의 제안을 반대했다. 선생님께서는 그 프로그램이 우리 이웃들에게 유용하게 쓰여질 것이라고 확신하고 계셨기 때문에 반대 의견에 당황하셨다. 그때 충격을 받을 선생님의 표정이 지금까지도 잊혀지지 않는다.

조건

- 잘못된 부분과 고친 내용을 어절 단위로 제시할 것.
- '먹었다 → 먹는다'의 형식으로 서술할 것.

05 〈보기〉의 글에서 밑줄 친 부분의 잘못된 표현을 바른 문장으로 고쳐 쓰고 그 이유를 서술하시오.

보기

안녕하세요? 저는 "이현서"라고 합니다.

문학에 관심이 많은 저는 초등학교 3학년 때 백일장에 (1)참가되었습니다. 하루 종일 고생해서 시를 써냈지만 수상하지 못했습니다. 실망한 제게 (2)어머니는 실패란 하나의 사건일 뿐이라고 말씀해 주셨습니다. 실패는 끝이 아니라 과정이며, 실패를 통해 무엇을 배웠는가가 더 중요하다는 사실을 깨달았습니다. 그 후 저는 8년간 계속해서 백일장에 참가하고 있습니다. 앞으로도 많이 (3)실패하였지만 계속 도전할 것입니다.

06 〈보기1〉을 참고하여 〈보기2〉에서 영희의 말을 〈작성 요령 및 채점 기준〉에 맞게 쓰시오.

보기 1

(아버지와 영희에게)

아버지 : ㉠할머니한테 밥 먹었느냐고 물어볼래?

영희 : 예.

보기 2

(영희가 할머니에게)

영희 : ______________________

할머니 : 그래? 밥은 아까 먹었지.

〈작성 요령 및 채점 기준〉

가. 〈보기1〉의 ㉠은 직접 인용으로 표현할 것

나. '할머니', '아버지'를 각각 한 번씩만 사용하되, 모두 높임의 대상으로 표현할 것.
(*압존법으로 표현하지 않음)

다. 높임 표현, 시간 표현, 인용 표현 및 문장 부호 사용 등에 유의할 것

07 〈보기〉는 영어 문장을 상대높임법에 맞게 해석한 것이다. 예를 참고하여 ㉠~㉤을 적절하게 해석하시오.

보기

Happy birthday to you.	
하십시오체	생일을 축하합니다.
해라체	㉠
해요체	㉡
해체	㉢
Are you with somebody?	
하십시오체	㉣
해라체	㉤
해요체	지금 사귀는 사람 있어요?
해체	지금 사귀는 사람 있어?

08 〈보기〉의 문장에 나타난 시제와 동작상에 대해 서술하시오.

보기

(1) 정미는 어제 2교시도 시작하기 전에 간식을 먹어 버렸다.
(2) 민호는 지금 빨래를 하면서 노래도 부르고 있다.

조건

• 시제와 동작상을 표현하기 위해 사용한 방법을 각각 서술하시오.

09 〈보기〉의 글에서 잘못된 표현을 〈조건〉에 따라 모두 찾아 쓰고 바른 문장으로 고쳐 쓰시오.

보기

안녕? 나는 OO고등학교 1학년 학생이야. 2학기가 시작한 지 한 달이 지나는데도 아침에 일찍 일어나는 것이 정말 힘들어. 아침마다 지각을 피하려고 뛰어다녀서 앞으로도 따로 운동을 할 필요가 없는 정도야. 특히 영어듣기를 하는 시간에는 너무 졸려서 정신이 없게 돼. 그런 나에게 선생님께서는 항상 피곤해서 어떡하느냐라고 걱정을 하지. 매일 노력하는데도 생활습관을 바꾸기가 힘들어. 잘못된 습관을 바로 잡기는 정말 힘들 것 같아.

조건

• 잘못 쓰인 높임 · 시간 · 인용 표현을 바르게 고쳐 쓴다. (단, 상대 높임법은 고치지말 것)
• 부적절하게 사용한 피동 표현을 능동 표현으로 고쳐 쓴다.

10 〈보기1〉과 〈보기2〉를 읽고, 〈조건〉에 따라 서술하시오.

보기 1

1. 비로 인해 패인 땅을 복구한다.
2. 나는 아직도 그녀가 잊혀지지 않는다.

보기 2

〈보기1〉에서 1, 2에 제시된 문장이 잘못된 이유는 (   ) 때문이다.

조건

- 〈보기2〉에 빈칸을 채워 전체 문장을 쓰시오.
- 〈보기1〉에서 1, 2를 올바른 표현으로 고쳐 전체 문장을 쓰시오.

11 〈보기〉의 문장을 아래의 〈조건〉을 모두 적용하여 한 문장으로 적절하게 고치시오.

보기

해리포터가 나에게 "나와 함께 해서 정말 기쁘지 않니?"라고 묻는다.

조건

- 주어인 '해리포터'를 '선생님'으로 고쳐서 높임법에 맞게 고치되, 높임을 제외하고는 시제를 포함하여 어떠한 의미도 달라지지 않도록 표현할 것.
- 인용절 속의 인칭대명사는 반드시 높임의 의미를 지니는 인칭대명사로 고칠 것.
- 직접인용문을 간접인용문으로 고치되 어법에 맞게 표현할 것.

12 다음 제시된 〈보기〉의 문장을 문법 요소의 특성에 맞게 고쳐 쓰시오.

보기

㉠ 주문하신 음료 나오셨습니다.
㉡ 손님, 가격께서는 모두 만 이천 원 되시겠습니다.
㉢ 그녀의 눈은 언제나 초롱초롱하고 아름답고 있다.

13 〈보기〉의 잘못된 높임 표현을 올바른 표현으로 고쳐 쓰시오.

보기

ㄱ. 할아버지는 일찍 자고 일찍 일어난다.
ㄴ. 만수는 할머니를 산본역까지 데려다 드리셨다.
ㄷ. 나는 선생님에게 모르는 문제를 물어 보러갔다.

조건

• 답안 작성 시에 주어와 서술어를 갖춘 완결된 문장으로 쓸 것.

14 다음 글을 읽고 〈조건〉에 맞게 수정하여 표를 완성하시오.

안녕하세요? 저는 이○○이라고 합니다. 문학에 관심이 많은 나는 초등학교 3학년 때 백일장에 참가하였습니다. 수상을 하지 않아 실망한 나에게 어머니께서는 "실패란 하나의 사건일 뿐이다."라고 말씀해 주었습니다. 많은 것을 깨달은 저는 앞으로도 많이 실패하였지만 계속 도전할 것입니다.

조건

• 반복되는 건 쓰지 않는다.
• 직접 인용을 간접 인용으로 고쳐 쓴다.
• 문법 요소가 부적절하게 실현된 부분은 고쳐 쓴다.

수정 전	수정 후
㉠	㉡
㉢	㉣
㉤	㉥
㉦	㉧
㉨	㉩

15 다음 문장을 〈조건〉에 맞게 고쳐 쓰시오.

나는 "너가 빌려 준 물건은 돌려 주겠다."라고 말했다.

조건

- 직접인용을 간접인용으로 바꿀 것.
- 대화 상황을 고려하여 바른 높임 표현으로 고칠 것.
  (상황 : 젊은 연기자가 중년의 관객에게 빌렸던 물건을 돌려주며 말하는 극중 대사)
- '하십시오체'로 종결할 것.

16 아래의 조건을 고려하여 ㉠, ㉡의 잘못된 표현을 바르게 고치시오.

㉠ 용준아, 선생님께서 너를 모시고 오시래.
㉡ 창문이 닫혀지지 않아 찬바람이 들어온다.

조건

- 잘못된 표현을 고쳐 완성된 문장으로 작성할 것.
- 우리 국어의 어법에 맞게 작성할 것.

17 다음 (1), (2)의 높임법을 설명하고, 제시된 높임법에 맞게 문장을 바꾸어 쓰시오.

(1) 할머니가 책을 읽고 있다.
주체 높임이란?
(2) 나는 아버지에게 추석 선물을 주었다.
객체 높임이란?

18 다음에 제시된 문장이 잘못된 이유를 쓰고, 올바르게 고치시오.

(1) 이 제품의 95 사이즈는 하나 남으셨습니다.
(2) 세계 각국이 '잊혀질 권리'를 법적으로 보장하려고 한다.

19 다음 물음에 답하시오.

(1) 〈보기〉의 (가)부분 (㉠, ㉡이 '아버지'를 높이는 방법이 다른 이유)에 들어갈 내용을 서술하시오.

보기

㉠ 아버지께 전화 드리고 밖으로 나가자.
㉡ 아버지께서는 귀가 밝으시다.

㉠에서는 조사 '께'와 특수어휘 '드리고'를 사용하여 높임 표현을 나타내고 있고, ㉡에서는 조사 '께서'와 선어말어미 '시'를 사용하여 높임 표현을 나타내고 있다. 이렇듯 두 문장이 화자보다 높은 '아버지'를 높이기 위해 다른 방법을 사용하게 된 것은 (가)____________________ 때문이다.

(2) 다음 문장(㉠~㉣)들을 높임의 정도가 낮은 것부터 순서대로 배열하고, 각각의 상대 높임 표현의 체계를 함께 서술하시오. (단, 상대 높임 표현 체계는 '격식/비격식 + ~체'로 쓸 것)

㉠ "여러분, 여기를 좀 보시겠습니까?"
㉡ "자네, 이번 운전은 신중히 하게."
㉢ "재석아, 그렇게 서 있지 말고 좀 앉아라."
㉣ "오랜만에 보니 조금 살이 빠진 것 같소."

<table>
<tr><td>문장 기호 (낮은 것부터)</td><td colspan="4">(　　<　　<　　<　　)</td></tr>
<tr><td>상대높임 체계</td><td>+ 체</td><td>+ 체</td><td>+ 체</td><td>+ 체</td></tr>
</table>

20 다음을 읽고 물음에 답하시오.

㉠ 연우가 어제 책상을 닦았어.
㉡ 연우가 어제 책상을 닦더라.
㉢ 네가 먹은 과자 맛있었어?

(1) 윗글 ㉠, ㉡의 밑줄 친 말에 따라 두 문장의 의미가 어떻게 달라지는지 한 문장으로 서술하시오.

(2) 윗글 ㉢에 시제를 나타내는 어미를 모두 찾아 〈조건〉에 맞게 서술하시오.

조건

- 어미의 구체적인 종류와 함께 완결된 문장으로 쓸 것.

21 다음 글을 읽고, 주어진 형식에 맞추어 글의 중심 내용을 완성한 후에 그대로 옮겨 쓰시오.

언어 예절이란 대화를 할 때 지켜야 할 예절로서, 상대방을 존중하는 마음을 언어로 표현하는 사회적 관습이다. 대화 내용 자체는 타당하더라도, 대화 상황이나 대화 상대에 맞게 적절하지 않으면 언어 예절에 어긋날 수 있다. 언어 예절을 지키지 않으면 다른 사람들과의 의사소통이 원활하게 이루어지기 어렵고, 원만한 인간관계를 유지하기 어려울 수도 있다. 따라서 대화할 때에는 대화 상황과 대화 상대에 맞게 언어 예절을 갖추어 말하도록 노력해야 한다.

"언어 예절을 지키며 대화하기 위해서는 대화 상황과 대화를 고려해야 하며, 언어 예절을 잘 지켜야 하는 이유는 ________________ 때문이다."

22 다음 글의 내용을 참고하여, 괄호 안에서 요구한 대로 표현을 바꾸어 쓰시오.

문장에서 어떤 동작이나 행위를 표현할 때, 주어가 자기 의지대로 한 것인지 다른 대상에 의해 당하는 것인지에 따라 표현이 달라진다. 전자를 능동 표현, 후자를 피동 표현이라 한다.

능동 표현을 피동 표현으로 바꿀 때 능동문의 주어는 피동문의 부사어가 되고, 능동문의 목적어는 피동문의 주어가 된다. 그리고 능동을 나타내는 동사의 어간에 피동 접사 '-이-, -히-, -리-, -기-'나 '-아지다/-어지다', '-게 되다'를 붙인다. 또한 일부 체언 뒤에 '-되다'를 붙여 만들기도 한다.

(1) 눈이 세상을 덮었다. (능동 표현을 피동 표현으로 바꾸기)

(2) 나는 이웃이 어려울 때 서로 돕는 것이 옳은 일이라고 생각되어진다. (잘못된 피동 표현을 바르게 고치기)

23 다음은 직접 인용 표현을 간접 인용 표현으로 바꾸는 방법을 탐구한 것이다. 이를 바탕으로 물음에 답하시오.

탐구 목표 : 직접 인용 표현을 간접 인용 표현으로 바꿀 때의 변화 양상을 이해할 수 있다.

탐구 자료

㉮ 수호는 "내가 먼저 갈게."라고 말했다.
→ 수호는 자기가 먼저 간다고 말했다.

㉯ 그는 아버지께 "저도 가야 합니까?"라고 물었다.
→ 그는 아버지께 자기도 가야 하냐고 물었다.

㉰ 간호사는 나에게 "거기 앉으세요."라고 말했다.
→ 간호사는 나에게 여기 앉으라고 말했다.

탐구 결과 : 직접 인용 표현을 간접 인용 표현으로 바꿀 때,

① 큰따옴표가 사라지고, 조사 '라고'가 조사 '고'로 바뀐다.
② 문장 종결 어미는 평서문(㉮)은 '-다'로, 의문문(㉯)은 '-냐'로, 명령문(㉰)은 '-(으)라'로 바뀐다.
③ 상대 높임 표현과 인칭 대명사, 지시 대명사 등이 달라진다.

(1) 다음 문장의 직접 인용 표현을 간접 인용 표현으로 바꾸시오.

그는 나에게 "너는 참 착해."라고 말했다.

(2) 위에서 탐구한 내용과 같이 직접 인용 표현을 간접 인용 표현으로 바꿀 경우, 표현 효과가 어떻게 달라지는지를 문맥을 고려하여 〈보기〉의 밑줄 친 부분에 써 넣으시오.

보기

직접 인용 표현은 대화를 직접 전하는 듯한 현장감과 생동감이 느껴진다. 이를 간접 인용 표현으로 바꿀 경우 현장감과 생동감을 덜하지만, 직접 인용 표현을 사용할 때보다 ______________.

24 〈보기〉의 문장을 〈조건〉에 따라 알맞게 고쳐 쓰시오.

보기

아버지는 책을 읽고 나는 그 옆에서 일기를 썼어.

조건

- 상대 높임법과 주체 높임법을 사용하여 문장을 바르게 고쳐 쓸 것
- 어머니를 청자로 하고, 비격식체의 높임법을 사용할 것

25 다음 문장을 조건에 맞게 고치시오.

㉠ 경기의 승부가 그의 마지막 득점으로 뒤집혔다.
㉡ 처음 바다를 본 그녀는 "바다가 정말 넓구나."라고 혼잣말을 했다.

조건

- ㉠ – 능동문으로 고칠 것.
- ㉡ – 간접 인용문으로 고칠 것.

26 윗글을 참고하여 다음 문장에 대한 물음에 답하시오.

승주야, 아버지께 할머니께서 오셨는지 여쭈어 보아라.

(1) 위의 문장에 나타나는 높임의 양상을 다음의 표에 나타내려고 한다. +, –를 순서대로 쓰시오. (상대 높임법이 사용되었으면 +로 한다. 높임과 낮춤의 구분이 아님)

주체 높임법	객체 높임법	상대 높임법

(2) (1)에서 '+'로 나타난 높임법의 실현 요소를 밝혀 쓰시오. 단, 높임법이 두 가지 이상 나타난 경우 각각을 구별하여 각각의 실현 요소를 쓰시오.

27 (A), (B)가 어색한 이유를 각각 문법적으로 구체적으로 서술하고, 자연스러운 문장으로 고쳐 쓰시오.

보기

(A) 이 제품은 반응이 아주 좋으세요.
(B) 그는 은퇴 후에도 여전히 바쁘고 있다.

28 다음 설명의 ⓐ~ⓔ 중 〈보기〉에 나타난 시간 표현을 모두 찾고, 그렇게 파악한 이유를 구체적으로 서술하시오.

시간 표현은 시간을 언어적으로 표현한 것으로, 시간 표현에는 시제와 동작상이 있다. 시제는 사건이 발생한 시점(사건시)이 그 사건을 언어로 표현하는 시점(발화시)보다 이전인지 이후인지, 아니면 일치하는지를 나타내는 국어의 문법 요소이다. 시제에는 과거 시제, 현재 시제, 미래 시제가 있다.

ⓐ과거 시제는 사건시가 발화시보다 앞서는 시제이다. 과거 시제를 표현할 때에는 선어말 어미 '-았-/-었-'을 쓰며, 과거의 일이나 경험을 회상하는 의미를 덧붙이고 싶을 때에는 선어말 어미 '-더-'를 쓴다. 관형사형 어미는 동사의 경우 '-(으)ㄴ'과 '-던'을, 형용사와 서술격 조사의 경우 '-던'을 쓴다. '어제', '아까', '이미' 등과 같은 부사어를 쓰기도 한다.

ⓑ현재 시제는 사건시와 발화시가 일치하는 시제이다. 현재 시제를 표현할 때에는 동사의 경우 선어말 어미 '-ㄴ-/-는-'을 쓰는데, 형용사와 서술격 조사의 경우에는 현재 시제 표기가 따로 없다. 관형사형 어미는 동사의 경우 '-는'을, 형용사와 서술격 조사의 경우 '-(으)ㄴ'을 쓴다. '오늘', '지금', '현재' 등과 같은 부사어를 쓰기도 한다.

ⓒ미래 시제는 사건시가 발화시보다 뒤에 오는 시제이다. 미래 시제를 표현할 때에는 선어말 어미 '-겠-', 관형사형 어미 '-(으)ㄹ'을 쓰거나 '-(으)ㄹ'에 의존 명사 '것'이 결합된 '-(으)ㄹ 것'을 쓰기도 한다. 예스럽게 표현할 때에는 선어말 어미 '-(으)리-'를 쓴다. '내일', '장차' 등과 같은 부사어를 쓰기도 한다.

시제가 사건시와 발화시의 선후 관계를 표현한다면, 동작상은 사건 또는 동작 자체의 시간적 속성을 표현한다. 예를 들어 '먹다'라는 동작은 과거에서부터 지금까지 먹고 있는 움직임이 진행 중인 상태와 먹는 움직임이 이미 끝난 상태로 분석할 수 있다. 이와 같이 동작 내부의 시간적 흐름을 표현하는 국어의 문법 요소를 동작상이라고 한다. 동작상에는 진행상과 완료상이 있다.

ⓓ진행상이란 어떤 동작이 시간의 흐름 속에서 계속 이어지고 있을 때 사용하는 문법 요소이다. 진행상을 표현할 때에는 주로 보조 용언 '-고 있다' 또는 '-아 가다/-어 가다'를 쓴다. 문장이 이어질 때에는 연결 어미 '-(으)면서'를 쓴다.

ⓔ완료상이란 어떤 동작이 시간의 흐름 속에서 이미 끝났거나 그 결과가 지속될 때 사용하는 문법 요소이다. 완료상을 표현할 때에는 주로 보조 용언 '-아 있다/-어 있다' 또는 '-아 버리다/-어 버리다'를 쓴다. 문장이 이어질 때에는 연결 어미 '-고서'를 쓴다.

보기

㉠ 나는 내일 의자에 앉아 있겠다.
㉡ 이것은 내가 읽은 책이고, 저것은 철수가 읽던 책이다.

(1) ⓐ~ⓔ 중 ㉠과 ㉡에 나타난 시간 표현을 모두 찾아 기호로 쓰시오.

(2) (1)과 같이 파악한 이유를 위의 설명을 참고하여 구체적으로 서술하시오.

29 다음 설명을 참고하여 〈보기〉를 바른 문장으로 고치고, 그렇게 고친 이유를 구체적으로 서술하시오.

상대를 높이는 방법은 종결 어미를 통해 청자를 높이거나 낮추는 방법, 화자 자신을 낮추는 어휘를 쓰는 방법이 있다. 그리고 주체를 높이는 방법은 주격 조사 '께서'를 붙이는 방법, 주체를 높이는 선어말 어미 '-(으)시-'를 어간에 붙이는 방법, 주체 높임의 특수한 용언을 쓰는 방법이 있다. 또한 객체를 높이는 방법은 부사어를 높이는 조사 '께'를 체언에 붙이는 방법, 객체 높임의 특수한 용언을 쓰는 방법이 있다. 그 외 특수한 어휘를 써서 어떤 대상을 높이는 방법도 있다.

보기

㉠ 할아버지는 매일 이 시간이면 낮잠을 잔다.
㉡ 나는 어머니에게 아버지가 안방에 있는지 물어 보았다.

(1) ㉠과 ㉡을 바른 문장으로 고치시오.

(2) ㉡을 (1)의 답과 같이 고친 이유를 위의 설명을 참고하여 구체적으로 서술하시오.

30 〈보기〉의 직접 인용문 (1)과 (2)를 간접 인용문으로 각각 바꾸어 쓰시오.

보기

(1) 아들이 어제 저에게 "내일 집에 계십시오."라고 말했습니다.
(2) 오빠는 어제 "나의 휴대 전화에 메시지를 꼭 보내라."라고 나에게 말했다.

31 다음은 어법을 잘못 사용하고 있는 글이다. 부적절하게 사용한 피동 표현이 있는 문장을 모두 찾아 피동 표현을 어법에 맞게 고치고, 고친 문장을 쓰시오. (피동 표현과 관련된 것만 고칠 것.)

안녕? 나는 이현서라고 해.
문학에 관심이 많은 나는 초등학교 3학년 때 백일장에 참가되었어. 하루 종일 고생해서 시를 써냈지만 수상하지 못했지. 실망할 나에게 어머니께서는 "실패란 하나의 사건일 뿐이다."라고 말해 주었어. 실패를 통해 무엇이 배워졌는지가 더 중요하다는 사실을 깨달았지. 그 후 나는 8년간 계속해서 백일장에 참가하고 있어. 앞으로도 많이 실패하였지만 계속 도전할 거야.

32 (1)~(4)를 바르게 고치고, 고친 문장을 쓰시오. 고친 이유를 구체적으로 서술하시오. (어떤 문법 요소의 오류로 인한 것인지 언급할 것.)

(1) 혜영이는 아까 도서관에 가고 있어.
(2) 할아버지는 매일 이 시간이면 낮잠을 자.
(3) 창문이 닫혀지지 않아 찬바람이 들어온다.
(4) 사육장 관계자는 시설의 개선이 필요하다라고 말했습니다.

33 다음 문장을 〈조건〉에 따라 바르게 고치시오.

친구가 동생에게 선물을 주었다.

조건
- 주어를 '선생님'으로 바꾸고 조사와 서술어도 적절한 높임 표현으로 바꿀 것
- '관형사형 어미+의존명사'의 형태를 사용하여 발화시가 사건시보다 앞선 시제로 바꿀 것
- 주어진 조건 외 다른 표현은 바꾸지 말 것

34 〈보기〉를 바탕으로 물음에 답하시오.

보기 1

선생님 : 인용표현은 다른 데서 들은 말이나 글을 문장 속에 넣어 전달하는 것을 말해요. 인용표현에는 직접 인용이나 간접 인용이 있습니다. 직접 인용은 남의 말이나 글을 그대로 문장 속에 가져오는 것을 말해요. 그렇다면 간접 인용은 무엇일까요?
학생 : 간접 인용은 (㉠)을(를) 말합니다.
선생님 : 잘했어요. 간접 인용에서는 시간표현, 높임표현 지시어, 종결어미 등을 조심해야 해요.

보기 2

㉡ 어제 할아버지께서 "내일 밥을 사서 나에게 와라"라고 말씀하셨다.

(1) ㉠에 들어갈 말을 서술하시오.

(2) ㉡문장을 '간접 인용문'으로 바꿔서 서술하시오.

35 보기〉 ⓐ~ⓓ를 〈조건〉에 주어진 문장의 상대 높임 등급과 동일하게 고치시오. (단, 문장 종결 형식(평서형, 의문형, 명령형, 청유형, 감탄형 등) 및 의미는 바꾸지 말 것.)

보기

ⓐ 시간이 너무 촉박합니다.
ⓑ 이 구간은 그냥 빨리 넘어가세.
ⓒ 이곳은 위험하니 저쪽으로 비키시오.
ⓓ 그토록 찾던 물건을 드디어 구했구려.

조건

- 오늘 영업하는 약국은 어디니?

36 〈보기〉의 밑줄 친 문장이 잘못된 부분을 모두 찾아 잘못된 이유를 서술하고, 바르게 고쳐 쓰시오.

보기

높임법은 화자가 높이려는 대상이 누구인지에 따라 주체 높임법, 상대 높임법, 객체 높임법으로 구분된다. 주체 높임법은 주어가 나타내는 대상인 주체를 높이는 것이며, 상대 높임법은 대화의 상대인 청자를 높이거나 낮추는 것이고, 객체 높임법은 문장의 목적어나 부사어가 나타내는 대상인 객체를 높이는 것이다.

예 (남동생이 누나에게)
어머니가 할머니를 데리고 병원에 가나요?

37 ㉠에 대해 〈보기〉와 같이 인용하여 글을 썼다고 할 때, 〈보기〉를 쓴 사람이 지켜야 할 윤리를 서술하시오.

보기

글쓴이는 "영어 문장을 직역하면 불필요한 피동 표현을 쓸 수밖에 없다"라는 말을 하였으므로, 영어 문장을 직역하면 항상 우리말에 부정적인 영향을 줄 것이라는 생각을 하고 있음을 알 수 있다.

조건

- '원작가'라는 단어를 반드시 사용할 것
- '~다.'로 끝나는 완결된 문장으로 서술할 것

[38] 다음 글을 읽고 물음에 답하시오.

제힘으로 움직이는 행위의 주체가 주어인 문장을 능동문이라 한다. 이와 달리 피동문은 행위의 주체가 아닌 행위의 대상이 주어가 된다. 따라서 능동문을 피동문으로 바꿀 때에는 능동문의 주어와 목적어를 각각 피동문의 부사어와 주어로 바꾸고, 능동문의 서술어에 알맞은 피동 접미사 '-이-, -히-, -리-, -기-' 혹은 '-되다', '-아지다/-어지다'혹은 '-게 되다'를 붙여 피동문의 서술어로 만든다.

피동문을 쓸 때에는 지나친 피동 표현(ⓐ이중 피동)이 되지 않도록 유의해야 한다.

38 〈보기〉에서 ⓐ에 해당되는 사례를 모두 찾아 〈조건〉에 맞게 적절한 피동 표현으로 바꾸어 쓰시오.

보기

홍수 피해 주민들에 대한 구체적인 생계 지원 방안은 오늘 공개된 정부의 발표 자료에는 담겨져 있지 않았다. 또한 피해 대칙이 수도권 피해 복구 위주로 짜여지면서 지방 민심의 반발이 우려되는 상황이다. 이 같은 실수를 되풀이하지 않기 위해 좀 더 신속하고 정확한 피해 상황 집계 시스템 구축을 서둘러야 할 것으로 생각되어진다.

조건

- 아래와 같이 한 개의 어절 단위로 찾아 쓸 것
  예 믿겨진다 → 믿긴다

39 〈보기〉는 직접 인용 표현이다. 이를 간접인용 표현으로 바꾸고 변화 양상을 4가지 쓰시오.

보기

그가 나에게 "그쪽에서 무대가 보입니까?"라고 물었다.

40 다음 문장을 높임법에 맞게 고쳐 쓰고, 높임의 대상과 높임법의 실현 방법을 구체적으로 쓰시오. 〈문제〉에 높임법이 어떻게 실현되었는지 본문에 나타난 문법 용어를 사용하여 설명할 것.

예시

나는 어머니를 데리고 시골집에 다녀왔다.
→ 나는 어머니를 모시고 시골집에 다녀왔다.
특수어휘 '모시고'를 사용하여 객체 '어머니'를 높였다.

문제

할아버지는 걱정거리가 있다.

41 〈보기〉의 예문 ㉠~㉣ 중 밑줄 친 진행상과 완료상에 해당하는 예를 골라 쓰시오.

보기

시간 영역 안에서 파악되는 동작의 모습들을 일정한 언어 형식으로 표현하는 것을 동작상이라고 한다. 동작상에는 진행상과 완료상이 있는데 진행상은 어떤 동작이 시간의 흐름 속에서 계속 이어지고 있을 때 사용하고, 완료상은 어떤 동작이 시간의 흐름 속에서 이미 끝났거나 그 결과가 지속될 때 사용하는 문법 요소이다.

㉠ 현수가 국어 공부는 하고 잤다.
㉡ 어제 널어둔 빨래가 다 말라 간다.
㉢ 아기가 미소를 지으면서 자고 있다.
㉣ 다른 학교 친구에게 내 책을 다 줘버렸다.

42 다음 문장의 동작상을 쓰고, 그 동작상을 나타내기 위해 어떤 표현을 사용하였는지 서술하시오.

민호가 책상에 엎드려 있다.

서술의 예 (만약 '-니'를 사용하였다면) :
종결 어미 '-니'를 사용하였다.

단원 종합평가

[01] 다음 글을 읽고, 물음에 답하시오.

일상생활에서 이루어지는 대화는 우리의 인간관계를 형성하는 데 매우 중요한 역할을 한다. 잘못된 대화로 말미암은 오해를 예방하기 위해서는 대화의 상황과 대상 등을 미리 점검하고 상대방을 존중하는 마음으로 소통해야 한다.

듣기와 말하기의 방법은 개인뿐 아니라 집단에 따라서도 달라지는데, 한 공동체 안에서도 지역, 나이, 성별, 계층 등에 따라 다양한 언어의 모습이 나타날 수 있다. 이는 다양한 삶의 방식이 언어에 반영된 것으로, 유사한 언어를 사용하는 사람들끼리는 구성원 간의 친밀감을 형성할 수 있고 의사소통의 효율성을 높일 수 있다. 다만 이러한 언어 현상이 다양성으로 존중받지 못하고 차별과 편견의 대상이 되기도 한다. 지역 방언을 희화화하거나, 특정 성(性)을 비하하는 표현 등이 그 예이다.

이러한 차별과 편견이 들어 있는 표현을 고치는 것에서부터 언어의 다양성을 존중하는 태도를 기를 수 있다. 다양한 사람이 존재하는 만큼 언어도 다양하다는 것을 이해하고, 누군가를 차별하거나 다른 사람에게 상처를 줄 수 있는 말을 쓰지 않도록 노력해야 한다.

01 윗글을 이해한 내용으로 적절하지 <u>않은</u> 것은?

① 지역의 특성이 반영된 '오라베' 등의 말은 같은 방언 사용자끼리의 친밀감을 높인다.
② 세대의 특성이 반영된 '벗, 아우' 등의 말은 직업군 내에서 의사소통의 효율성을 높인다.
③ 지역을 차별하는 '서울로 올라가다'라는 표현 대신 '서울로 가다'라는 표현을 사용해야 한다.
④ 특정 성(性)을 차별하는 '여의사, 여류 작가'라는 표현 대신 '의사, 작가'라는 표현을 사용해야 한다.
⑤ 장애인을 차별하는 '장님, 벙어리'라는 표현 대신 '시각 장애인, 언어 장애인'이라는 표현을 사용해야 한다.

02 ㉠~㉤에 대한 설명으로 옳은 것은?

희정 : 어제 강연 어땠어?
준호 : ㉠<u>어젯밤부터 바로 공부하는 방법을 바꿨지…….</u>
희정 : 맞아! 우리한테 꼭 필요한 정보였어. 선배 중에 그런 분이 계시다는 게 자랑스러워. 선배를 보고 있으니까 내 꿈이 실현된 것 같았어. 넌 꿈이 뭐야?
준호 : ㉡<u>우리 잘하면 대학까지 그 지겨운 얼굴 쭉 보겠다.</u>
희정 : (놀라며) 설마……, 너도 자동차 엔지니어니?
준호 : ㉢<u>어릴 적부터 만든 모형 자동차만 해도 족히 100개는 되니까, 자동차 엔지니어가 꿈이라고 할 수 있지. 근데, 수학 성적이…….</u>
희정 : ㉣<u>(고개를 저으며) 수학 못한다고 공대 못 간단 법 있어?</u>
준호 : 그렇지? 그래도 요즘엔 수학에 신경 좀 쓰고 있어. 그런데 그게 해도 해도 밑 빠진 독에 물 붓기야.
희정 : 뭐, 아인슈타인도 수학에서 낙제했다더라. 근데 지금 몇 시니?
준호 : 이런, ㉤<u>골목으로 가로질러 가야겠다.</u>
희정 : 이러다 또 벌점 받는 거 아냐?
준호, 희정 : 그럴 수는 없지! (서로 경쟁하듯 달린다.)

① ㉠은 공손성의 원리 중 관련성의 격률을 어겼지만 대화가 자연스럽게 이어지고 있어.
② ㉡은 상대방을 비방하고 있기 때문에 겸양의 격률을 지키지 않은 사례라고 할 수 있어.
③ ㉢은 발화 내용의 진실성을 강조하기 위해 양의 격률을 어기며 요구보다 많은 정보를 제공하고 있어.
④ ㉣은 질문이 아닌 격려의 의미를 표현하기 위해 상황에 어울리는 준언어적 표현을 선택하여 사용하고 있어.
⑤ ㉤은 화자의 질문의 의도에서 벗어난 답변을 하고 있기 때문에 대화가 중단될 상황에 놓여 있다고 할 수 있어.

[03] **다음 글을 읽고 물음에 답하시오.**

(가) **친구 A** : 친구야! ㉠미안한데 나 부탁하나만 들어 줄래?
친구 B : 응? 뭔데? 지금은 좀 바빠서. ㉡지금 당장 들어주는 것만 아니면 다 괜찮아.
(나) **친구 A** : ㉢친구야, 우리 이번 주말에 공원에 가서 자전거 타자.
친구 B : 자전거 좋지. 그런데 주말에 가족 여행이 있어. 미안해. 자전거는 다음 주말에 타자.
(다) **친구 A** : ㉣자세가 굉장히 좋은데? 손목에 힘을 빼고 치면 더 잘 수 있을 거야.
친구 B : 아직은 많이 부족해. ㉤난 운동 신경이 없어서 친구들보다 더 연습을 해야 해.

---

03 ㉠~㉤에 대한 설명으로 적절하지 않은 것은?

① ㉠은 의문문을 사용하여 상대방의 부담을 최소화하고 있다.
② ㉡은 친구 B의 입장에서 자신의 부담을 최대화하고 있다.
③ ㉢은 완곡한 표현으로 자신에게 이익이 되는 표현을 최대화하고 있다.
④ ㉣은 상대를 칭찬하는 표현을 최대화하고 있다.
⑤ ㉤은 자신을 낮추는 겸손한 태도를 보이고 있다.

04 다음 중 협력의 원리를 지키기 위해 고려해야 할 사항으로 적절하지 않은 것은?

① 적절하게 순서를 바꾸어서 말해야 한다.
② 필요한 만큼만의 정보를 제공해야 한다.
③ 타당한 근거를 들어 진실한 정보를 제공해야 한다.
④ 대화의 목적이나 주제와 관련된 것을 말해야 한다.
⑤ 중의적인 것은 피하고 간결하고 조리 있게 말해야 한다.

05 〈보기〉의 ㉠, ㉡의 예로 적절한 것끼리 묶은 것은?

보기

시제는 문장 내에서 가리키는 사건이 일어난 시점인 '사건시'와 그 문장을 말하는 시점인 '발화시'의 관계로 나타낼 수 있는데, ㉠사건시가 발화시보다 먼저인 경우, 사건시와 발화시가 일치하는 경우, ㉡사건시보다 발화시가 먼저인 경우가 있다.

① ㉠ : 예쁜 꽃이 마당에 피어 있다.
　㉡ : 그 일은 혼자서도 할 수 있겠다.
② ㉠ : 그는 예전에 만나던 사람이다.
　㉡ : 동생이 밥을 먹는 모습이 보기 좋다.
③ ㉠ : 나는 다급하게 초인종을 눌렀다.
　㉡ : 네가 떠날 곳으로 곧 따라갈게.
④ ㉠ : 오늘 밤에도 별이 바람에 스친다.
　㉡ : 하늘을 보니 비가 오겠다.
⑤ ㉠ : 성규는 준호에게 생일 선물을 주었다.
　㉡ : 수지는 어제 서점에서 책을 보더라.

06 〈보기〉의 ㉠~㉤을 고친 문장과 그 이유가 모두 알맞은 것은?

보기

㉠ 용욱아, 선생님이 너 교실로 오시래.
㉡ 수호는 자기가 먼저 간다라고 말했다.
㉢ 할아버지는 매일 이 시간이면 낮잠을 잔다.
㉣ 이 책은 사람들의 기억에서 잊혀진 책입니다.
㉤ 나는 서로 돕는 것이 옳은 일이라고 생각되어진다.

	고친 문장	고친 이유
ⓐ	㉠ 용욱아, 선생님께서 너 교실로 오시래.	높임 오류
ⓑ	㉡ 수호는 자기가 먼저 간다고 말했다.	시제 오류
ⓒ	㉢ 할아버지는 매일 이 시간이면 낮잠을 주무신다.	높임 오류
ⓓ	㉣ 이 책은 사람들의 기억에서 잊힌 책입니다.	피동 오류
ⓔ	㉤ 나는 서로 돕는 것이 옳은 일이라고 생각된다.	피동 오류

① ⓐ　② ⓑ　③ ⓒ　④ ⓓ　⑤ ⓔ

07 〈보기〉에서 ㉠~㉤의 높임법에 대한 설명으로 적절한 것은?

보기

점원 : 손님, 어떤 옷을 ㉠찾으십니까?
손님 : 바지 좀 보려고요. ㉡아버지께 선물할 거거든요.
점원 : 이 바지는 어떠세요? 선물로 ㉢드리시면 무척 좋아하실 겁니다.
손님 : 저희 아버지는 키가 크신데 잘 맞을지 ㉣모르겠네요.
점원 : 아버님 ㉤모시고 한번 들러 주세요.

① ㉠은 특수 어휘를 사용하여 상대 높임을 나타내고 있다.
② ㉡은 조사 '께'를 사용하여 주체인 '아버지'를 높이고 있다.
③ ㉢은 특수어휘와 선어말 어미를 사용하여 객체와 주체를 높이고 있다.
④ ㉣은 선어말 어미를 사용하여 주체를 높이고 있다.
⑤ ㉤은 선어말 어미를 사용하여 객체인 '아버님'을 높이고 있다.

08 〈보기〉의 ㉠에 해당하는 문장으로 적절하지 않은 것은?

보기

제 힘으로 움직이는 행위의 주체가 주어인 문장을 능동문이라 한다. 이와 달리 ㉠피동문은 행위의 주체가 아닌 행위의 대상이 주어가 된다.

① 아이가 모기에 물렸다.
② 오늘은 붓글씨가 잘 써진다.
③ 그 집이 사람들에게 헐렸다.
④ 그는 친구들을 감쪽같이 속였다.
⑤ 그의 그림이 비싼 가격에 팔렸다.

[09] 다음 글을 읽고 물음에 답하시오.

높임 표현은 화자가 대상의 높고 낮은 정도에 따라 언어적으로 구별하여 표현하는 국어의 문법 요소이다. 높임 표현은 높임의 대상에 따라 상대 높임법, 주체 높임법, 객체 높임법으로 나뉜다.

상대 높임법은 청자를 높이거나 낮추는 방법이다. 높임과 낮춤의 정도에 따라 종결 어미가 달라진다. 화자 자신을 낮추는 '저', '제' 등의 어휘를 쓰기도 한다.

㉠주체 높임법은 문장의 주체를 높이는 방법이다. 주격 조사 '이/가' 대신 '께서'를 사용하고, 일반적으로 서술어에 선어말 어미 '-(으)시-'가 붙어 실현된다. '있다', '먹다' 같은 단어 대신 '계시다', '잡수시다' 같은 특수 어휘를 쓰기도 한다.

㉡객체 높임법은 문장의 목적어나 부사어가 지시하는 대상, 즉 서술의 객체를 높이는 방법이다. 서술의 객체가 화자보다 나이가 많거나 사회적 지위가 높을 때 사용한다. 부사격 조사 '에게' 대신 '께'를 사용하고, '만나다', '묻다' 같은 단어 대신 '뵈다', '여쭈다' 같은 특수 어휘를 쓰기도 한다.

09 다음 중 윗글의 밑줄 친 ㉠, ㉡이 모두 나타난 문장은?

① 아버지께서는 집에 들어 가셨다.
② 멀리서 오셨는데 물이나 한 잔 드시지요.
③ 선생님, 시험 끝나면 친구들과 뵈러 갈게요.
④ 어머니께서 할머니를 모시고 식당에 가셨어.
⑤ 아버지는 아직 할아버지 사진을 간직하고 계신다.

10 〈보기〉의 ㄱ~ㅁ에 대한 설명으로 적절하지 않은 것은?

보기

ㄱ. 네가 돌려준 책을 어머니께 받았어.
ㄴ. 고객님, 이것으로 하시겠습니까?
ㄷ. 형님, 어머님을 모시고 함께 나갈게요.
ㄹ. 손님, 여기 커피 나오셨습니다.
ㅁ. 선생님, 그것 제가 들어 드릴게요.

① ㄱ : 서술의 객체를 높이기 위해 부사격 조사와 특수어휘를 사용하였다.
② ㄴ : 종결어미를 사용하여 듣는 이를 높이고자 하는 상대 높임이 쓰였다.
③ ㄷ : 특수어휘를 사용하여 목적어를 높이고 있다.
④ ㄹ : 사물에 대한 지나친 높임 표현으로 높임의 대상이 잘못된 경우이다.
⑤ ㅁ : 화자 자신을 낮추는 어휘를 사용하여 청자를 높이고 있다.

11 〈보기〉의 ㄱ~ㅁ에 대한 설명으로 옳은 것은?

보기

ㄱ. 작년에 나는 심하게 아팠었다.
ㄴ. 저기 열심히 밥을 먹는 아이가 보인다.
ㄷ. 네가 읽은 책은 유명한 작가의 작품이야.
ㄹ. 문 닫을 시간이 지나서 그 가게는 끝났겠다.
ㅁ. 어제 학교 앞 교회에 사람이 참 많더라.

① ㄱ을 통해 '-았었-'은 과거 사태가 현재까지 영향이 있음을 보여줄 때 사용됨을 알 수 있다.
② ㄴ, ㄷ을 통해 동사가 관형사형 어미 '-은', '-는'과 결합하여 과거시제를 실현할 수 있음을 알 수 있다.
③ ㄱ, ㄴ, ㅁ을 통해 작년, 저기, 어제와 같은 부사어가 문장의 시제를 나타내는 역할을 함을 알 수 있다.
④ ㄹ을 통해 선어말어미 '-겠-'이 미래에 대한 주체의 의지를 나타냄을 알 수 있다.
⑤ ㅁ을 통해 '-더-'는 과거 자신이 직접 본 내용을 나타낼 때 사용됨을 알 수 있다.

6

세상을 바라보는 예리한 눈

㉮ 텔레비전

뉴스 진행자 대한민국 대표 축제, 보령 머드 축제가 세계적인 축제로 커 가고 있습니다. 오늘 주한 뉴질랜드 대사가 보령 머드 축제장을 찾아 직접 머드 체험을 즐겼습니다. 박○○ 기자의 보도입니다.

주한: 한국에 주재함.

기자 주한 뉴질랜드 대사가 보령 머드 축제장을 찾았습니다. 다양한 색으로 착색된 머드를 얼굴에 바르며 신기한 듯 미소를 띱니다. 공포의 감옥 안에서 온몸으로 머드 세례를 받으며 짜릿한 즐거움도 만끽합니다.

주한 뉴질랜드 대사 정말 즐겁습니다. 보시다시피 축제의 열정을 그대로 느꼈고, 특히 방학을 맞은 젊은이들이 편한 마음으로 다 함께 즐기는 것 같아 멋졌습니다.

기자 주한 뉴질랜드 대사는 내년 12월 뉴질랜드에서 열릴 로토루아 머드 축제의 성공적 개최를 위해 기술과 비법을 배우러 축제장을 찾았습니다. 앞서 보령시는 뉴질랜드에 내년부터 5년간 머드 원액을 수출하는 협약을 체결했습니다. 머드 체험 시설과 머드로 만든 제품 등이 뉴질랜드 로토루아 시에 수출됩니다.

전달 내용 ①: 주한 뉴질랜드 대사는 내년 12월 뉴질랜드에서 열릴 로토루아 머드 축제의 성공적 개최를 위해 기술과 비법을 배우러 축제장을 찾았습니다.
전달 내용 ②: 앞서 보령시는 뉴질랜드에 내년부터 5년간 머드 원액을 수출하는 협약을 체결했습니다.

보령 시장 콘텐츠, 그리고 우리가 가지고 있는 시설 모든 것을 뉴질랜드에 수출함으로써 세계인이 함께하는 보령 머드 축제를 만들어 가겠습니다.

세계인이 함께하는 보령 머드 축제: 보령 머드 축제의 세계화

기자 올해로 열아홉 번째를 맞은 보령 머드 축제가 이제 명실상부한 세계적인 축제로 발돋움하고 있습니다.

명실상부: 이름과 실상이 서로 꼭 맞음.
발돋움: 어떤 지향하는 상태나 위치 따위로 나아감.

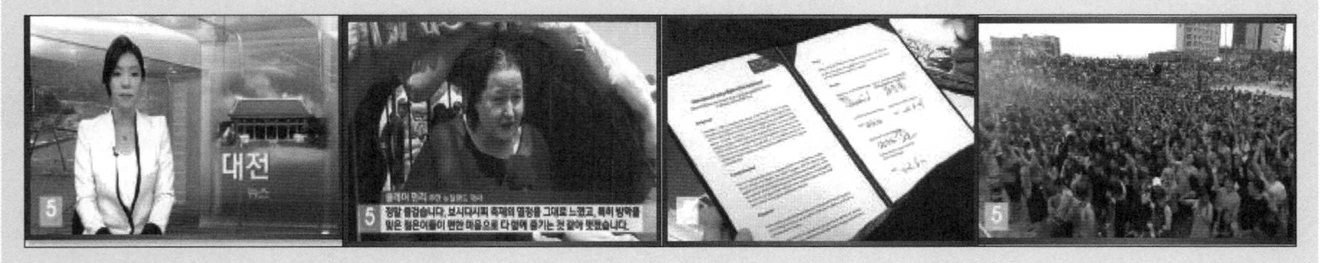

–케이비에스(KBS) 「뉴스 5」(2016. 7. 22.)

㉯ 경향신문 2016년 7월 27일

축제 한류 이끄는 '보령 머드 축제'

표제

스페인 이어 뉴질랜드에 수출, 외국인 관광객 약 44퍼센트 늘어나

부제

국내 대표 축제인 보령 머드 축제가 수출길에 오르는 등 세계적인 축제로 거듭나고 있다. 충남 보령시는 뉴질랜드 로토루아 시와 협약을 체결해 내년부터 5년 동안 머드 원료 등을 수출한다고 26일 밝혔다.

보령 머드 축제의 의의

전달 내용 ①

보령시는 앞서 2014년부터 2년간 세계 유명 축제인 스페인 토마토 축제장에 머드 체험장을 운영하는 방식으로 머드 축제를 처음 해외에 전파했다. 뉴질랜드로의 두 번째 머드 축제 수출을 위해 보령시는 지난달 보령 시장 등이 로토루아 시를 방문해 협약을 맺은 바 있다.

로토루아 시는 뉴질랜드 교육부의 지원을 받아 내년 12월 보령 머드 축제를 본보기로 한 머드 축제를 개최한다는 계획이다. 이에 따라 지난 22일 주한 뉴질랜드 대사가 보령 머드 축제장을 찾아 직접 축제를 체험하고 보령 시장과 머드 원료 수출에 대한 구체적인 협약 이행 방안을 논의하기도 했다.

실제로 행함.

보령 머드 축제는 1996년 시작된 '대한 민국 대표 축제'로, 해마다 대천 해수욕장 일원에서 열리는 축제장을 찾는 외국인 관광객이 늘면서 세계적인 축제로 발돋움해 왔다.

전달 내용 ②

지난 15~24일 열린 올해 보령 머드 축제 역시 외국인 관광객 수가 43만 9,000여 명으로 지난해 30만 4,000여 명보다 약 44퍼센트 늘어난 것으로 보령시는 집계했다.

구체적인 통계 자료를 제시하여 정보의 신뢰성을 높임.

보령 시장은 "올해 열아홉 번째 열린 머드 축제는 그동안 국내외 언론의 많은 조명을 받는 세계적인 축제로 성장해 왔다."라며 "이번 수출은 머드 축제가 한류 문화를 이끄는 세계 유명 축제로 발전하는 계기가 될 것"이라고 말했다.

보령 시장의 말을 인용하여 앞으로의 전망을 제시함.

▲ 보령 머드 축제를 즐기고 있는 외국인 관광객들

㉰

▲ 2016년 보령 머드 축제 광고지

- 축제명을 영어로 표기하여 외국인 관광객에 대한 홍보 효과를 의도함.
- 사물놀이 복장을 한 우리나라 사람과 외국인이 함께 어우러져 노는 모습을 이미지로 넣어 '보령 머드 축제'가 세계인들이 함께 즐기는 축제라는 점을 알림.

⊙ 핵심정리

갈래	텔레비전 뉴스
성격	사실적, 객관적
제재	보령 머드 축제
주제	주한 뉴질랜드 대사의 축제장 방문 및 보령시와 뉴질랜드 간의 수출 협약 체결
특징	• 음성 언어, 문자 언어, 영상이 함께 사용됨. • 주한 뉴질랜드 대사의 인터뷰를 직접 제시하여 정보의 신뢰성을 높임.

갈래	기사문
성격	사실적, 객관적
제재	보령 머드 축제
주제	보령시와 뉴질랜드 간의 '보령 머드 축제' 수출 협약 체결
특징	• '표제-부제-전문-본문'으로 구성됨. • 사진을 제시하여 독자의 이해를 도움. • 통계 자료를 인용하여 정보의 신뢰성을 높임.

갈래	인쇄광고
성격	사실적, 설득적
제재	보령 머드 축제
주제	'보령 머드 축제'의 날짜 및 장소 홍보
특징	• 이미지와 문자 언어를 통해 내용을 전달함. • 축제명을 영어로 표기하여 외국인 관광객에 대한 홍보 효과를 의도함. • 축제에서 이루어지는 행사들을 한눈에 알아볼 수 있게 이미지로 표현함. • 외국인이 즐거워하는 모습을 전면에 내세움으로써 축제의 세계화 이미지를 부각함.

확인학습

01 매체를 읽을 때에는 글쓴이의 관점과 표현 방법의 적절성을 평가하며 읽어야 한다. O□ X□

02 인쇄 광고는 사진이나 그림, 광고 문구 등을 통해 글쓴이의 관점이 드러난다. O□ X□

03 신문은 표제 - 부제 - 전문 - 본문으로 구성된다. O□ X□

04 '㉮ 텔레비전'에서는 인터뷰를 제시하여 신뢰성을 높이고 있다. O□ X□

05 '㉯ 신문기사'에서는 구체적인 통계자료를 활용하고 있지 않다. O□ X□

06 '㉰ 인쇄 광고'에서는 통계 자료를 인용하여 정보의 신뢰성을 높이고 있다. O□ X□

07 ㉮, ㉯, ㉰ 모두 어떤 사실에 대하여 객관적인 정보를 제공하고 있다. O□ X□

08 ㉮, ㉯, ㉰ 모두 특정 대상에 대한 비판적 인식을 드러내고 있다. O□ X□

09 '㉮ 텔레비전'의 경우 음성 언어, 영상, 문자 언어가 함께 사용된다. O□ X□

10 '㉮ 텔레비전'의 경우 '㉰ 인쇄 광고'에 비해 많은 정보를 더 빠르게 전달할 수 있다. O□ X□

객관식 기본문제

[01~02] 다음 글을 읽고 물음에 답하시오.

(가) 텔레비전

뉴스 진행자 : 대한민국 대표 축제, 보령 머드 축제가 세계적인 축제로 커 가고 있습니다. 오늘 주한 뉴질랜드 대사가 보령 머드 축제장을 찾아 직접 머드 체험을 즐겼습니다. 박○○ 기자의 보도입니다.

기자 : 주한 뉴질랜드 대사가 보령 머드 축제장을 찾았습니다. 다양한 색으로 착색된 머드를 얼굴에 바르며 신기한 듯 미소를 띱니다. 공포의 감옥 안에서 온몸으로 머드 세례를 받으며 짜릿한 즐거움도 만끽합니다.

주한 뉴질랜드 대사 : 정말 즐겁습니다. 보시다시피 축제의 열정을 그대로 느꼈고, 특히 방학을 맞은 젊은이들이 편한 마음으로 다함께 즐기는 것 같아 멋졌습니다.

기자 : 주한 뉴질랜드 대사는 내년 12월 뉴질랜드에서 열릴 로토루아 머드 축제의 성공적 개최를 위해 기술과 비법을 배우러 축제장을 찾았습니다. 앞서 보령시는 뉴질랜드에 내년부터 5년간 머드 원액을 수출하는 협약을 체결했습니다. 머드 체험 시설과 머드로 만든 제품 등이 뉴질랜드 로토루아 시에 수출됩니다.

보령 시장 : 콘텐츠, 그리고 우리가 가지고 있는 시설 모든 것을 뉴질랜드에 수출함으로써 세계인이 함께 하는 보령 머드 축제를 만들어 가겠습니다.

기자 : 올해로 열아홉 번째를 맞은 보령 머드 축제가 이제 명실상부한 세계적인 축제로 발돋움하고 있습니다.

– 케이비에스(KBS)「뉴스 5」(2016. 7. 22.) –

(나)

축제 한류 이끄는 '보령 머드 축제'

스페인 이어 뉴질랜드에 수출, 외국인 관광객 약 44퍼센트 늘어나

국내 대표 축제인 보령 머드 축제가 수출길에 오르는 등 세계적인 축제로 거듭나고 있다. 충남 보령시는 뉴질랜드 로토루아 시와 협약을 체결해 내년부터 5년 동안 머드 원료 등을 수출한다고 26일 밝혔다.

보령시는 앞서 2014년부터 2년간 세계 유명 축제인 스페인 토마토 축제장에 머드 체험장을 운영하는 방식으로 머드 축제를 처음 해외에 전파했다. 뉴질랜드로의 두 번째 머드 축제 수출을 위해 보령시는 지난달 보령 시장 등이 로토루아 시를 방문해 협약을 맺은 바 있다.

로토루아 시는 뉴질랜드 교육부의 지원을 받아 내년 12월 보령 머드 축제를 본보기로 한 머드 축제를 개최한다는 계획이다. 이에 따라 지난 22일 주한 뉴질랜드 대사가 보령 머드 축제장을 찾아 직접 축제를 체험하고 보령 시장과 머드 원료 수출에 대한 구체적인 협약 이행 방안을 논의하기도 했다.

보령 머드 축제는 1996년 시작된 '대한민국 대표 축제'로, 해마다 대천 해수욕장 일원에서 열리는 축제장을 찾는 외국인 관광객이 늘면서 세계적인 축제로 발돋움해 왔다.

지난 15~24일 열린 올해 보령 머드 축제 역시 외국인 관광객 수가 43만 9,000여 명으로 지난 30만 4,000여 명보다 약 44퍼센트 늘어난 것으로 보령시는 집계했다.

보령 시장은 "올해 열아홉 번째 열린 머드 축제는 그동안 국내외 언론의 많은 조명을 받는 세계적인 축제로 성장해 왔다."라며 "이번 수출은 머드 축제가 한류 문화를 이끄는 세계 유명 축제로 발전하는 계기가 될 것"이라고 말했다.

– 경향신문 (2016년 7월 27일) –

01 (가), (나)를 효과적으로 표현하기 위한 보조 자료로 적절하지 않은 것은?

① (가) : 주한 뉴질랜드 대사의 인터뷰 장면을 담은 동영상 자료
② (가) : 보령시와 로토루아시의 협의 증서를 담은 동영상 자료
③ (가) : 외국인 관광객 수의 연도별 변화를 나타낸 도표 자료
④ (나) : 토마토 축제를 즐기는 모습을 담은 사진 자료
⑤ (나) : 머드팩을 체험하고 있는 외국인 관광객들의 사진 자료

02 (가), (나) 매체에 대한 설명으로 적절하지 않은 것은?

① (가)는 정보 전달에 있어 (나)에 비해 음성 언어의 특성이 강하다.
② (나)의 표제, 부제에 글쓴이의 관점과 의도가 요약되어 있다.
③ (나)의 정보를 제작할 때 (가)보다 문자 언어의 비중이 크다.
④ (나)의 수용자는 듣고 읽는 과정을 통해 생산자의 관점을 이해한다.
⑤ (가), (나)에 주로 활용되는 시각 자료는 그 종류가 다르다.

[03~04] 다음 글을 읽고 물음에 답하시오.

(가) 신문

축제 한류 이끄는 '보령 머드 축제'

스페인 이어 뉴질랜드에 수출, 외국인 관광객 약 44퍼센트 늘어나

국내 대표 축제인 보령 머드 축제가 수출길에 오르는 등 세계적인 축제로 거듭나고 있다. 충남 보령시는 뉴질랜드 로토루아 시와 협약을 체결해 내년부터 5년 동안 머드 원료 등을 수출한다고 26일 밝혔다.

보령시는 앞서 2014년부터 2년간 세계 유명 축제인 스페인 토마토 축제장에 머드 체험장을 운영하는 방식으로 머드 축제를 처음 해외에 전파했다. 뉴질랜드로의 두 번째 머드 축제 수출을 위해 보령시는 지난달 보령 시장 등이 로토루아 시를 방문해 협약을 맺은 바 있다.

로토루아 시는 뉴질랜드 교육부의 지원을 받아 내년 12월 보령 머드 축제를 본보기로 한 머드 축제를 개최한다는 계획이다. 이에 따라 지난 22일 주한 뉴질랜드 대사가 보령 머드 축제장을 찾아 직접 축제를 체험하고 보령 시장과 머드 원료 수출에 대한 구체적인 협약 이행 방안을 논의하기도 했다.

보령 머드 축제는 1996년 시작된 '대한민국 대표 축제'로, 해마다 대천 해수욕장 일원에서 열리는 축제장을 찾는 외국인 관광객이 늘면서 세계적인 축제로 발돋움해 왔다.

지난 15~24일 열린 올해 보령 머드 축제 역시 외국인 관광객 수가 43만 9,000여 명으로 지난 30만 4,000여 명보다 약 44퍼센트 늘어난 것으로 보령시는 집계했다.

보령 시장은 "올해 열아홉 번째 열린 머드 축제는 그동안 국내외 언론의 많은 조명을 받는 세계적인 축제로 성장해 왔다."라며 "이번 수출은 머드 축제가 한류 문화를 이끄는 세계 유명 축제로 발전하는 계기가 될 것"이라고 말했다.

▲ 보령 머드 축제를 즐기고 있는 외국인 관광객들

(나) 인터넷 기사

외국인이 본 보령 머드 축제 "재밌지만, 대기 시간 길어"

공연 · 머드 체험 '좋아요!', 먹을거리 · 관광 '아쉬워요!'

한국 관광 공사 대전 충남 지사는 지난 주말에 '주한 외국인 충청권 세계 축제 홍보단' 40여 명과 함께 보령 머드 축제장을 찾았다. 이후 '축제 발전 방안'을 주제로 개최한 토론회에서 외국인 홍보 단원은 공연과 머드를 활용한 체험 행사에 만족감을 나타냈다. 그러나 유료로 이용할 수 있는 머드 체험 구역의 시설물 대기 시간이 한두 시간에 이르러, 입장료 대비 시설에 대한 만족도는 낮았다. 이에 따라 유료 구역에서 체험할 수 있는 시설물과 체험 행사를 추가하는 한편, 머드 광장에만 집중적으로 몰리는 인파를 분산하기 위한 공간 활용이 필요하다는 지적이 제기됐다. 또, 주변 식당에서는 대부분 조개구이나 생선회를 내놓아 음식 선택의 폭이 좁으므로 먹을거리를 다양화했으면 좋겠다고 주문했다. 그뿐만 아니라 교통수단을 확충하고 주변 관광지와의 접근성을 개선해야 한다는 의견도 나왔다.

03 윗글에 대한 설명으로 적절하지 않은 것은?

① (가)와 (나)는 모두 표제와 부제를 활용해 글쓴이의 관점과 의도를 명확히 드러내고 있다.
② (나)에서 활용한 매체는 (가)에 비해 비교적 글쓴이와 독자의 쌍방향적인 의사소통이 원활하다.
③ (가)는 축제를 즐기는 외국인 관광객들의 사진을 제시하며 내용이 한쪽으로 치우치는 것을 방지했다.
④ (가)는 외국인 관광객의 증가라는 구체적인 통계 자료를 통해 전달하는 정보의 신뢰성을 높이고 있다.
⑤ (나)는 문제점의 제기와 더불어 그에 대한 개선 방향을 제시하는 것에 초점을 맞추어 내용을 전개하고 있다.

04 (나)에서 글쓴이의 관점을 효과적으로 드러내기 위해 추가할 자료로 적절하지 않은 것은?

① 머드 광장에 인파가 집중적으로 몰리는 장면을 담은 동영상
② 머드 체험 시설 앞에 길게 줄 서 있는 관광객의 모습을 담은 사진
③ '축제 발전 방안'을 주제로 활발하게 토론회가 진행되고 있는 모습을 찍은 사진
④ 다양한 밑반찬과 함께 조개 구이와 생선회로 즐겁게 식사하는 외국인 관광객의 사진
⑤ 주변 관광지와의 교통수단이 확충되지 않아 불편함을 토로하는 관광객의 인터뷰 동영상

객관식 심화문제

[01~04] 다음 글을 읽고, 물음에 답하시오.

(가) 텔레비전

뉴스 진행자 : 대한민국 대표 축제, 보령 머드 축제가 세계적인 축제로 커 가고 있습니다. 오늘 주한 뉴질랜드 대사가 보령 머드 축제장을 찾아 직접 머드 체험을 즐겼습니다. 박○○ 기자의 보도입니다.

기자 : 주한 뉴질랜드 대사가 보령 머드 축제장을 찾았습니다. 다양한 색으로 착색된 머드를 얼굴에 바르며 신기한 듯 미소를 띱니다. 공포의 감옥 안에서 온몸으로 머드 세례를 받으며 짜릿한 즐거움도 만끽합니다.

주한 뉴질랜드 대사 : 정말 즐겁습니다. 보시다시피 축제의 열정을 그대로 느꼈고, 특히 방학을 맞은 젊은이들이 편한 마음으로 다함께 즐기는 것 같아 멋졌습니다.

기자 : 주한 뉴질랜드 대사는 내년 12월 뉴질랜드에서 열릴 로토루아 머드 축제의 성공적 개최를 위해 기술과 비법을 배우러 축제장을 찾았습니다. 앞서 보령시는 뉴질랜드에 내년부터 5년간 머드 원액을 수출하는 협약을 체결했습니다. 머드 체험 시설과 머드로 만든 제품 등이 뉴질랜드 로토루아 시에 수출됩니다.

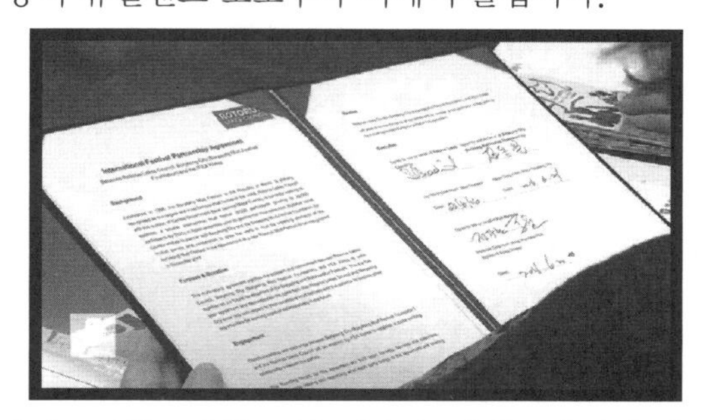

보령 시장 : 콘텐츠, 그리고 우리가 가지고 있는 시설 모든 것을 뉴질랜드에 수출함으로써 세계인이 함께 하는 보령 머드 축제를 만들어 가겠습니다.

기자 : 올해로 열아홉 번째를 맞은 보령 머드 축제가 이제 명실상부한 세계적인 축제로 발돋움하고 있습니다.

(나) 신문

축제 한류 이끄는 '보령 머드 축제'

스페인 이어 뉴질랜드에 수출, 외국인 관광객 약 44퍼센트 늘어나

국내 대표 축제인 보령 머드 축제가 수출길에 오르는 등 세계적인 축제로 거듭나고 있다. 충남 보령시는 뉴질랜드 로토루아 시와 협약을 체결해 내년부터 5년 동안 머드 원료 등을 수출한다고 26일 밝혔다.

보령시는 앞서 2014년부터 2년간 세계 유명 축제인 스페인 토마토 축제장에 머드 체험장을 운영하는 방식으로 머드 축제를 처음 해외에 전파했다. 뉴질랜드로의 두 번째 머드 축제 수출을 위해 보령시는 지난달 보령 시장 등이 로토루아 시를 방문해 협약을 맺은 바 있다.

로토루아 시는 뉴질랜드 교육부의 지원을 받아 내년 12월 보령 머드 축제를 본보기로 한 머드 축제를 개최한다는 계획이다. 이에 따라 지난 22일 주한 뉴질랜드 대사가 보령 머드 축제장을 찾아 직접 축제를 체험하고 보령 시장과 머드 원료 수출에 대한 구체적인 협약 이행 방안을 논의하기도 했다.

보령 머드 축제는 1996년 시작된 '대한민국 대표 축제'로, 해마다 대천 해수욕장 일원에서 열리는 축제장을 찾는 외국인 관광객이 늘면서 세계적인 축제로 발돋움해 왔다.

지난 15~24일 열린 올해 보령 머드 축제 역시 외국인 관광객 수가 43만 9,000여 명으로 지난 30만 4,000여 명보다 약 44퍼센트 늘어난 것으로 보령시는 집계했다.

보령 시장은 "올해 열아홉 번째 열린 머드 축제는 그동안 국내외 언론의 많은 조명을 받는 세계적인 축제로 성장해 왔다."라며 "이번 수출은 머드 축제가 한류 문화를 이끄는 세계 유명 축제로 발전하는 계기가 될 것"이라고 말했다.

▲ 보령 머드 축제를 즐기고 있는 외국인 관광객들

(다) 인쇄광고

01 (가)와 (나) 매체에 대한 설명으로 적절하지 않은 것은?

① (가)는 당일에 일어난 사건을 전달하므로 정보의 보존성이 매우 뛰어나다.
② (가)는 전파를 이용하므로 (나)에 비해 많은 정보를 빠르게 전달할 수 있다.
③ (가)는 본질적으로 일시적이어서 녹화를 하지 않으면 방송과 동시에 사라진다.
④ (가)는 (나)와 달리 시각적 표현뿐만 아니라 청각적 표현으로도 정보를 전달하고 있다.
⑤ (나)는 정보를 재확인할 수 있어 (가)보다 복잡한 내용을 효과적으로 전달할 수 있다.

02 (나)와 〈보기〉를 비교하며 이해한 내용으로 적절하지 않은 것은?

보기

외국인이 본 보령 머드 축제
"재밌지만, 대기 시간 길어"
공연 · 머드 체험 '좋아요!', 먹을거리 · 관광 '아쉬워요!'

한국 관광 공사 대전 충남 지사는 지난 주말에 '주한 외국인 충청권 세계 축제 홍보단' 40여 명과 함께 보령 머드 축제장을 찾았다. 이후 '축제 발전 방안'을 주제로 개최한 토론회에서 외국인 홍보 단원은 공연과 머드를 활용한 체험 행사에 만족감을 나타냈다. 그러나 유료로 이용할 수 있는 머드 체험 구역의 시설물 대기 시간이 한두 시간에 이르러, 입장료 대비 시설에 대한 만족도는 낮았다. 이에 따라 유료 구역에서 체험할 수 있는 시설물과 체험 행사를 추가하는 한편, 머드 광장에만 집중적으로 몰리는 인파를 분산하기 위한 공간 활용이 필요하다는 지적이 제기됐다. 또, 주변 식당에서는 대부분 조개구이나 생선회를 내놓아 음식 선택의 폭이 좁으므로 먹을거리를 다양화했으면 좋겠다고 주문했다. 그뿐만 아니라 교통수단을 확충하고 주변 관광지와의 접근성을 개선해야 한다는 의견도 나왔다.

– 인터넷 연합뉴스 –

① (나)와 〈보기〉 모두 표제와 부제를 통해 글쓴이의 의도를 드러내고 있다.
② (나)와 〈보기〉 모두 구체적인 통계자료를 제시하여 내용의 신뢰성을 높이고 있다.
③ (나)는 〈보기〉와 달리 사진자료를 제시하여 독자들의 이해를 돕고 있다.
④ (나)는 〈보기〉와 달리 축제의 긍정적인 측면에 초점을 두어 서술하고 있다.
⑤ 〈보기〉는 (나)와 달리 문제점과 개선 방향을 중심으로 내용을 서술하고 있다.

03 (가)~(다)에 대한 설명으로 가장 적절한 것은?

① (가)는 주한 뉴질랜드 대사의 말을 인용하여 젊은이들이 축제에 참여하도록 홍보하고 있다.
② (나)는 보령 시장의 인터뷰 내용을 직접 인용하여 축제의 향후 전망을 제시하고 있다.
③ (나)는 우리나라에서 머드 축제가 시작된 이유를 설명하여 정보의 신뢰성을 높이고 있다.
④ (다)는 축제에서 행해지는 여러 행사를 이미지로 제시하여 구체적인 참가 방법을 안내하고 있다.
⑤ (다)는 사물놀이 복장을 한 우리나라 사람의 이미지를 제시하여 축제가 우리의 전통 축제임을 부각하고 있다.

04 (다)에 드러난 글쓴이의 의도를 〈조건〉에 맞게 서술하시오.

조건
- 축제명의 표기와 관련하여 서술하시오.
- '축제명을 ~로 표기하여, ~을(를) 의도함'의 문장형식으로 서술하시오.

[05~07] 다음 글을 읽고, 물음에 답하시오.

(가) 텔레비전

뉴스 진행자 : 대한민국 대표 축제, 보령 머드 축제가 세계적인 축제로 커 가고 있습니다. 오늘 주한 뉴질랜드 대사가 보령 머드 축제장을 찾아 직접 머드 체험을 즐겼습니다. 박○○ 기자의 보도입니다.

기자 : 주한 뉴질랜드 대사가 보령 머드 축제장을 찾았습니다. 다양한 색으로 착색된 머드를 얼굴에 바르며 신기한 듯 미소를 띱니다. 공포의 감옥 안에서 온몸으로 머드 세례를 받으며 짜릿한 즐거움도 만끽합니다.

주한 뉴질랜드 대사 : 정말 즐겁습니다. 보시다시피 축제의 열정을 그대로 느꼈고, 특히 방학을 맞은 젊은이들이 편한 마음으로 다함께 즐기는 것 같아 멋졌습니다.

기자 : 주한 뉴질랜드 대사는 내년 12월 뉴질랜드에서 열릴 로토루아 머드 축제의 성공적 개최를 위해 기술과 비법을 배우러 축제장을 찾았습니다. 앞서 보령시는 뉴질랜드에 내년부터 5년간 머드 원액을 수출하는 협약을 체결했습니다. 머드 체험 시설과 머드로 만든 제품 등이 뉴질랜드 로토루아 시에 수출됩니다.

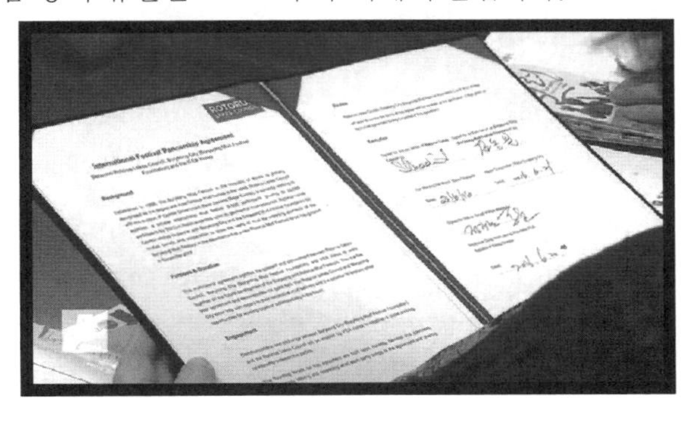

보령 시장 : 콘텐츠, 그리고 우리가 가지고 있는 시설 모든 것을 뉴질랜드에 수출함으로써 세계인이 함께 하는 보령 머드 축제를 만들어 가겠습니다.

기자 : 올해로 열아홉 번째를 맞은 보령 머드 축제가 이제 명실상부한 세계적인 축제로 발돋움하고 있습니다.

(나) 신문

축제 한류 이끄는 '보령 머드 축제'

스페인 이어 뉴질랜드에 수출, 외국인 관광객 약 44퍼센트 늘어나

국내 대표 축제인 보령 머드 축제가 수출길에 오르는 등 세계적인 축제로 거듭나고 있다. 충남 보령시는 뉴질랜드 로토루아 시와 협약을 체결해 내년부터 5년 동안 머드 원료 등을 수출한다고 26일 밝혔다.

보령시는 앞서 2014년부터 2년간 세계 유명 축제인 스페인 토마토 축제장에 머드 체험장을 운영하는 방식으로 머드 축제를 처음 해외에 전파했다. 뉴질랜드로의 두 번째 머드 축제 수출을 위해 보령시는 지난달 보령 시장 등이 로토루아 시를 방문해 협약을 맺은 바 있다.

로토루아 시는 뉴질랜드 교육부의 지원을 받아 내년 12월 보령 머드 축제를 본보기로 한 머드 축제를 개최한다는 계획이다. 이에 따라 지난 22일 주한 뉴질랜드 대사가 보령 머드 축제장을 찾아 직접 축제를 체험하고 보령 시장과 머드 원료 수출에 대한 구체적인 협약 이행 방안을 논의하기도 했다.

보령 머드 축제는 1996년 시작된 '대한민국 대표 축제'로, 해마다 대천 해수욕장 일원에서 열리는 축제장을 찾는 외국인 관광객이 늘면서 세계적인 축제로 ㉠<u>발돋움해 왔다</u>.

지난 15~24일 열린 올해 보령 머드 축제 역시 외국인 관광객 수가 43만 9,000여 명으로 지난 30만 4,000여 명보다 약 44퍼센트 늘어난 것으로 보령시는 집계했다.

보령 시장은 "올해 열아홉 번째 열린 머드 축제는 그동안 국내외 언론의 많은 조명을 받는 세계적인 축제로 성장해 왔다."라며 "이번 수출은 머드 축제가 한류 문화를 이끄는 세계 유명 축제로 발전하는 계기가 될 것"이라고 말했다.

▲ 보령 머드 축제를 즐기고 있는 외국인 관광객들

05 (가)와 (나)에 대한 설명으로 옳지 않은 것은?

① (가)와 (나)는 같은 소재에 대한 정보를 다루지만 전달 매체가 다르다.
② (가)와 (나)는 매체 이용자들의 이해를 돕기 위해 보조 자료를 활용하고 있다.
③ (가)는 (나)에 비해 생동감 있게 정보를 전달할 수 있다는 장점이 있다.
④ (가)와 (나)는 매체의 특성에 따라 글쓴이의 의도나 관점을 드러내는 방식이 다르다.
⑤ (가)와 (나)는 사실적, 객관적 정보를 편견에 치우치지 않고 공정하게 전달하고 있다.

06 (가)의 제작 회의에서 논의되었을 내용이 아닌 것은?

① 사람들로 붐비고 있는 축제장의 모습을 보여 주어 축제가 성황리에 진행되고 있음을 부각해야겠어.
② 뉴질랜드 대사의 인터뷰 영상을 보여줄 때, 대사가 축제에 참여하며 즐거워하는 모습을 드러내야겠어.
③ 정보의 신뢰성을 높이기 위해 뉴질랜드와 협약을 체결하는 장면을 보여 주어야겠어.
④ 기자나 뉴스진행자의 말을 통해 많은 외국인들이 보령 머드 축제에 참여하도록 유도해야겠어.
⑤ 보령 시장의 인터뷰를 통해 보령 머드축제의 세계화에 대한 포부를 드러내야겠어.

07 ㉠과 단어의 뜻이 같은 것만을 모두 고른 것은?

ㄱ. 저마다 조금이라도 더 잘 보려고 발돋움하는 꼴이 가관이다.
ㄴ. 신인들은 내일의 스타를 향하여 발돋움하는 중이다.
ㄷ. 그는 발돋움하고 올라서야 손이 닿는 높은 창구로 향했다.
ㄹ. 그녀는 그를 찾기 위해 발돋움하여 행렬을 바라보았다.
ㅁ. 우리 회사가 국제적인 기업으로 발돋움하기 위해서는 기술 부문에 투자가 필요하다.
ㅂ. 이제 우리나라도 선진국 대열로 발돋움하기 시작했다.

① ㄴ, ㄷ, ㅂ　② ㄴ, ㅁ, ㅂ　③ ㄱ, ㄴ, ㅁ
④ ㄱ, ㄷ, ㅁ, ㅂ　⑤ ㄴ, ㄷ, ㄹ, ㅁ, ㅂ

서술형 심화문제

01 다음 글을 읽고, 매체 특성을 고려하여 매체에서 사용한 표현 방법과 그 효과가 대응하도록 빈칸을 채우시오. (단, 한 문장으로 표현할 것.)

축제 한류 이끄는 '보령 머드 축제'
스페인 이어 뉴질랜드에 수출, 외국인 관광객 약 44퍼센트 늘어나

국내 대표 축제인 보령 머드 축제가 수출길에 오르는 등 세계적인 축제로 거듭나고 있다. 충남 보령시는 뉴질랜드 로토루아 시와 협약을 체결해 내년부터 5년 동안 머드 원료 등을 수출한다고 26일 밝혔다.

보령시는 앞서 2014년부터 2년간 세계 유명 축제인 스페인 토마토 축제장에 머드 체험장을 운영하는 방식으로 머드 축제를 처음 해외에 전파했다. 뉴질랜드로의 두 번째 머드 축제 수출을 위해 보령시는 지난달 보령 시장 등이 로토루아 시를 방문해 협약을 맺은 바 있다.

로토루아 시는 뉴질랜드 교육부의 지원을 받아 내년 12월 보령 머드 축제를 본보기로 한 머드 축제를 개최한다는 계획이다. 이에 따라 지난 22일 주한 뉴질랜드 대사가 보령 머드 축제장을 찾아 직접 축제를 체험하고 보령 시장과 머드 원료 수출에 대한 구체적인 협약 이행 방안을 논의하기도 했다.

보령 머드 축제는 1996년 시작된 '대한민국 대표 축제'로, 해마다 대천 해수욕장 일원에서 열리는 축제장을 찾는 외국인 관광객이 늘면서 세계적인 축제로 발돋움해 왔다.

지난 15~24일 열린 올해 보령 머드 축제 역시 외국인 관광객 수가 43만 9,000여 명으로 지난 30만 4,000여 명보다 약 44퍼센트 늘어난 것으로 보령시는 집계했다.

보령 시장은 "올해 열아홉 번째 열린 머드 축제는 그동안 국내외 언론의 많은 조명을 받는 세계적인 축제로 성장해 왔다."라며 "이번 수출은 머드 축제가 한류 문화를 이끄는 세계 유명 축제로 발전하는 계기가 될 것"이라고 말했다.

▲ 보령 머드 축제를 즐기고 있는 외국인 관광객들

표현방법		효과
• __________________ • '보령 머드 축제'를 즐기고 있는 외국인 관광객들의 사진을 제시하고 있다.	⇨	• 정보의 신뢰성을 높이고 있다. • '보령 머드 축제'가 외국인 관광객이 많이 참여하는 세계적인 축제임을 뒷받침하고 있다.

02 다음 인쇄 광고를 보고 물음에 답하시오.

(1) 글쓴이의 관점 및 의도를 서술하시오.

> **조건**
> - '~하여 ~를(을) 기대함.'의 문장 형태로 쓸 것.

(2) 매체에서 사용한 표현 방법을 참고하여 그 효과를 서술하시오.

표현방법	효과
• 축제명을 영문으로 표기함.	㉠
• 외국인과 우리나라 사람이 함께 어우러져 노는 모습을 이미지로 넣음.	㉡

> **조건**
> - 표현방법과 효과는 대응되게 서술할 것.
> - ㉠은 '~할 수 있다.' 형태로 서술할 것.
> - ㉡은 '보령 머드 축제가 ~ 사실을 알린다.' 형태로 서술할 것.

근 열흘간이나 바람이 억세게 불어 댔다. 지독한 꽃샘바람 때문에 동네 길목마다 비닐봉지며 과자 껍질들이 어수선하게 흩어져 있어서 오가는 행인들의 눈살을 찌푸리게 만들었다. 때때로 청소부들이 쓰레기를 주워 모아 공터에서 불을 사르기도 했다. 그럴 때마다 불어오는 바람에 실려 검은 연기가 이리저리 휩쓸려 올라가고 *미농지보다 얇은 그을음들이 나방 떼처럼 떠돌아다녔다.

계절적 배경을 알려 주는 소재

원관념 - 그을음(직유법)

청소부가 불만 피워 놓고 떠나 버리면 그다음은 아이들 차지였다. *지물포 집 큰아이인 상수, 쓰레기차를 끄는 김 씨의 막내딸 경옥이, 말썽꾸러기 진만이 들이 우르르 몰려나와 불더미 속에 돌을 던지기도 하고 말라붙은 풀 더미에 불씨를 옮겨 붙이기도 한다. 원미동 아이들은 집 안에서 틀어박혀 지내는 법은 애당초 배운 적이 없다. 아침 눈뜨면서부터 집 앞으로 뛰쳐나와 어두워질 때까지 거리에서 놀았다. 하루 온종일 아이들의 떠드는 소리, 울음소리가 거리에 가득한데 그런 꼬마들이 불장난의 짜릿한 재미를 앞에 두고 온전할 리 없다. 아이들의 얼굴은 금세 검댕투성이가 되고 때로 손을 덴 아이가 자지러지게 울어 젖힐 무렵이면 으레 원미 지물포 주 씨가 등장했다. 원래는 부산에서 *미장이 기술로 벌어먹었으나 어찌어찌 부천시 원미동까지 오게 된 주 씨네 지물포가 바로 공터 옆의 첫 집이었다. 맞바람에 불씨라도 옮겨붙으면 제대로 남아 있지 않을 물건들을 보존하기 위해 그가 우락부락한 몸짓으로 뛰어나와 호통을 치면, 아이들은 꽁무니를 빼고 달아나 버린다. 행복 사진관의 셋째 딸인 세 살배기 미야 같은 꼬마는 도망치다 신발이 벗겨져 넘어지는 통에 숨넘어가는 울음을 토해 내기도 한다. 사진관 엄 씨는 딸만 셋을 두어서 자칭 행복한 사나이라고 말하는 사람이었다. 첫째는 엄지, 둘째는 엄선, 셋째는 엄미라는 이름을 붙인 것도 행복한 사나이의 발상이었다.

불장난을 좋아하는 동네 아이들

동네 아이들이 하는 불장난들

하루 종일 집 밖에서 뛰어놂.

그을음이나 연기가 엉겨 생기는 검은 물질

원미 지물포 주 씨에 대한 소개

지물포 주 씨의 등장 이유

불장난을 하지 말라는 호통

사진관 엄 씨에 대한 소개

***미농지**: 닥나무 껍질로 만든 썩 질기고 얇은 종이의 하나.
***지물포**: 온갖 종이를 파는 가게
***미장이**: 건축 공사에서 벽이나 천장, 바닥 등에 흙, 회, 시멘트 등을 바르는 일을 직업으로 하는 사람.

지물포 주 씨가 구둣발로 대충대충 불더미를 다독거려 놓고 들어가 버리면 마지막으로 등장하는 사람이 하나 있
불에 태운 재를 자신의 밭에 거름으로 쓰기 위해 나타나는 강 노인

다. 그가 바로 강만성(姜萬成) 노인이다. 원미동 23통 일대에서는 강 노인을 모르는 이가 없었다. 아니 강 노인이라

고 부르기보다는 지주(地主)라고 칭해야 더 잘 알았고, 그 지주네 밭에서 일어나는 여름과 겨울의 난리판을 속속들이
강 노인의 땅과 관련한 갈등 – 여름: 두엄 냄새, 겨울: 동네 사람들의 연탄재 투척
「 」: 강 노인의 외양 묘사

겪지 않고서는 이 동네 사람이라고 말할 수 없는 형편이었다. 「일 미터 팔십을 넘는 큰 키에 거대한 몸집을 가진 강
강 노인의 외양 ①

노인은 언제 보아도 막일꾼 차림새였다. 유난히 큰 코는 얼굴의 절반 이상을 차지하는 듯싶고, 검붉은 얼굴과 어울리
꾸밈이 없고 소탈함. 강 노인의 외양 ② 강 노인의 외양 ③

게끔 주먹코 또한 빨갛기가 딸기코 버금가는 빛깔이었다. 씩씩한 걸음걸이하며 노상 걷어붙인 채인 팔뚝의 꿈틀거리
강 노인의 외양 ④ 강 노인의 외양 ⑤ 강 노인의 외양 ⑥

는 힘줄 따위를 보노라면 노인의 나이가 이제 칠순을 코앞에 둔 것이라고 어림잡기는 좀체 어려웠다. 목소리도 우렁
나이에 비해 풍채가 좋고 건강한 체질임. 강 노인의 외양 ⑦

차서, 그가 밭에서 일하다 말고 "용문아!" 하고 소리쳐 부르면 도로를 하나 건너서 백 미터쯤 떨어져 있는, 게다가 딱
목소리가 잘 들리지 않을 환경임을 드러냄.

뒤로 돌아앉은 그의 이층집에 있던 막내아들 용문이가 금세 튀어나오곤 했다.」
막내아들 용문이는 강 노인의 집에 살고 있음.

강남 부동산 박 씨의 동업자이자 마누라이기도 한 고흥댁 말에 의하면 그가 막내아들 용문이를 어찌나 깐깐하게
고흥댁에 대한 소개

다루는지 이날 이때껏 아들하고 다정히 말을 주고받는 것을 본 적이 없노라고 했다. 고흥댁이 '이날 이때껏'이라고 말
고흥댁이 강 노인을 제외하고 원미동 23통 일대에서 가장 오래 살았음.

하면 그것은 곧 원미동 23통 일대의 역사를 통틀어 말하는 게 되는 셈이다. 강 노인 말고는 가장 오래 이 동네에 터

를 잡고 있는 가게가 강남 부동산이었으니까. 헐값의 원미동 땅들이 요 근래 들어 황금값이 되기까지 박 씨와 고흥댁
급격한 땅값 상승이 있었음을 알 수 있음.

의 활약상은 눈부실 정도였다. 그의 말을 그대로 믿는다면, 「한때는 서울 개포동 이쪽의 강남땅을 떡 주무르듯 했던
「 」: 강남 부동산 박 씨에 대한 소개

큰손이었다가 밝힐 수 없는 모종의 사건으로 한재산 다 날리고 달랑 맨손으로 부천에 내려와 별 볼 일 없는 *거간꾼

이 돼 버렸다」는 박 씨였다. 별 볼 일 없다고는 하지만 박 씨가 원미동에서 한재산 단단히 붙잡았다는 사실에 대해 이
원미동이 개발되며 이익을 챙김.

의를 제기할 사람은 아무도 없었다.

***거간꾼**: 사고파는 사람사이에 들어 흥정을 붙이는 일을 하는 사람.

청소부가 쓰레기를 모아 태운 공터도 강남 부동산에서 계약서 쓰고 강 노인이 팔아넘긴 땅이었다. 그때 들어선 이 층 상가가 벌써 네 채나 되지만 도로 편의 공터는 아직 새 임자가 땅을 묵혀 두고 있는 판이었다. 몇 달 안으로 새 건물이 들어설 자리이기는 했다. 이것을 빼고도 소방 도로 왼쪽에는 팔아 버리지 않은 땅이 백 평 남짓한 덩어리로 셋이나 되었다. 그중 하나는 *건재상에게 빌려주어 시멘트나 모래 따위가 그득 들어차 있고, 나머지 땅은 강 노인이 해마다 아들과 함께 밭을 일구어서 채소들을 가꾸었다. 큰돈이야 못 되어도 그럭저럭 *가용은 쓸 만큼 되는 알뜰한 밭이었다.

한창 개발 중인 원미동

별로 돈 되지 않는 방법으로 땅을 운용하고 있음을 알 수 있음.

강 노인이 이제 재밖에는 안 남은 쓰레기 태운 자리를 찾아오는 것도 바로 그 밭 때문이었다. 밭에 거름이 될 만하다 싶으면 그는 어떤 것이라도 낡고 더러운 망태기에 쓸어 담는 사람이었다. 결혼해서 따로 사는 아들이 둘이나 되지만 어느 놈 하나 생활비 보태 줄 자식은 없어서, 건재상과 이 층에 세 사는 이가 다달이 내미는 월세만 가지고 사는 형편이니만큼 강 노인 땅이 시가 몇 억짜리 덩치라 한들 그 땅에 고추 농사나 지어서는 *수지가 안 맞는 지주였다. 문제는 그 비싼 땅에다가 강 노인은 한사코 *푸성귀 따위나 가꾸겠다고 고집을 부리는 데 있었다. 지난 몇 년간 여러 차례 임자가 나섰건만 이제는 절대 땅을 팔지 않겠다는 강 노인 고집에 막혀, 시청으로 통하는 2차선 도로의 양편으로는 여전히 밭농사가 계속되는 중이었다. 올해도 봄은 왔고 그래서 강 노인은 어김없이 허름한 옷차림으로, 맨발 위에 신은 검정 고무신을 끌고 자신의 밭에 모습을 나타내었다.

밭을 일구는 일을 중요하게 여김.

자식들의 형편이 좋지 않음.

강 노인의 형편이 넉넉하지 않음

농사를 지어서 남는 이익이 크지 않음.

강 노인의 땅 때문에 개발이 되지 않고 있음.

농사철이 됨.

지주의 차림이라기보다 농부의 차림새

올봄에도 농사를 계속하기로 한 강 노인

겨우내 굳어 있던 땅은 괭이 날 들어가기가 썩 힘이 들었고 게다가 돌덩이처럼 틀어박힌 연탄재 부스러기들을 일일이 골라내다 보면 한 두둑을 갈아엎는 데도 꽤 오랜 시간이 걸렸다. 용문이가 지난달 내내 연탄재들을 거두어 내고 겨우 맨땅을 내놓았다고 한 꼴이 요 모양이었다. 서울 것들이란. 강 노인은 끙끙거리다 토막 난 욕설을 내뱉어 놓았다. 강 노인이 괭이를 내던지고 밭 끄트머리로 걸어가는 사이 언제 나왔는지 부동산의 박 씨가 알은체를 하였다.

시대적 배경(1980년대)이 드러나는 소재 ①

동네 사람들에 대한 강 노인의 부정적인 심정이 담겨 있음.

***건재상**: 건축 재료를 파는 장사. 또는 그런 장수.
***가용**: 집안 살림에 드는 비용.
***수지**: 거래 관계에서 얻는 이익.
***푸성귀**: 사람이 가꾼 채소나 저절로 난 나물 등을 통틀어 이르는 말.

자그마한 체구에 검은 테 안경을 쓰고, 머리는 기름 발라 착 달라붙게 빗어넘긴 박 씨의 면상을 보는 일이 강 노인
부동산 박 씨의 외양 묘사 / 박 씨의 회유가 이전부터 있었다는 것을 알 수 있음.

으로서는 괴롭기 짝이 없었다. 「얼굴만 마주쳤다 하면 땅을 팔아 보지 않겠느냐고 은근히 회유를 거듭하더니 지난겨
「 」: 강 노인이 땅을 팔기를 간절히 원하는 박 씨

울부터는 임자가 나섰다고 숫제 집까지 찾아와서 온갖 감언이설을 다 늘어놓는 박 씨였다.」 그것도 강 노인의 나머지
아예 전적으로 / 남의 비위를 맞추거나 이로운 조건을 내세워 꾀는 말

땅을 한꺼번에 사들여서 길 이쪽저쪽으로 쌍둥이 빌딩을 지어 부천의 명물로 만들 것이고, 거기에 초호화판 *위락
박 씨의 감언이설 ① / 박 씨의 감언이설 ②

시설이 들어서서 동네가 삽시간에 환해질 것이라고 했다. 일 층에는 상가, 이 층은 사우나, 삼 층은 헬스클럽, 사오

층은 사무실 임대하는 식의 건물 용도부터가 강 노인 마음에는 들지 않았지만 어차피 팔지 않을 땅이므로 어느 작자

가 어떤 김칫국을 마시든 크게 나무랄 일은 못 되었다.

「"영감님, 유 사장이 저 심곡동 쪽으로 땅을 보러 다니나 봅디다. 영감님은 물론이고 우리 동네의 발전을 위해서
「 」: 박 씨 부부의 회유 ① – 자신들의 노력을 내세움. / '땅'에 기반을 둔 지역 공동체가 도시적 삶의 공간으로 변화하는 것

그렇게 애를 썼는데……."

박 씨가 짐짓 허탈한 표정을 지으며 말하고 있는데 뒤따라 나온 동업자 고흥댁이 뒷말을 거든다.
박 씨의 부인

"참말로 이 양반이 지난겨울부터 무진 애를 썼구만요. 우리사 셋방이나 얻어 주고 소개료 받는 것으로도 얼마든지
강 노인의 땅을 파는 것이 자기들에게는 큰 의미가 없음을 강조함.

살 수 있지라우. 그람시도 그리 애를 쓴 것이야 다 한동네 사는 *정리로다가 그런 것이지요."」
강 노인을 위해 자기들이 애를 썼음을 밝힘.

강 노인은 가타부타 말이 없고 이번엔 박 씨가 나섰다.
어떤 일에 대하여 옳다느니 그르다느니 함.

「"아직도 늦은 것은 아니고, 한 번 더 생각해 보세요. 여름마다 똥 냄새 풍겨 주는 밭으로 두고 있느니 평당 백만
「 」: 박 씨 부부의 회유 ② – 땅값이 더 이상 오르지 않을 것임을 강조함.

원 이상으로 팔아넘기기가 그리 쉬운 일입니까. 이제는 참말이지 더 이상 땅값이 오를 수가 없게 돼 있다 이 말씀입
더 이상 땅값이 오르지 않을 것이므로 지금 땅을 팔아야 함.

니다. 아, 모르십니까. 팔팔 올림픽 전에 북에서 쳐들어올 확률이 높다고 신문 방송에서 떠들어 쌓으니 이삼천짜리
시대적 배경(1980년대)이 드러나는 소재 ②

집들도 *매기가 뚝 끊겼다 이 말입니다."」

***위락**: 위로와 안락을 아울러 이르는 말.
***정리**: 인정과 도리를 아울러 이르는 말.
***매기**: 상품을 사려는 분위기. 또는 살 사람들의 인기.

「"영감님도 욕심 그만 부리고 이만한 가격으로 임자 나섰을 때 후딱 팔아 치우시요. 영감님이 아무리 기다리셔도
박 씨 부부의 회유 ③ – 강 노인의 아내도 자신들과 생각이 같음을 듦. 땅의 가치를 돈으로만 판단하고 있음.

인자 더 이상 오르기는 어렵다는디 왜 못 알아들으실까잉. 경국이 할머니도 팔아 치우자고 저 야단인디……."」
강 노인의 손주

고흥댁은 이제 강 노인 마누라까지 *쳐들고 나선다. 강 노인은 아무런 대꾸도 없이 일하던 자리로 돌아가 버린다.
박 씨 부부의 회유를 무시하는 강 노인

그 등에 대고 박 씨가 마지막으로 또 한마디 던졌다.
강 노인에 대한 회유를 끝까지 포기하지 않는 박 씨

「"아직도 유 사장 마음은 이 땅에 있는 모양이니께 금액이야 영감님 마음에 맞게 잘 조정해 보기로 하고, 일단 결
「 」: 박 씨 부부의 회유 ④ – 어느 정도는 금액 조정이 가능함을 거론함.

정해 뿌리시요!"」

땅값 따위에는 관계없이 땅을 팔지 않겠다는 의사 표현을 누차 했건만 박 씨의 말본새는 언제나 저 모양이다. 서울
말하는 태도나 모양새

것들이란. 박 씨 내외가 복덕방 안으로 들어가 버린 뒤에야 그는 한마디 내뱉는다. 저들 내외가 원래 전라도 사람이
박 씨 부부에 대한 강 노인의 부정적인 심정이 담겨 있음.

라는 것을 모르지는 않으나 강 노인에게 있어 원미동 사람들은 어쨌거나 모두 서울 *끄나풀들이었다.

도대체가 서울 것들은 밭에서 풍겨 나오는 두엄 냄새라면 질색 *자망을 하고 손을 내젓는, 천하에 본데없는 막된
'땅'의 진정한 가치를 모르는 사람들

것들이라니까. 강 노인은 팽개쳐 두었던 괭이자루에 묻은 흙을 대충대충 털어 내고는 다시 밭을 일구기 시작했다. 겨

울 동안 좀 쉬고 있는 밭에다가 망할 놈의 연탄재나 산같이 내다 버리는 못된 습성까지 떠올리면 더욱 괘씸하기 짝이
강 노인과 동네 사람들의 갈등 ① – 겨울 동안 쉬는 강 노인의 땅에 연탄재를 내다 버림.

없는데, 그가 아는 서울 것들의 내력은 모조리 그런 것투성이였다. 「고추밭에 뿌리는 오줌에서부터 여름이 되어 김장
「 」: 강 노인과 동네 사람들의 갈등 ② – 여름에 오줌과 인분 등의 밑거름을 쓰지 못함.

배추 갈기 전에 얹어 주는 푹 삭힌 인분에 이르기까지, 서울 끄나풀들의 극성 때문에 실컷 장만해 둔 밑거름조차 제
밑거름의 냄새 때문에 동네 사람들의 항의가 거셈.

대로 쓰지 못하고」 부석부석한 땅에서 수확을 거두던 것이 요 몇 해 농사 실정이었다.

거기에다 매년 겨울이면 밭은 쓰레기장으로 변해 버리고 말았다. 겨울 동안 용문이 녀석을 시켜 밭을 지키고 때로
동네 사람들이 밭에 몰래 연탄재를 내다 버리기 때문에

는 직접 나서서 밤사이 몰래 연탄재를 내다 버리는 동네 사람을 지키고는 했지만 허사였다. 올봄에도 역시 트럭 한

대분 이상의 연탄재를 생돈 들여서 치워야 하는 손해를 입었다. 이 층 상가 주택이 아니면 단독 연립이니 하는 다세

대 주택들이 즐비한 이 동네는 한 집에 적어도 네 가구 이상은 오밀조밀 모여 사는 게 보통이었다.

***쳐들고**: 초들고. 어떤 사실을 입에 올려서 말하고.
***끄나풀**: 남의 앞잡이 노릇을 하는 사람을 낮잡아 이르는 말.
***자망**: 사람의 모습이나 풍채.

「 」: 동네 사람들이 강 노인의 땅에 연탄재를 버리는 이유 ①

청소차가 하루는 쓰레기, 다음 날은 연탄재 하는 식으로 꼬박꼬박 다니고는 있지만 「그게 말 그대로 시도 때도 없이 등장하는 바람에 연탄재쯤은 아무래도 손쉬운 쪽으로 처치하는 이들이 많았다.」 그것도 그것이지만 여름내 더러운 인분 냄새 풍겨 주는 밭 꼬라지가 밉다고 부러 이곳에다 연탄재를 내던지는 동네 사람들의 속셈쯤은 강 노인도 짐작하고 있었다.

시간을 잘 지키지 않음.

동네 사람들이 강 노인의 땅에 연탄재를 버리는 이유 ②

|중략 부분 줄거리|

다음 날 강 노인 내외가 밭에 썩은 두엄과 인분을 얹어 주고 들어오자 밭 뒤 연립 주택에 사는 정미 엄마가 딸을 데리고 와 새 옷에 똥칠을 해 왔다며 따졌다. 강 노인의 마누라는 동네 사람들과 갈등만 일으키는 땅을 팔아서 자식 놈들 뒷바라지나 해 주라고 극성을 부렸다. 강 노인에게는 딸 하나와 아들 넷이 있는데, 해마다 기대한 만큼의 수확을 안겨 주는 땅 농사에 비하면 자식 농사는 너무 허망했다. 강 노인이 억척스레 늘려 놓은 땅이 서울 근교에 개발 바람이 불어닥치면서 조각조각 잘려 나갔고, 땅 판 돈을 고스란히 아들딸 밑에 쏟아부었으나 거두어들이는 게 없었다.

강 노인의 가족들까지 땅을 팔라고 강요함.

'자식 농사는 너무 허망했다.'의 이유

너무 일찍이 모종을 내었나. 강 노인은 아직 어리디어린 고추 모종을 일일이 들여다보며 고개를 갸웃거렸다. 음력 오월이 되어야 모종을 밭에 내었던 것은 옛날 일이었다. 마음만 먹으면 비닐 씌워 겨울에라도 풋고추 맛을 볼 수도 있지만 그럴 것까지는 없고 봄볕이 살가워지자마자 온상에서 키운 모종을 내었던 것이다. 볕살이야 그만한데 비가 부족한 탓이었다. 가뭄이라, 강 노인이 시들시들한 잎사귀를 펼쳐 보다가는 *우두망찰 서 있는데 용민이네 밑에 세든 미용실 여주인이 그를 불렀다.

온상: 인공적으로 따뜻하게 하여 식물을 기르는 설비

"경국이 할아버지, 오늘 저희 집에서 반상회 있어요. 아무래도 오늘 저녁에는 정미 엄마가 가만있을 것 같지 않네요. 아까도 무궁화 연립에 사는 이들꺼정 몰려와서 한바탕 쏟아 놓고 갔어요. 경국이 할머님이라도 꼭 참석하셔야 해요. 아셨죠?"

딸이 새 옷에 거름을 묻히고 돌아온 일로 강 노인과 갈등이 있었음.

그녀는 23통 6반의 반장이다. 길 건너 5반장은 형제 슈퍼의 김 씨지만 우리 정육점의 임 씨가 똥 냄새 문제에는 노상 앞장을 서고 있는 중이었다. 임 씨에 비하면 6반장의 경우 강 노인한테만은 훨씬 우호적이다. 용민네 가게에 세든 탓도 있지만 임 씨가 「애초 미용실 자리를 욕심냈다가 강 노인에게 *퇴박을 당했던 까닭에 임 씨 스스로 강 노인에 대한 감정이 좋지 못하였다. 어디를 쇠백정이.」 단 한마디로 잘라 낸 *이태 전 일을 두고

동네 사람들이 강 노인의 농사를 반대하는 이유 ①

6반장: 미용실 여주인

「 」: 임 씨가 똥 냄새 문제에 앞장서는 이유

쇠백정: 소를 잡는 것을 직업으로 하는 사람

***우두망찰**: 정신이 얼떨떨하여 어찌할 바를 모르는 모양.

***퇴박**: 마음에 들지 아니하여 물리치거나 거절함.

***이태**: 두 해

임 씨는 여태도 강 노인을 바로 보지 않는다.」6반에 비하면 5반에서야 인분 냄새나 *물것 극성이 그저 그만할 정
안 좋은 감정을 지닌 채로 대하고 있음. 5반의 피해는 6반의 피해에 비해 적을 텐데도

도인데도 작년에 시청에다 *진정서를 낸 것은 5반이었다. 그게 다 임 씨 술책이라는 것쯤은 강 노인도 알지만 무궁
어떤 일을 꾸미는 꾀나 방법

화 연립이라면 5반인데 현대 연립의 정미 엄마와 합세한 것을 보면 임 씨가 올해 또한 집주인들을 부추기는 것이 틀림없었다. 돼지나 닭을 집단으로 사육하는 것도 아니고 노는 땅에 푸성귀를 갈아먹고 있는 심심풀이 농사까지야 손
시청은 강 노인의 편을 들어 줌.

댈 수는 없다고 시청의 답변이 내려온 것을 온 동네가 다 아는데 내년에는 *연판장이라도 돌리겠다며 큰소리치던 작자였다.

"올해일랑은 농사 시작하기 전에 아예 막아야 한다고들 그러든데요. 시청에서도 이제는 보고만 있지 않을 거래요."

여자가 피아노 교습소와 나란히 붙은 미용실 안으로 들어가 버린 뒤 강 노인은 쯧쯧 혀를 차는 것으로 자신의 울화를 삭여 버리고는 이내 말라붙은 밭 꼬락서니를 내려다본다. 그러고 보면 정미 엄마나 동네 사람들이 날뛰는 이유가 꼭 똥 냄새에만 있는 것은 아니었다. 5반이나 6반이나 정육점 임 씨를 빼고 나면 집주인들을 주축으로 시비가 있어
강 노인의 농사를 반대하는 주된 인물들 – 집주인들

「 」: 동네 사람들이 강 노인의 농사를 반대하는 이유가 똥 냄새에만 있는 것이 아님을 보여 줌.

왔었다.「가게에 세 들어 있는 지물포 주 씨와 사진관 엄 씨도 코앞에 밭을 두고 있는 처지이지만 강 노인과 마주치면
똥 냄새가 가장 많이 날 수 있는 곳에 있지만

깍듯이 어른 대접을 갖추었다. 셋방 신세인 진만이 아버지도 그렇고 청소원 김 씨도 하루에 몇 번씩 마주쳐도 공손히 알은체를 해 왔지 팩팩거리며 못되게 구는 법이라곤 없었다.」

집주인들이 더 극성을 부리는 데에도 까닭은 있었다. 강 노인네 땅덩이들이 팔려서 거기에 번듯한 건물들이 들어
세를 든 사람은 별 관심이 없지만 집주인들은 집값 상승에 관심이 많음.

서야 이 거리가 완벽하게 채워지기 때문이었다. 게다가 그 땅들이 모두 도로변에 있고 보면, 아니 도로변의 땅에다가
강 노인의 농사는 집값 상승에 도움이 안 됨.

인분 뿌리며 푸성귀나 갈아먹는대서야 동네 모양새가 영 말이 아닌 것이다. 동네 신수가 훤해야 집값도 오를 터인데
동네 사람들이 강 노인의 농사를 반대하는 이유 ②

모름지기 강 노인 밭이 저러고 있어서야 제값대로 보지 않는다는 불만들이 클 것임은 *자명했다.

***물것**: 사람이나 동물의 살을 잘 물어 피를 빨아 먹는 모기, 빈대, 이 등의 벌레를 통ㅌ틀어 이르는 말.
***진정서**: 실정이나 사정을 진술하여 적은 글. 주로 문제 해결을 위하여 관공서나 공공 기관 등에 낸다.
***연판장**: 하나의 문서에 두 사람 이상의 이름을 죽 잇따라 쓰고 도장을 찍은 서장.
***자명했다**: 뻔했다. 설명하거나 증명하지 아니하여도 저절로 알 만큼 명백했다.

반상회야 열리건 말건 강 노인은 용문이를 데불고 밭에 물을 댈 작정으로 집으로 돌아왔다. 용문이는 지난번 몸살
데리고
이래 봄 감기까지 겹쳐 빌빌거렸는데 그새 어디론가 나가 버리고 없었다. 제법 잘 따라다니며 다소곳이 땅을 일구더니 보나 마나 그놈마저 바람 든 게 분명했다. 요새는 이 핑계 저 핑계로 밭일 피하는 꼬락서니가 영락없이 미꾸라지였다. 용문이 대신 용민이가 집에 들러 제 어미와 수군거리고 있는 것을 보고 그는 대뜸 둘째에게 물지게 심부름을 시키기로 작정하였다.
밭일을 피하는 용문이의 모습을 비유함.

"서너 번 날라라."

"용민이 지금 서울 가는 길이요. 내가 져 나르리다."

뒤뜰에 파 놓은 펌프 쪽으로 걸어가다 뒤돌아보니 마누라가 아랫입술을 뚱 내밀고 안색이 좋지 않았다.
강 노인에 대한 불만과 자식에 대한 걱정이 드러남.

"서울? 뭣하러?"

"제 형이 보낸답디다. 처가 돈이라도 꾸어 오라고. *직공들 월급도 몇 달째 거르고 있대요. 아, 그러기에 좀 도와주시구랴. 남도 아니고 당신 아들 둘이 벌여 놓은 일인데 넘 보듯 하지 말고……."
용민이가 서울에 가는 이유
땅을 팔아 자식을 도와주길 바람.

그는 두 번 다시 마누라 쪽을 보지 않고 뒤꼍으로 가서 펌프 물을 뽑아 올린다. 밑 빠진 독에 물 붓기도 아니고 참말로 기가 막힐 노릇이었다. 쓸 줄만 알지 벌어들일 줄은 모르는 녀석들이 간덩이만 부어서 일만 크게 벌여 놓고 뒷감당은 모두 아비에게 떠넘기는 짓들이 오늘까지 계속이었다. 남들 다 하는 월급쟁이는 마다하고 떼돈 벌 궁리에 떼돈만 날리는 녀석들이다. 누구 돈이든 쏟아붓고 보자는 저 섣부른 행동이 결국은 그의 땅덩이로 막아져야 할 것임은 불을 보듯 뻔한 노릇이었다.
자식들을 뒷바라지하는 일을 비유함.
강 노인의 땅이 조각조각 잘려 나간 까닭
땅을 판 돈으로 해결해야 할

그날 저녁의 반상회에는 강 노인도 그의 아내도 참석하지 않았다.

"그놈의 똥 타령을 왜 내가 뒤집어쓴답니까?"
똥 냄새로 인해 주민들이 항의할 게 뻔한데, 그런 항의를 자신이 감당하기 싫다는 의미임.

한번 들여다보라는 그의 *언질에 마누라는 금세 *통박이다. 경국이 녀석이 저녁밥도 안 먹고 쪼르르 달려와서 일러바치는 말로는, 돈 구하러 나갔던 큰며느리가 돌아오는 길에 아예 반상회까지 참석한 모양이니 뒤 소식이야 누구한테 들어도 알 수는 있을 것이므로 내외는 일찌감치 불 끄고 자리에 누워 버렸다.

*직공: 공장에서 일하는 사람.
*언질: 나중에 꼬투리나 증거가 될 말. 또는 앞으로 어찌할 것이라는 말.
*통박: 몹시 날카롭고 매섭게 따지고 공격함.

다음 날 아침, 첫새벽부터 밭에 나갔던 강 노인은 그만 입을 쩍 벌리고 선 채 말을 잃었다. 세상에 이런 법은 없었다. 이제 손가락만 한 고추 모종이 깔려 있는 밭에 여기저기 연탄재들이 나뒹굴고 있지 않은가. 겨울 빈 밭에 내다 버리는 것이야 그럴 수 있다 치더라도 목숨이 붙어 자라고 있는 밭에 연탄재를 내던진 것은 명백히 짐승의 처사였다. 반상회 끝의 독기 어린 동네 사람들이 저지른 것임은 대번에 알 수 있었지만 아무리 그렇다 하여도 이런 짓거리까지 해 댈 줄이야 짐작도 못 했던 강 노인이었다. 수십 덩어리의 연탄재 폭격을 당해 짓뭉개진 모종이 한 고랑만 해도 숱했다. 세상에 막된 인종들……. 강 노인은 주먹코를 씰룩이며 밭으로 달려들어 가서 닥치는 대로 연탄재를 길가에 내던졌다. 서울 것들이나 되니 살아 있는 밭에 해코지할 생각을 갖지, 땅을 아는 자라면 저 시퍼런 하늘이 무서워서라도 감히 이따위 행패를 생각이나 하겠는가. 흰 연탄재 가루를 뒤집어쓰고 쓰러져 있는 죄 없는 풀잎을 차마 바로 볼 수 없어서 강 노인은 잔뜩 허둥대고 있었다.

깜짝 놀랄 만한 일이 벌어짐.
'손가락만 한 고추 모종'의 생명을 위협하는 것
무고한 생명을 해치는 짐승과도 같은 짓이었다.
고추 모종의 대부분이 상해 버림.
동네 사람들에 대한 강 노인의 부정적인 인식
서울 것들은 땅의 진정한 가치를 알지 못함.
강 노인의 안타까운 마음이 드러남.

도로 청소원인 김 씨가 아침밥을 먹으러 들어오면서 보니 강 노인은 검정 고무신이 벗겨진 줄도 모르고 손바닥으로 연탄재를 끌어모으느라 정신이 없었다. 밤사이 밭에 무슨 일이 있었는지 눈여겨보지 않아 알 턱이 없었던 김 씨가 인사랍시고 던진 말은 더욱 *가관이었다.

강 노인의 다급한 마음을 엿볼 수 있음.
오히려 강 노인을 더욱 화나게 만듦.

"영감님네 땅을 내놓으셨다면서요? 그런데 뭘 그리 열심히 가꾸십니까. 이내 넘길 거라면서……."

"아니, 누가 그런 소릴 해?"

시뻘건 얼굴을 홱 돌리며 *벽력같이 고함을 지르는 통에 김 씨가 움찔 뒤로 물러났다.

매우 화가 난 강 노인
깜짝 놀란 김 씨

"어젯밤 반상회에서 댁의 며느님이 그러셨다는데요? 저도 우리 집 여편네한테 들은 소리라서."

더 들어 볼 것도 없이 강 노인은 곧장 집으로 뛰어갔다. 벗겨진 신발을 짝짝이로 꿰어 차고서. 얼갈이배추와 열무들을 다듬고 있던 마누라가 노인의 허둥대는 기세에 토끼 눈을 뜨고 일어섰다.

강 노인의 다급한 마음을 엿볼 수 있음.

***가관**: 꼴이 볼만하다는 뜻으로, 남의 언행이나 어떤 상태를 비웃는 뜻으로 이르는 말.
***벽력같이**: 목소리가 매우 크고 우렁차게

「」: 땅에 대해 강 노인과는 다른 입장을 보이는 아내

「“밭에다 그 지경을 해 댄 걸 보면 오죽했겠수. 뭐, 틀린 말도 아니고. 땅 팔아서 아들 살리고 남는 돈은 은행에 넣어 이자나 받으면 우리 식구 *신간이사 편치 뭘 그러슈.”

고추 모종이 있는 밭에 연탄재를 마구 뿌려 놓은 것 / 땅을 팔아 번 돈으로 아들의 힘든 형편을 도와주고

밭이 그 지경이라는데도 마누라는 천하태평이다. 강 노인은 어이가 없어 그만 입을 다물어 버린다. 마누라는 이때다 싶은지 또 한차례 *오금을 박는다. 어제 다녀간 복덕방 박 씨의 의미심장한 충고가 생각나서였다.」

강 노인과 대비되는 모습

「」: 국제 대회를 앞두고 있기 때문에 인분 냄새나는 땅은 정책적으로 없애려고 할 것임.

「“팔육인가 팔팔인가 땜에 도로 주변 미화 사업이 한창이라는데 밭농사를 그냥 두고 보겠수?」 팔팔 전에는 어차피 이곳에다가 뭐 은행도 짓고 병원도 짓게끔 계획되어 있다고 그럽디다. 시에다 팔면 금이나 제대로 쳐줍디까? 그 전에 제 가격 받고…….”

시대적 배경(1980년대)이 잘 드러나는 소재 ③ / 시대적 배경(1980년대)이 잘 드러나는 소재 ④

“시끄러!”

마누라 입을 봉해 놓고서 강 노인은 이내 밭으로 되돌아왔다. 한 포기라도 살릴 수 있는 만큼은 건져 내야 할 고추 모종들 때문에 한시가 급한 강 노인이었다. 반상회 파문은 그것으로 끝난 것이 아니었다. 반상회 소식이 알려지자마자 연립 주택에 산다는 은혜 엄마가 찾아와서 경국이 엄마가 지난달 꾸어 간 오십만 원을 돌려 달라고 하소연을 늘어놓기 시작한 것이다. 땅을 팔았다니 계약금을 받았을 터인즉 큰며느리 빚을 대신 갚아 줄 수 없겠느냐는 여자의 말에 강 노인의 주먹코가 더욱 빨개졌다. 지난겨울 서울에서 이사 와 동네 물정을 모르고 딸이 다니는 에바다 피아노 학원에서 알게 된 경국이 엄마에게 곗돈을, 그것도 두 번째 탄 것을 빌려줬다는 것이다. 이 동네 지주의 큰며느리라 해서 별 의심도 하지 않고 돈을 주었는데 경국이 엄마가 동네에 뿌린 빚이 한두 군데가 아니어서 직접 시아버지와 담판을 짓겠다고 마음먹은 은혜 엄마였다.

고추 모종에 대한 강 노인의 애정을 확인할 수 있음. / 땅을 판다는 식으로 이해된 며느리의 말이 가져온 결과 / 강 노인의 며느리 / 이미 동네 사람들은 강 노인이 땅을 판 것으로 오해하고 있음. / 앞으로 내야 할 곗돈이 많이 남았음. → 은혜 엄마가 경제적으로 압박을 받는 상황임. / 경국이 엄마(며느리)가 동네의 여러 사람들에게 돈을 빌렸음.

그게 어떤 돈인가 말이다. 서울에서의 셋방살이가 하도 지긋지긋해서 연립 주택 한 채를 마련, 이곳에 이사 온 지 반년도 채 되지 않은 그녀이다. 곗돈 타고, 여름에 *보너스 나오면 이자나가는 빚 백만 원을 갚을 요량이었는데 그 몇 달 사이의 이자 몇 푼을 욕심내다가 생돈 떼이게 생겼으니 생각만 해도 속이 터질 지경이었다.

경국 엄마에게 빌려준 그 돈이 / 연립 주택 한 채를 마련하느라 생긴 빚 / 관련 한자 성어 – 소탐대실(小貪大失): 작은 것을 탐하다가 큰 것을 잃음.

***신간**: 몸통

***오금을 박는다**: 다른 사람에게 함부로 말이나 행동을 하지 못하게 단단히 이르거나 으른다.

***보너스**: 상여금. 관청이나 회사 등에서 직원에게 월급 외에 그 업적이나 공헌도에 따라 금전을 주는 것. 또는 그 금전.

땅을 팔았다는 소문이 번지면서 큰아들 용규에게 빚을 준 동네 사람들이 강 노인에게 몰려왔다. 은혜 엄마까지 꼭 여덟 명이었다. 그중에는 목동에서 살다 철거 보상금 받아 쥐고 이곳까지 흘러온 김영진이라는 날품팔이 사내도 끼여 있었다. 철거 보상금을 삼 부 이자로 놓아 주겠다는 고홍댁의 말만 믿고 돈을 건네준 사람이었다. 그들은 한결같이 강 노인 땅을 믿고 빌려준 돈이니까 책임을 져야 한다고 우겨 대면서 땅을 판 적이 없다는 그의 말을 도무지 믿으려 하지 않았다.

큰아들 용규가 강 노인 모르게 많은 빚을 지고 있었음을 알 수 있음.

김영진이 가난한 형편의 사람임을 알 수 있음.

"그 못난 놈이 공장까지 담보로 잡혀 먹었대요. 최신 기계 설비만 갖추면 돈 벌리는 게 눈에 보이는 사업이라는데……. 은행 대출도 기간이 차서 경고장이 날아왔답니다."

큰아들 용규 / 공장을 담보로 잡고 돈을 빌림. / 강 노인의 아내는 큰아들 용규 편을 들고 있음.

이판사판이라고 마누라도 이젠 감추지 않고 잘도 털어놓는다. 용규가 그 모양이니 처가에서까지 돈을 끌어댄 용민이는 어쩌겠느냐고 숫제 으름장이었다.

모든 빚이 들러나 더는 강 노인에게 감출 수도 없음.

"땅은 안 돼. 안 팔아!"

아들들의 어려운 처지를 알고도, 끝까지 땅을 지키려 함. → '땅'은 강 노인이 마지막까지 지켜 내고자 하는 공간임.

"고집 좀 그만 부리고 우선 집 앞에 거라도 떼어 팔아 발등의 불이라도 꺼 봅시다. 다 자식 잘되라고 하는 짓인데 왜 그러우?"

"자식 놈들 뒷바라지에 땅 다 날려 보낸 걸 몰라!"

자식들 때문에 많은 땅을 팔았음.

입씨름에 지친 마누라가 눈물 바람을 하다가 용문이 방으로 건너가 버린 뒤, 강 노인은 그 밤 오래도록 잠을 이루지 못하고 뒤척여야만 했다. 자식 농사는 포기한 지 오래지만 해마다 씨를 뿌리고 수확을 거두는 재미만큼은 쉽게 포기할 수 없는 그였다. 서울에서 밀려 나온 서울 것들 때문에 여기까지 땅값이 들먹거리는 북새통을 치렀고 그 와중에서 자식들이 모두 저 푼수로 커 버렸다는 원망도 많은 게 강 노인이었다. 씨 뿌린 땅에서 거두어들이는 수확이 아닌 담에야 어찌 땅 팔아서 그 돈으로 쌀 사고 채소 사며 살 수 있을 것인가. 농사꾼 주제로는 평생 만져 볼 엄두도 못 내는 큰돈이 굴러 들어왔어도 쉽게 생긴 내력만큼 씁쓸이도 허망하기 짝이 없었다. 그나마 이만큼이라도 마지막 땅 조각을 붙들고 있다는 위안이 강 노인에게는 큰 힘이 되었다. 이 고장에 서울 바람이 몰아닥쳐 요 모양으로 설익은 도시가 되지 않았더라면 아직껏 넓디넓은 땅을 가지고 있을 것이 틀림없는 스스로를 생각해 보면 더욱 울화가 치밀었는데 다 부질없는 노릇이었다.

많은 고민을 하는 강 노인 → 관련 한자 성어 - 전전반측(輾轉反側): 누워서 몸을 이리저리 뒤척이며 잠을 이루지 못함.

농사에 대한 강 노인의 가치관이 드러남.

쉽게 다 날아가 버린 돈이었다.

도시화, 개발 열풍 / 개발 바람에 휩싸여 삶의 기본과 중심을 잃게 된 도시

강 노인도 이전에는 더 많은 땅을 가지고 있었으나 개발 열풍 바람에 많이 처분했음.

빚쟁이들이 몰려오는 줄 *번연히 알면서도 들여다보지 않고 모르는 척하고 있는 용규 내외를 생각하면 괘씸하기
강 노인에게 의지하려고만 할 뿐 무책임한 큰아들 부부

짝이 없었지만 이제 강 노인이 거두어야 할 일만 남은 셈이었다.
땅을 팔기로 마음먹음.

다음 날 아침, 강 노인은 느지막이 집을 나섰다. 마누라한테는 아무런 내색도 하지 않았다. 그러나 발길은 여전히
땅을 팔려고 나섰어도 부동산보다 발길이 밭으로 향함. – 땅에 대한 강 노인의 미련과 사랑

밭을 향했다. 밭고랑 사이로 밀고 올라오는 잡초를 뽑아내면서 문득 뒤돌아보니 원미산 장대봉이 그새 많이 푸르러져서 제법 운치가 있었다. 멀리서 보아야 아름답다 하여 '멀뫼'라 불리던 산이었다. 젊었을 적 나무하러 숱하게 오르내려서 능선마다 그의 땀방울이 묻어 있기도 한 산이다. 그때가 언제인데, 참 질기게도 오래 산다는 생각이 들었다. 땅에서 뽑혀 나와 잠깐 만에 이파리들이 축 늘어져 버린 잡초를 새삼스레 들여다보다가 강 노인은 *시름없이 밭을 둘
허탈한 심정의 강 노인

러보았다.

그러고 보니 어제오늘 고추 모종에 물을 주지 못한 게 생각났다. 아욱이야 그런대로 잘 자랐지만 마누라가 덤덤해
밭농사에 관심이 없는 강 노인의 아내

하니 억센 겉잎이 밀고 올라오기 시작했다. 꽂아 놓은 개나리 가지에 움터 오던 노란 잎도 가뭄에 시달려 밥티처럼
원관념 – 노란 잎(직유법)

오그라 붙었다. 햇살은 푸지게 내리쬐고, 아이들은 지물포 옆에 옹기종기 모여서 땅따먹기 놀이를 하고 있었다. 강
강 노인의 심정과 상반된 모습 → 허탈한 강 노인의 심정을 강조함.

노인은 큼큼 헛기침을 해 가며 강남 부동산으로 걸어갔다. 그러다 이내 되돌아서서 집을 향해 바쁜 걸음을 옮긴다. 암만해도 물 한 통쯤은 져 날라서 우선 이것들 목이나 축여 줘야겠다는 생각이었다.
땅을 팔기로 결심했어도 강 노인은 땅에서 나는 모든 것에 대해 진실한 애정을 지니고 있음.

***번연히**: 어떤 일의 결과나 상태 등이 훤하게 들여다보이듯이 분명하게.
***시름없이**: 근심과 걱정으로 맥이 없이.

⊙ 핵심정리

갈래	현대 소설, 단편 소설, 세태 소설, 연작 소설
성격	세태적, 일상적, 비판적
배경	• 시간 – 1980년대 • 공간 – 원미동
시점	전지적 작가 시점
제재	땅을 둘러싼 강 노인과 원미동 사람들의 갈등
주제	자본주의적 도시화의 세태와 땅의 가치에 대한 인식
특징	• 1980년대 원미동이라는 구체적 배경을 바탕으로 평범한 사람들의 일상적인 삶을 다룸. • 원미동 사람들의 소박한 삶을 사실감 있게 드러냄.

확인학습

01 문학 작품에는 공동체 차원에서 중요하게 여기는 사회 · 문화적 가치가 반영되어 있다. O□ ×□

02 문학 작품의 수용과 생산은 문학 작품을 매개로 한 작가와 독자의 소통 과정이다. O□ ×□

03 독자는 작가의 생각을 그대로 받아들이기보다는 자신의 가치관에 따라 작품의 주제 등을 해석하고 평가해야 한다. O□ ×□

04 이 소설은 1980년대 원미동이라는 구체적 배경을 바탕으로 땅에 대한 가치관의 대립을 다루고 있다. O□ ×□

05 이 소설은 소시민들의 일상적이고 소박한 삶을 사실감 있게 드러내고 있지는 못하다. O□ ×□

06 '강 노인'과 달리 그의 아내는 땅의 전통적 가치를 소중히 여기며 물질보다는 정신을 중시한다. O□ ×□

07 '동네 사람들'은 집값이 오르지 않는 것에 대한 원인 중 하나로 강 노인의 밭을 들고 있다. O□ ×□

08 '동네 사람들'은 동네의 집값이 오르길 바라고 있다. O□ ×□

09 '강 노인'과 '동네 사람들'의 가치관은 서로 대립하고 있다. O□ ×□

10 '강 노인'의 아들들은 아버지의 땅에 대한 가치관을 존중하고 있다. O□ ×□

11 '강 노인'의 아들들은 성공적으로 사업을 이끌지 못했다. O□ ×□

12 '강 노인'은 아들들의 사업 실패나, 돈의 충족 때문에 땅을 팔곤 하였다. O□ ×□

13 '강 노인'과 그의 아내는 마을 반상회에 참여하지 않았다. O□ ×□

14 이 소설을 통해 1980년대 사람들의 생활상을 엿볼 수 있다. O□ ×□

15 이 소설은 인문들의 대화와 행동을 통해 대상에 대한 인물의 가치관을 보여 주고 있다. O□ ×□

16 이 소설은 사투리, 비속어의 사용으로 현장감을 느끼게 한다. O□ ×□

17 실존하는 지역을 토대로 하여 구체적인 배경 묘사를 하고 있다. O□ ×□

18 작가가 작품 밖에서 객관적 입장으로 인물의 행동이나 사건을 관찰하여 서술하고 있다. O□ ×□

19 당시 세태에 대한 작가의 비판적 의식이 나타나 있다. O□ ×□

20 궁극적으로 자본주의적 도시화의 세태와 땅의 가치에 대한 인식의 차이를 인물간의 대립으로 보여줌으로써 작가의 비판적 의식을 엿볼 수 있다. O□ ×□

객관식 기본문제

[01~05] 다음 글을 읽고 물음에 답하시오.

〈전략 부분 줄거리〉

강 노인은 원미동 일대에서 많은 땅을 가진 지주로써 가족과 주위 사람들의 만류에도 아랑곳하지 않고 전통적인 방식으로 농사를 지으며 살아가는 지주이다.

동네 부동산 박씨 부부는 팔육, 팔팔을 앞두고 땅값이 최대한 올랐기 때문에 땅값이 더 오르지 않는다는 말로, 동네 사람들은 연탄재를 밭에다 버리면서 땅팔기를 독촉하지만 강 노인은 고집을 꺾지 않는다.

어느 날 강 노인 내외가 밭에 썩은 두엄과 인분을 얹어 주고 들어오자 밭 뒤 연립 주택에 사는 정미 엄마가 딸을 데리고 와 새 옷에 똥칠을 해 왔다며 따졌다. 강 노인의 마누라는 동네 사람들과 갈등만 일으키는 땅을 팔아서 자식 놈들 뒷바라지나 해 주라고 극성을 부렸다. 강 노인에게는 딸 하나와 아들 넷이 있는데, 해마다 기대한 만큼의 수확을 안겨 주는 땅 농사에 비하면 자식 농사는 너무 허망했다. 강 노인이 억척스레 늘려 놓은 땅이 서울 근교에 개발 바람이 불어 닥치면서 조각조각 잘려 나갔고, 땅 판 돈을 고스란히 아들딸 밑에 쏟아 부었으나 거두어들이는 게 없었다.

강 노인이 고추밭을 돌보던 날 동네 반장으로부터 강 노인의 농사 문제 때문에 열리는 반상회에 참석을 권유받지만 무시하고 둘째 아들에게 밭에 물심부름을 시키기로 작정한다.

"서너 번 날라라."

"용민이 지금 서울 가는 길이요. 내가 져 나르리다."

뒤뜰에 파 놓은 펌프 쪽으로 걸어가다 뒤돌아보니 마누라가 아랫입술을 뚱 내밀고 안색이 좋지 않았다.

"서울? 뭣하러?"

"제 형이 보낸답디다. 처가 돈이라도 꾸어 오라고. 직공들 월급도 몇 달째 거르고 있대요. 아, 그러기에 좀 도와주시구랴. 남도 아니고 당신 아들 둘이 벌여 놓은 일인데 넘 보듯 하지 말고……."

그는 두 번 다시 마누라 쪽을 보지 않고 뒤꼍으로 가서 펌프 물을 뽑아 올린다. 밑 빠진 독에 물 붓기도 아니고 참말로 기가 막힐 노릇이었다. 쓸 줄만 알지 벌어들일 줄은 모르는 녀석들이 간덩이만 부어서 일만 크게 벌여 놓고 뒷 감당은 모두 아비에게 떠넘기는 짓들이 오늘까지 계속이었다. 남들 다 하는 월급쟁이는 마다하고 떼돈 벌 궁리에 떼돈만 날리는 녀석들이다. 누구 돈이든 쏟아붓고 보자는 저 섣부른 행동이 결국은 그의 땅덩이를 막아져야 할 것임은 불을 보듯 뻔한 노릇이었다.

그날 저녁의 반상회에는 강 노인도 그의 아내도 참석하지 않았다.

"그놈의 똥 타령을 왜 내가 뒤집어쓴답니까?"

한번 들여다보라는 그의 언질에 마누라는 금세 통박이다. 경국이 녀석이 저녁밥도 안 먹고 쪼르르 달려와서 일러바치는 말로는, 돈 구하러 나갔던 큰며느리가 돌아오는 길에 아예 반상회까지 참석한 모양이니 뒤 소식이야 누구한테 들어도 알 수는 있을 것이므로 내외는 일찌감치 불 끄고 자리에 누워 버렸다.

다음 날 아침, 신새벽부터 밭에 나갔던 강 노인은 그만 입을 쩍 벌리고 선 채 말을 잃었다. 세상에 이런 법은 없었다. 이제 손가락만 한 고추 모종이 깔려 있는 밭에 여기저기 연탄재들이 나뒹굴고 있지 않은가. 겨울 빈 밭에 내다 버리는 것이야 그럴 수 있다 치더라도 목숨이 붙어 자라고 있는 밭에 연탄재를 내던진 것은 명백히 짐승의 처사였다. 반상회 끝의 독기 어린 동네 사람들이 저지른 것임은 대번에 알 수 있었지만 아무리 그렇다 하여도 이런 짓거리까지 해댈 줄이야 짐작도 못 했던 강 노인이었다. 수십 덩어리의 연탄재 폭격을 당해 짓뭉개진 모종이 한 고랑만 해도 숱했다. 세상에 막된 인종들……. 강노인은 주먹코를 씰룩이며 밭으로 달려 들어가서 닥치는 대로 연탄재를 길가에 내던졌다. 서울 것들이나 되니 살아 있는 밭에 해코지할 생각을 갖지. 땅을 아는 자라면 저 시퍼런 하늘이 무서워서라도 감히 이따위 행패를 생각이나 하겠는가. 흰 연탄재 가루를 뒤집어쓰고 쓰러져 있는 죄 없는 풀잎을 차마 바로 볼 수 없어서 강노인은 잔뜩 허둥대고 있었다.

〈중략 부분 줄거리〉

더불어 강 노인은 도로 청소원 김 씨로부터 땅을 내놓았다는 얘기를 듣고 잔뜩 화를 내고 집으로 곧장 와서 마누라에게 따졌지만 며느리가 반상회에서 땅 판다는 얘기를 했다는 말과 오히려 땅을 팔아버리자는 마누라의 얘기를 듣고 입을 다물고 밖으로 다시 온다.

반상회 후부터 강 노인은 동네 사람들로부터 땅판 돈으로 자식들이 빌린 빚을 갚으라는 독촉을 연이어서 받게 된다.

다음 날 아침, 강 노인은 느지막이 집을 나섰다. 마누라한테는 아무런 내색도 하지 않았다. 그러나 발길은 여전히 밭을 향했다. 밭고랑 사이로 밀고 올라오는 잡초를 뽑아내면서 문득 뒤돌아보니 원미산 장대봉이 그새 많이 푸르러져서 제법 운치가 있었다. 멀리서 보아야 아름답다 하여 '멀뫼'가 불리던 산이었다. 젊었을 적 나무하러 숱하게 오르내려서 능선마다 그의 땀방울이 묻어 있기도 한 산이다. 그때가 언제인데, 참 질기게도 오래 산다는 생각이 들었다.

땅에서 뽑혀 나와 잠깐 만에 이파리들이 축 늘어져 버린 잡초를 새삼스레 들여다보다가 강 노인은 시름없이 밭을 둘러보았다.

그러고 보니 어제오늘 고추 모종에 물을 주지 못한 게 생각났다. 아욱이야 그런대로 잘 자랐지만 마누라가 뎜뎜해하니 억센 겉잎이 밀고 올라오기 시작했다. 꽂아 놓은 개나리 가지에 움터 오던 노란 잎도 가뭄에 시달려 밥티처럼 오그라 붙었다. 햇살은 푸지게 내리쬐고, 아이들은 지물포 옆에 옹기종기 모여서 땅따먹기 놀이를 하고 있었다. 강 노인은 큼큼 헛기침을 해 가며 강남 부동산으로 걸어갔다. 그러다 이내 되돌아서서 집을 향해 바쁜 걸음을 옮긴다. 암만해도 물 한 통 쯤은 져 날라서 우선 이것들 목이나 축여 줘야겠다는 생각이었다.

– 양귀자, 「원미동 사람들」 중에서 –

01 윗글에 대한 설명으로 적절하지 않은 것은?

① 전통을 고집하는 강 노인의 농사짓기를 통해 고집스러움을 느낄 수 있다.
② 강 노인이 부동산으로 발길을 옮기는 장면을 통해 잔잔한 슬픔을 느낄 수 있다.
③ 강 노인의 밭에다 쓰레기를 버리는 동네 사람들의 행동을 통해 분노를 느낄 수 있다.
④ 땅을 팔아 자식들을 도와주자고 주장하는 마누라를 통해 우아한 아름다움을 느낄 수 있다.
⑤ 땅판 돈으로 자식 뒷바라지를 했으나 거두어들이는 것이 없는 사실을 통해 안타까움을 느낄 수 있다.

02 윗글의 전개 과정에서 주인공이 생각을 바꾸는 데 가장 결정적으로 작용한 일은?

① 강 노인의 자식들이 사업을 벌이다 실패하는 일
② 정미 엄마가 딸의 새 옷에 똥이 묻었다고 따진 일
③ 동네 사람들이 강 노인의 밭에다 연탄재를 버린 일
④ 강 노인 부부가 반상회 참석을 거부하고 외면한 일
⑤ 강 노인이 땅을 판다는 헛소문으로 인해 빚 독촉을 받는 일

03 윗글에 등장하는 인물들의 관계에 대한 설명으로 적절하지 않은 것은?

① 강 노인과 부동산 박 씨 부부는 땅을 파는 일 때문에 서로 대립한다.
② 강 노인과 정미 엄마는 정미 옷에 묻은 똥 때문에 서로 대립한다.
③ 강 노인과 마누라는 농사짓는 방식 때문에 서로 대립한다.
④ 강 노인과 동네 사람들은 연탄재를 버리는 일 때문에 서로 대립한다.
⑤ 강 노인과 동네 사람들은 빚을 갚는 문제 때문에 서로 대립한다.

04 윗글에 대한 설명으로 가장 적절한 것은?

① '팔육', '팔팔'이라는 말을 통해 시대적 배경을 알 수 있다.
② '연탄재'라는 소재를 통해 공간적 배경을 알 수 있다.
③ '연립 주택'이라는 말을 통해 정신적 배경을 알 수 있다.
④ '반상회'라는 표현을 통해 공간적 배경을 알 수 있다.
⑤ '고추 모종'이라는 소재를 통해 역사적 배경을 알 수 있다.

05 윗글에 대한 독자들의 반응으로 적절하지 않은 것은?

① 땅 때문에 겪는 가족 간의 갈등을 통해 화목의 소중함을 알 수 있다.
② 강 노인이 겪는 시련을 통해 더불어 살아가는 삶의 중요성을 알 수 있다.
③ 밭에 인분을 거름으로 사용하는 사실을 통해 생명존중의 중요성을 알 수 있다.
④ 땅 때문에 불거지는 주민 간의 갈등을 통해 정신적 가치의 중요성을 알 수 있다.
⑤ 연탄재를 밭에 버리는 주민들의 행동을 통해 합리적 소통의 소중함을 알 수 있다.

[06~10] 다음 글을 읽고 물음에 답하시오.

(가) 강 노인이 이제 재밖에는 안 남은 쓰레기 태운 자리를 찾아오는 것도 바로 그 밭 때문이었다. 밭에 거름이 될 만하다 싶으면 그는 어떤 것이라도 낡고 더러운 망태기에 쓸어 담는 사람이었다. 결혼해서 따로 사는 아들이 둘이나 되지만 어느 놈 하나 생활비 보태 줄 자식은 없어서, 거재상과 이 층에 세 사는 이가 다달이 내미는 월세만 가지고 사는 형편이니만큼 강 노인 땅이 시가 몇 억짜리 덩치라 한들 그 땅에 고추 농사나 지어서 수지가 안 맞는 지주였다. 문제는 그 비싼 땅에다가 강 노인은 한사코 푸성귀 따위나 가꾸겠다고 고집을 부리는 데 있었다. 지난 몇 년간 여러 차례 임자가 나섰건만 이제는 절대 땅을 팔지 않겠다는 강 노인 고집에 막혀, 시청으로 통하는 2차선 도로의 양편으로는 여전히 ㉠밭농사가 계속되는 중이었다.

(나) 겨우내 굳어 있던 땅은 괭이 날 들어가기가 썩 힘이 들었고 게다가 돌덩이처럼 틀어박힌 ㉡연탄재 부스러기들을 일일이 골라내다 보면 한 두둑을 갈아엎는 데도 꽤 오랜 시간이 걸렸다. 용문이가 지난달 내내 연탄재들을 거두어 내고 겨우 맨땅을 내놓았다고 한 꼴이 요 모양이었다. 서울것들이란. 강 노인은 끙끙거리다 토막 난 욕설을 내뱉어 놓았다.

(다) "영감님, 유사장이 저 심곡동 쪽으로 땅을 보러 다니나 봅디다. 영감님은 물론이고 우리 동네의 발전을 위해서 그렇게 애를 썼는데……."

박 씨가 짐짓 허탈한 표정을 지으며 말하고 있는데 뒤따라 나온 동업자 고흥댁이 뒷말을 거든다.

"참말로 이 양반이 지난겨울부터 무진 애를 썼구만요. 우리사 셋방이나 얻어 주고 소개료 받는 것으로도 얼마든지 살 수 있지라우. 그람시도 그리 애를 쓴 것이야 다 한동네 사는 정리로다가 그런 것이지요."

강 노인은 가타부타 말이 없고 이번엔 박 씨가 나섰다.

"아직도 늦은 것은 아니고, 한 번 더 생각해 보세요. 여름마다 똥냄새 풍겨 주는 밭으로 두고 있느니 평당 백만 원 이상으로 팔아넘기기가 그리 쉬운 일입니까. 이제는 참말이지 더 이상 땅값이 오를 수가 없게 돼 있다 이 말씀입니다. 아, 모르십니까. ㉢팔팔 올림픽 전에 북에서 쳐들어올 확률이 높다고 신문 방송에서 떠들어 쌓으니 이삼천짜리 집들도 매기가 뚝 끊겼다 이 말입니다."

(라) 땅값 따위에는 관계없이 땅을 팔지 않겠다는 의사 표현을 누차 했건만 박 씨의 말본새는 언제나 저 모양이다. 서울것들이란. 박 씨 내외가 복덕방 안으로 들어가 버린 뒤에야 그는 한마디 내뱉는다. 저들 내외가 원래 전라도 사람이라는 것을 모르지는 않으나 강 노인에게 있어 원미동 사람들은 어쨌거나 모두 서울 끄나풀들이었다.

(마) 도대체가 서울 것들은 밭에서 풍겨 나오는 두엄 냄새라면 질색 자망을 하고 손을 내젓는, 천하에 본데없는 막된 것들이라니까. 강 노인은 팽개쳐 두었던 괭이자루에 묻은 흙을 대충대충 털어 내고는 다시 밭을 일구기 시작했다. 겨울 동안 좀 쉬고 있는 밭에다가 망할 놈의 연탄재나 산같이 내다 버리는 못된 습성까지 떠올리면 더욱 괘씸하기 짝이 없는데, 그가 아는 서울 것들의 내력은 모조리 그런 것투성이였다. 고추밭에 뿌리는 오줌에서부터 여름이 되어 김장배추 갈기 전에 얹어 주는 푹 삭힌 인분에 이르기까지. 서울 끄나풀들의 극성 때문에 실컷 장만해 둔 밑거름조차 제대로 쓰지 못하고 부석부석한 땅에서 수확을 거두던 것이 요 몇 해 농사 실정이었다.

(바) 다음 날 강 노인 내외가 밭에 썩은 두엄과 인분을 얹어 주고 들어오자 밭 뒤 연립 주택에 사는 정미 엄마가 딸을 데리고 와 새 옷에 똥칠을 해 왔다며 따졌다. 강 노인의 마누라는 동네 사람들과 갈등만 일으키는 땅을 팔아서 자식 놈들 뒷바라지나 해 주라고 극성을 부렸다. 강 노인에게는 딸 하나와 아들 넷이 있는데, 해마다 기대한 만큼의 수확을 안겨 주는 땅 농사에 비하면 자식 농사는 너무 허망했다. 강 노인이 억척스레 늘려 놓은 땅이 서울 근교에 개발 바람이 불어닥치면서 조각조각 잘려 나갔고, 땅 판 돈을 고스란히 아들딸 밑에 쏟아부었으나 거두어들이는 게 없었다.

(사) 집주인들이 더 극성을 부리는 데에도 까닭은 있었다. 강 노인네 땅덩이들이 팔려서 거기에 번듯한 건물들이 들어서야 이 거리가 완벽하게 채워지기 때문이었다. 게다가 그 땅들이 모두 도로변에 있고 보면, 아니 도로변의 땅에데가 인분 뿌리며 푸성귀나 갈아먹는대서야 동네 모양새가 영 말이 아닌 것이다. 동네 신수가 훤해야 집값도 오를 터인데 모름지기 강 노인 밭이 저러고 있어서야 제값대로 보지 않는다는 불만들이 클 것임은 자명했다.

(아) "밭에다 그 지경을 해 댄 걸 보면 오죽했겠수. 뭐, 틀린 말도 아니고 땅 팔아서 아들 살리고 남는 돈은 은행에 넣어 이자나 받으면 우리 식구 신간이사 편치 뭘 그러슈."

밭이 그 지경이라는데도 마누라는 천하태평이다. 강 노인은 어이가 없어 그만 입을 다물어 버린다. 마누라는 이때다 싶은지 또 한차례 오금을 박는다. 어제 다녀간 복덕방 박 씨의 의미심장한 충고가 생각나서였다.

"㉣팔육인가 팔팔인가 땜에 ㉤도로 주변 미화 사업이 한창이라는데 밭농사를 그냥 두고 보겠수? 팔팔 전에는 어차피 이곳에다가 뭐 은행도 짓고 병원도 짓게끔 계획되어 있다고 그럽디다. 시에다 팔면 금이나 제대로 쳐줍디까? 그 전에 제 가격 받고……."

(자) 땅을 팔았다는 소문이 번지면서 큰아들 용규에게 빚을 준 동네 사람들이 강 노인에게 몰려왔다. 은혜 엄마까지 꼭 여덟 명이었다. 그중에는 목동에서 살다 철거 보상금 받아 쥐고 이곳까지 흘러온 김영진이라는 날품팔이 사내도 끼여 있었다. 철거 보상금을 삼 부 이자로 놓아 주겠다는 고흥댁의 말만 믿고 돈을 건네준 사람이었다. 그들은 한결같이 강 노인 땅을 믿고 빌려준 돈이니까 책임을 져야 한다고 우겨 대면서 땅을 판 적이 없다는 그의 말을 도무지 믿으려 하지 않았다.

"그 못난 놈이 공장까지 담보로 잡혀 먹었대요. 최신 기계 설비만 갖추면 돈 벌리는 게 눈에 보이는 사업이라는데……. 은행 대출도 기간이 차서 경고장이 날아왔답니다."

(차) 빚쟁이들이 몰려오는 줄 번연히 알면서도 들여다보지 않고 모르는 척하고 있는 용규 내외를 생각하면 괘씸하기가 짝이 없었지만 이제 강 노인이 거두어야 할 일만 남은 셈이다.

다음 날 아침, 강 노인은 느지막이 집을 나섰다. 마누라한테는 아무런 내색도 하지 않았다. 그러나 발길은 여전히 밭을 향했다.

– 양귀자, 「마지막 땅」 –

06 윗글의 서술상 특징으로 가장 적절한 것은?

① 주인공 강 노인이 사건을 입체적으로 전달하고 있다.
② 작품 속 서술자가 다른 인물을 관찰하여 서술하고 있다.
③ 작품 속 서술자가 등장인물의 행동에 대해 직접 평가하고 있다.
④ 작품 밖 서술자가 특정 인물의 행동과 내면 심리를 중심으로 서술하고 있다.
⑤ 작품 밖 서술자가 관찰자의 입장에서 사건을 객관적으로 전달하고 있다.

07 윗글을 영화로 촬영할 때 연출자가 고려할 내용으로 적절하지 <u>않은</u> 것은?

① (가) : 촬영 장소로 시청 건물과 밭을 함께 보여줄 수 있는 곳을 찾아봐야겠어.
② (다) : 강 노인을 진심으로 걱정하는 박 씨의 표정을 클로즈업해야겠어.
③ (사) : 강 노인에 대한 험담을 주고받는 집주인들을 표현해야겠어.
④ (자) : 당황하는 강 노인과 화난 동네 사람들을 한 화면으로 표현해야겠어.
⑤ (차) : 문에 귀를 대고 대화를 엿듣는 용규 내외를 표현해야겠어.

08 윗글에서 시대적 배경을 드러내는 것으로 적절하지 <u>않은</u> 것은?

① ㉠ ② ㉡ ③ ㉢ ④ ㉣ ⑤ ㉤

09 등장인물이 추구하는 사회 · 문화적 가치로 적절하지 <u>않은</u> 것은?

① 강 노인 : 땅의 전통적 가치를 소중히 여긴다.
② 부동산 박씨 : 땅의 정신적 가치는 중시하지 않는다.
③ 강 노인의 아내 : 전통적 가치보다 현실적 가치를 중시한다.
④ 강 노인의 자식들 : 자본을 중시하는 물질적 가치를 지향한다.
⑤ 고흥댁 : 다른 사람의 삶의 방식을 간섭하지 않는 개인주의를 지향한다.

10 윗글을 해석한 것으로 적절하지 <u>않은</u> 것은?

① 북한의 남침을 걱정했던 시대적 상황이 반영되어 있다.
② 현대적 모습을 갖추어야 땅값이 오른다는 인식이 만연하다.
③ 부모의 재산이 곧 자녀의 재산이라는 사람들의 인식을 보여준다.
④ 땅에 대한 인식이 삶의 근원에서 개발의 대상으로 변화하는 것을 보여준다.
⑤ 강 노인은 서울 사람들을 긍정적으로 생각하였으나 점차 부정적으로 변하고 있다.

[11~12] 다음 글을 읽고 물음에 답하시오.

(가) "경국이 할아버지, 오늘 저희 집에서 반상회 있어요. 아무래도 오늘 저녁에는 정미 엄마가 가만있을 것 같지 않네요. 아까도 무궁화 연립에 사는 이들꺼정 몰려와서 한바탕 쏟아 놓고 갔어요. 경국이 할머님이라도 꼭 참석하셔야 해요. 아셨죠?"

그녀는 23통 6반의 반장이다. 길 건너 5반장은 형제 슈퍼의 김 씨지만 우리 정육점의 임 씨가 똥 냄새 문제에는 노상 앞장을 서고 있는 중이었다. 임 씨에 비하면 6반장의 경우 강 노인한테만은 훨씬 우호적이다. 용민이네 가게에 세 든 탓도 있지만 임 씨가 애초 미용실 자리를 욕심냈다가 강 노인에게 퇴박을 당했던 까닭에 임 씨 스스로 강 노인에 대한 감정이 좋지 못하였다. 어디를 쇠백정이. 단 한마디로 잘라 낸 이태 전 일을 두고 임 씨는 여태도 강 노인을 바로 보지 않는다. 6반에 비하면 5반에서야 인분 냄새나 물것 극성이 그저 그만할 정도인데도 작년에 시청에다 진정서를 낸 것은 5반이었다. 그게 다 임 씨 술책이라는 것쯤은 강 노인도 알지만 무궁화 연립이라면 5반인데 현대 연립의 정미 엄마와 합세한 것을 보면 임 씨가 올해 또한 집주인들을 부추기는 것이 틀림없었다. 돼지나 닭을 집단으로 사육하는 것도 아니고 노는 땅에 푸성귀를 갈아먹고 있는 심심풀이 농사까지야 손댈 수는 없다고 시청의 답변이 내려온 것을 온 동네가 다 아는데 내년에는 연판장이라도 돌리겠다며 큰소리치던 작자였다.

"올해일랑은 농사 시작하기 전에 아예 막아야 한다고들 그러든데요. 시청에서도 이제는 보고만 있지 않을 거래요."

여자가 피아노 교습소와 나란히 붙은 미용실 안으로 들어가 버린 뒤 강 노인은 쯧쯧 혀를 차는 것으로 자신의 울화를 삭여 버리고는 이내 말라붙은 밭 꼬락서니를 내려다본다. 그러고 보면 정미 엄마나 동네 사람들이 날뛰는 이유가 꼭 똥 냄새에만 있는 것은 아니었다. 5반이나 6반이나 정육점 임 씨를 빼고 나면 집주인들을 주축으로 시비가 있어왔었다. 가게에 세 들어 있는 지물포 주 씨와 사진관 엄 씨도 코앞에 밭을 두고 있는 처지이지만 강 노인과 마주치면 깍듯이 어른 대접을 갖추었다. 셋방 신세인 진만이 아버지도 그렇고 청소원 김 씨도 하루에 몇 번씩 마주쳐도 공손히 알은체를 해 왔지 팩팩거리며 못되게 구는 법이라곤 없었다. 집주인들이 더 극성을 부리는 데에도 까닭은 있었다. 강 노인네 땅덩이들이 팔려서 거기에 번듯한 건물들이 들어서야 이 거리가 완벽하게 채워지기 때문이었다. 게다가 그 땅들이 모두 도로변에 있고 보면, 아니 도로변의 땅에데가 인분 뿌리며 푸성귀나 갈아먹는대서야 동네 모양새가 영 말이 아닌 것이다. 동네 신수가 훤해야 집값도 오를 터인데 모름지기 강 노인 밭이 저러고 있어서야 제값대로 보지 않는다는 불만들이 클 것임은 자명했다.

(나) 다음 날 아침, 첫새벽부터 밭에 나갔던 강 노인은 그만 입을 쩍 벌리고 선 채 말을 잃었다. 세상에 이런 법은 없었다. 이제 손가락만 한 고추 모종이 깔려 있는 밭에 여기저기 연탄재들이 나뒹굴고 있지 않은가. 겨울 빈 밭에 내다 버리는 것이야 그럴 수 있다 치더라도 목숨이 붙어 자라고 있는 밭에 연탄재를 내던진 것은 명백히 짐승의 처사였다. 반상회 끝의 독기 어린 동네 사람들이 저지른 것임은 대번에 알 수 있었지만 아무리 그렇다 하여도 이런 짓거리까지 해 댈 줄이야 짐작도 못 했던 강 노인이었다.

(다) "그 못난 놈이 공장까지 담보로 잡혀 먹었대요. 최신 기계 설비만 갖추면 돈 벌리는 게 눈에 보이는 사업이라는데……. 은행 대출도 기간이 차서 경고장이 날아왔답니다."

이판사판이라고 마누라도 이젠 감추지 않고 잘도 털어놓는다. 용규가 그 모양이니 처가에서까지 돈을 끌어댄 용민이는 어쩌겠느냐고 숫제 으름장이었다.

"땅은 안 돼, 안 팔아!"

"고집 좀 그만 부리고 우선 집 앞에 거라도 떼어 팔아 발등의 불이라도 꺼 봅시다. 다 자식 잘되라고 하는 짓인데 왜 그러우?"

"자식 놈들 뒷바라지에 땅 다 날려 보낸 걸 몰라!"

입씨름에 지친 마누라가 눈물 바람을 하다가 용문이 방으로 건너가 버린 뒤, 강 노인은 그 밤 오래도록 잠을 이루지 못하고 뒤척여야만 했다. 자식 농사는 포기한 지 오래지만 해마다 씨를 뿌리고 수확을 거두는 재미만큼은 쉽게 포기할 수 없는 그였다.

(라) 그러고 보니 어제오늘 고추 모종에 물을 주지 못한 게 생각났다. 아욱이야 그런대로 잘 자랐지만 마누라가 덤덤해 하니 억센 겉잎이 밀고 올라오기 시작했다. 꽂아 놓은 개나리 가지에 움터 오던 노란 잎도 가뭄에 시달려 밥티처럼 오그라 붙었다. 햇살은 푸지게 내리쬐고, 아이들은 지물포 옆에 옹기종기 모여서 땅따먹기 놀이를 하고 있었다. 강 노인은 큼큼 헛기침을 해 가며 강남 부동산으로 걸어갔다. 그러다 이내 되돌아서서 집을 향해 바쁜 걸음을 옮긴다. 암만해도 물 한 통 쯤은 져 날라서 우선 이것들 목이나 축여 줘야겠다는 생각이었다.

– 양귀자, 「마지막 땅」 –

11 윗글의 인물에 대한 이해로 적절하지 않은 것은?

① 집 주인들이 강 노인에게 불만이 생긴 이유는 강 노인의 밭이 집값 상승에 도움이 안 되기 때문이다.
② 강 노인이 잠을 이루지 못하고 뒤척인 이유는 땅을 처분할지 말지 고민하기 때문이다.
③ 6반 반장이 반상회를 개최한 이유는 강 노인의 농사에 대한 대책을 마련하기 위함이다.
④ 정미 엄마가 날뛰는 이유는 과거에 강 노인에게 정신적 상처를 받았기 때문이다.
⑤ 임씨가 동네 사람들을 부추기는 이유는 강 노인에 대한 부정적인 감정 때문이다.

12 윗글의 '땅'에 대한 생각으로 적절하지 않은 것은?

① 고추 모종은 강 노인에게 정서적 위안을 주는 땅의 성격을 강화하고 있다.
② 강 노인은 땅을 인간에게 재미와 행복을 주는 삶의 터전으로 인식하고 있다.
③ 강 노인의 아내는 땅을 가족과 지역 공동체의 경제적 기반으로 인식하고 있다.
④ 밭에 버린 연탄재는 도시화 과정에서 변화된 동네 사람들의 인식을 말해주고 있다.
⑤ 땅은 개발의 대상이자 이익 창출의 수단이라는 인식이 퍼져 있는 당시 상황이 전제되어 있다.

[13~15] 다음 글을 읽고 물음에 답하시오.

겨우내 굳어 있던 땅은 괭이 날 들어가기가 썩 힘이 들었고 게다가 돌덩이처럼 틀어박힌 연탄재 부스러기들을 일일이 골라내다 보면 한 두둑을 갈아엎는 데도 꽤 오랜 시간이 걸렸다. 용문이가 지난달 내내 연탄재들을 거두어 내고 겨우 맨땅을 내놓았다고 한 꼴이 요 모양이었다. ㉠서울 것들이란. 강 노인은 끙끙거리다 토막 난 욕설을 내뱉어 놓았다. 강 노인이 괭이를 내던지고 밭 끄트머리로 걸어가는 사이 언제 나왔는지 부동산 박 씨가 알은체를 하였다. 자그마한 체구에 검은 테 안경을 쓰고, 머리는 기름 발라 착 달라붙게 빗어넘긴 박 씨의 면상을 보는 일이 강 노인으로서는 괴롭기 짝이 없었다. 얼굴만 마주쳤다 하면 땅을 팔아보지 않겠느냐고 은근히 회유를 거듭하더니 지난 겨울부터는 임자가 나섰다고 숫제 집까지 찾아와서 온갖 감언이설(甘言利說)을 다 늘어놓는 박 씨였다. 그것도 강 노인의 나머지 땅을 한꺼번에 사들여서 길 이쪽저쪽으로 쌍둥이 빌딩을 지어 부천의 명물로 만들 것이고, 거기에 초호화판 위락시설이 들어서서 동네가 삽시간에 환해질 것이라고 했다. 일층에는 상가, 이층은 사우나, 삼층은 헬스클럽, 사오 층은 사무실로 임대하는 식의 건물 용도부터가 강 노인 마음에는 들지 않았지만 어차피 팔지 않을 땅이므로 어느 작자가 어떤 김칫국을 마시든 크게 나무랄 일은 못 되었다.

"영감님, 유 사장이 저 심곡동 쪽으로 땅을 보러 다니나 봅디다. 영감님은 물론이고 우리 동네의 발전을 위해서 그렇게 애를 썼는데……."

박 씨가 짐짓 허탈한 표정을 지으며 말하고 있는데 뒤따라 나온 동업자 고흥댁이 뒷말을 거든다.

"참말로 이 양반이 지난겨울부터 무진 애를 썼구만요. 우리사 셋방이나 얻어 주고 소개료 받는 것으로도 얼마든지 살 수 있지라우. 그람시도 그리 애를 쓴 것이야 다 한동네 사는 정리로다가 그런 것이지요."

강 노인은 가타부타 말이 없고 이번엔 박 씨가 나섰다.

"아직도 늦은 것은 아니고, 한 번 더 생각해 보세요. 여름마다 똥냄새 풍겨 주는 밭으로 두고 있느니 평당 백만 원 이상으로 팔아넘기기가 그리 쉬운 일입니까. 이제는 참말이지 더 이상 땅값이 오를 수가 없게 돼 있다 이 말씀입니다. 아, 모르십니까. 팔팔 올림픽 전에 북에서 쳐들어올 확률이 높다고 신문 방송에서 떠들어 쌓으니 이삼천짜리 집들도 매기가 뚝 끊겼다 이 말입니다."

"영감님도 ㉡욕심 그만 부리고 이만한 가격으로 임자 나섰을 때 후딱 팔아 치우시요. 영감님이 아무리 기다리셔도 인자 더 이상 오르기는 어렵다는디 왜 못 알아들으실까잉. 경국이 할머니도 팔아 치우자고 저 야단인디……."

고흥댁은 이제 강 노인 마누라까지 쳐들고 나선다. 강 노인은 아무런 대꾸도 없이 일하던 자리로 돌아가 버린다. 그 등에 대고 박 씨가 마지막으로 또 한마디 던졌다.

"아직도 유 사장 마음은 이 땅에 있는 모양이니께 금액이야 영감님 마음에 맞게 잘 조정해 보기로 하고, 일단 결정해 뿌리시요!"

13 **'강 노인'이 ㉠과 같이 말한 이유로 가장 적절한 것은?**

① 연탄재로 인해 발생할 수 있는 환경오염 문제를 주민들이 간과했기 때문이다.
② 땅의 소중함을 모른 채, 몰상식한 행동을 한 주민들을 원망하고 있기 때문이다.
③ 전통적인 가치관은 무시하고 서구적 가치관만 지향하고 있는 주민들을 원망하고 있기 때문이다.
④ 마을 전체의 이익을 고려하기보다 개인의 이익만을 추구하는 마을 사람들이 원망스러웠기 때문이다.
⑤ 마을 사람들이 미래에 대한 예측과 준비를 하지 않고 지금 당장의 위기만 모면하기 급급한 행동을 보이기 때문이다.

14 이 글에서 시대적 배경을 알 수 있는 소재가 바르게 짝지어진 것은?

① 괭이, 연탄재
② 연탄재, 팔팔 올림픽
③ 셋방, 연탄재
④ 부동산, 셋방
⑤ 쌍둥이 빌딩, 팔팔 올림픽

15 ㉡에 대한 '고흥댁'의 생각을 추론한 것으로 가장 적절한 것은?

① '강 노인'은 자신의 아들과 함께 농사지으며 살고 싶어 하는군.
② '강 노인'은 현재 시세보다 땅값이 더 오르기를 기다리고 있군.
③ '강 노인'은 자신의 땅을 자식들에게 평등하게 물려주고 싶어 하는군.
④ '강 노인'은 '유 사장'이 자신과 땅에 대한 가치관이 같기를 바라는군.
⑤ '강 노인'은 '유 사장'이 가진 땅에 대한 가치관과 다르기 때문에 유 사장에게 땅을 팔기를 꺼리는군.

[16~18] 다음 글을 읽고 물음에 답하시오.

너무 일찍 모종을 내었나. 강 노인은 아직 어리디어린 고추 모종을 일일이 들여다보며 고개를 갸웃거렸다. 음력 오월이 되어야 모종을 밭에 내었던 것은 옛날 일이었다. 마음만 먹으면 비닐 씌워 겨울에라도 풋고추 맛을 볼 수도 있지만 그럴 것까지는 없고 봄볕이 살가워지자마자 온상에서 키운 모종을 내었던 것이다. 볕살이야 그만한데 비가 부족한 탓이었다. 가뭄이라, 강 노인이 시들시들한 잎사귀를 펼쳐 보다가는 우두망찰 서 있는데 용민이네 밑에 세 든 미용실 여주인이 그를 불렀다.

"경국이 할아버지, 오늘 저희 집에서 반상회 있어요. 아무래도 오늘 저녁에는 정미 엄마가 가만있을 것 같지 않네요. 아까도 무궁화 연립에 사는 이들꺼정 몰려와서 한바탕 쏟아 놓고 갔어요. 경국이 할머님이라도 꼭 참석하셔야 해요. 아셨죠?"

그녀는 23통 6반의 반장이다. 길 건너 5반장은 형제 슈버의 김 씨지만 우리 정육점의 임 씨가 똥 냄새 문제에는 노상 앞장을 서고 있는 중이었다. 임 씨에 비하면 6반장의 경우 강 노인한테만은 훨씬 우호적이다. 용민이네 가게에 세 든 탓도 있지만 임 씨가 애초 미용실 자리를 욕심냈다가 강 노인에게 퇴박을 당했던 까닭에 임 씨 스스로 강 노인에 대한 감정이 좋지 못하였다. 어디를 쇠백정이. 단 한마디로 잘라 낸 이태 전 일을 두고 임 씨는 여태도 강 노인을 바로 보지 않는다. 6반에 비하면 5반에서야 인분 냄새나 물것 극성이 그저 그만할 정도인데도 작년에 ㉠시청에다 진정서를 낸 것은 5반이었다. 그게 다 ㉡임 씨 술책이라는 것쯤은 강 노인도 알지만 무궁화 연립이라면 5반인데 현대 연립의 정미 엄마와 합세한 것을 보면 임 씨가 올해 또한 집주인들을 부추기는 것이 틀림없었다. 돼지나 닭을 집단으로 사육하는 것도 아니고 노는 땅에 푸성귀를 갈아먹고 있는 심심풀이 농사까지야 손댈 수는 없다고 시청의 답변이 내려온 것을 온 동네가 다 아는데 내년에는 연판장이라도 돌리겠다며 큰소리치던 작자였다.

"올해일랑은 농사 시작하기 전에 아예 막아야 한다고들 그러든데요. 시청에서도 이제는 보고만 있지 않을 거래요."

여자가 피아노 교습소와 나란히 붙은 미용실 안으로 들어가 버린 뒤 강 노인은 쯧쯧 혀를 차는 것으로 자신의 울화를 삭여 버리고는 이내 말라붙은 밭 꼬락서니를 내려다본다. 그러고 보면 정미 엄마나 동네 사람들이 날뛰는 이유가 꼭 똥 냄새에만 있는 것은 아니었다. 5반이나 6반이나 정육점 임 씨를 빼고 나면 집주인들을 주축으로 시비가 있어왔었다. 가게에 세 들어 있는 지물포 주 씨와 사진관 엄 씨도 코앞에 밭을 두고 있는 처지이지만 강 노인과 마주치면 깍듯이 어른 대접을 갖추었다. 셋방 신세인 진만이 아버지도 그렇고 청소원 김 씨도 하루에 몇 번씩 마주쳐도 공손히 알은체를 해 왔지 팩팩거리며 못되게 구는 법이라곤 없었다.

집주인들이 더 극성을 부리는 데에도 까닭은 있었다. 강 노인네 땅덩이들이 팔려서 거기에 번듯한 건물들이 들어서야 이 거리가 완벽하게 채워지기 때문이었다. 게다가 그 땅들이 모두 도로변에 있고 보면, 아니 도로변의 땅에데가 인분 뿌리며 푸성귀나 갈아먹는대서야 동네 모양새가 영 말이 아닌 것이다. 동네 신수가 훤해야 집값도 오를 터인데 모름지기 강 노인 밭이 저러고 있어서야 제값대로 보지 않는다는 불만들이 클 것임은 자명했다.

16 이 글에 대한 설명으로 가장 적절한 것은?

① 과거를 회상하는 방식으로 인물의 삶을 조명하고 있다.
② 장면의 빈번한 전환을 통해 긴박하게 사건을 제시하고 있다.
③ 외양 묘사를 통해 인물을 성격을 직접적으로 드러내고 있다.
④ 특정 사건을 제시한 뒤 인물에 대한 서술자의 평가를 직접적으로 드러내고 있다.
⑤ 실제로 벌어질 수 있는 일을 생동감 있게 드러내어 시대적 상황을 구체화하고 있다.

17 ㉠이 ㉡에 대해 보인 반응에 대한 설명으로 가장 알맞은 것은?

① 이웃 간의 윤리를 지키지 않은 행위라고 지적하였다.
② 대응 가치가 없는 문제라고 판단하여 대응하지 않았다.
③ 개인의 자유를 집단의 이권 때문에 간섭할 수 없다고 반응하였다.
④ 정부 시책과 시의 정책 사이에 생긴 간극 때문에 벌어진 일이라 답변했다.
⑤ 집단의 권리가 더욱 중요하다고 판단하여 적극적으로 수용할 것이라고 답변했다.

18 동네 사람들의 모습에 반영된 당시 사회의 모습을 설명한 것으로 가장 적절한 것은?

① 개인주의적인 삶의 태도를 지양하고 있다.
② 전통적 삶의 모습과 가치를 지키려고 노력하고 있다.
③ 이기주의적 삶의 태도를 벗어나 공동체적 삶의 모습을 실현하고 있다.
④ 심리적 연대감보다는 이해관계에 의해 인간관계가 맺어지고 있다.
⑤ 도시화와 산업화로 인해 전통을 중시하는 삶의 방식이 만연하고 있다.

객관식 심화문제

[01~04] 다음 글을 읽고 물음에 답하시오.

(가) 겨우내 굳어 있던 땅은 괭이 날 들어가기가 무섭게 썩 힘이 들었고 게다가 돌덩이처럼 틀어박힌 연탄재 부스러기들을 일일이 골라내다 보면 한 두둑을 갈아엎는 데도 꽤 오랜 시간이 걸렸다. 용문이가 지난달 내내 연탄재들을 거두어 내고 겨우 맨땅을 내놓았다고 한 꼴이 요 모양이었다. 서울것들이란. 강 노인은 끙끙거리다 토막 난 욕설을 내뱉어 놓았다. 강노인이 괭이를 내던지고 밭 끄트머리로 걸어가는 사이 언제 나왔는지 부동산 박 씨가 알은체를 하였다. 자그마한 체구에 검은 테 안경을 쓰고, 머리는 기름 발라 착 달라붙게 빗어 넘긴 박 씨의 면상을 보는 일이 강 노인으로서는 괴롭기 짝이 없었다. 얼굴만 마주쳤다 하면 땅을 팔아보지 않겠느냐고 은근히 회유를 거듭하더니 지난 겨울부터는 임자가 나섰다고 숫제 집까지 찾아와서 온갖 감언이설을 다 늘어놓는 박 씨였다. 그것도 강 노인의 나머지 땅을 한꺼번에 사들여서 길 이쪽저쪽으로 쌍둥이 빌딩을 지어 부천의 명물로 만들 것이고, 거기에 초호화판 위락시설이 들어서서 동네가 삽시간에 환해질 것이라고 했다.

(나) 박 씨가 짐짓 허탈한 표정을 지으며 말하고 있는데 뒤따라 나온 동업자 고흥댁이 뒷말을 거든다.

"참말로 이 양반이 지난겨울부터 무진 애를 썼구만요. 우리사 셋방이나 얻어 주고 소개료 받는 것으로도 얼마든지 살 수 있지라우. 그람시도 그리 애를 쓴 것이야 다 한동네 사는 정리로다가 그런 것이지요."

강 노인은 가타부타 말이 없고 이번엔 박 씨가 나섰다.

"아직도 늦은 것은 아니고, 한 번 더 생각해 보세요. 여름마다 똥냄새 풍겨 주는 밭으로 두고 있느니 평당 백만 원 이상으로 팔아넘기기가 그리 쉬운 일입니까. 이제는 참말이지 더 이상 땅값이 오를 수가 없게 돼 있다 이 말씀입니다. 아, 모르십니까. 팔팔 올림픽 전에 북에서 쳐들어올 확률이 높다고 신문 방송에서 떠들어 쌓으니 이삼천짜리 집들도 매기가 뚝 끊겼다 이 말입니다."

"영감님도 욕심 그만 부리고 이만한 가격으로 임자 나섰을 때 후딱 팔아 치우시요. 영감님이 아무리 기다리셔도 인자 더 이상 오르기는 어렵다는디 왜 못 알아들으실까잉. 경국이 할머니도 팔아 치우자고 저 야단인디……."

고흥댁은 이제 강노인 마누라까지 쳐들고 나선다. 강 노인은 아무런 대꾸도 없이 일하던 자리로 돌아가 버린다.

(다) 다음 날 아침, 첫 새벽부터 밭에 나갔던 강 노인은 그만 입을 쩍 벌리고 선 채 말을 잃었다. 세상에 이런 법은 없었다. 이제 손가락만 한 고추 모종이 깔려 있는 밭에 여기저기 연탄재들이 나뒹굴고 있지 않은가. 겨울 빈 밭에 내다 버리는 것이야 그럴 수 있다 치더라도 목숨이 붙어 자라고 있는 밭에 ㉠연탄재를 내던진 것은 명백히 짐승의 처사였다. 반상회 끝의 독기 어린 동네 사람들이 저지른 것임은 대번에 알 수 있었지만 아무리 그렇다 하여도 이런 짓거리까지 해 댈 줄이야 짐작도 못 했던 강 노인이었다. 수십 덩어리의 연탄재 폭격을 당해 짓뭉개진 모종이 한 고랑만 해도 숱했다. 세상에 막된 인종들……. 강 노인은 주먹코를 씰룩이며 밭으로 달려 들어가서 닥치는 대로 연탄재를 길가에 내던졌다. 서울 것들이나 되니 살아 있는 밭에 해코지할 생각을 갖지. ㉡땅을 아는 자라면 저 시퍼런 하늘이 무서워서라도 감히 이따위 행패를 생각이나 하겠는가. 흰 연탄재 가루를 뒤집어쓰고 쓰러져 있는 죄 없는 풀잎을 차마 바로 볼 수 없어서 강 노인은 잔뜩 허둥대고 있었다.

01 윗글에 등장하는 인물에 대한 설명으로 가장 적절한 것은?

① 고흥댁은 순수한 마음으로 강 노인을 돕고 있다.
② 강 노인은 박씨가 외모에만 신경을 쓰는 것을 못마땅하게 여겼다.
③ 박씨는 불안감을 조성하는 방식으로 강 노인의 마음을 돌리려 하고 있다.
④ 박씨는 강 노인의 땅의 가치를 높게 평가하여 상대가 자신의 요구를 수용하게 하고 있다.
⑤ 동네 사람들은 땅의 전통적 가치를 현대적으로 계승하고 있다.

02 (나)에 대한 설명으로 가장 적절한 것은?

① 인물간의 갈등이 약화되어 긴장이 이완되고 있다.
② 주인공의 깨달음을 통해 비참한 현실을 극복되고 있다.
③ 서술자가 자신의 내면 심리를 분석적으로 제시하고 있다.
④ 대화와 행동을 통해 인물의 처지와 성격을 부각시키고 있다.
⑤ 상징적 표현을 통해 시대에 좌절하는 인물을 강조하고 있다.

03 <보기>의 밑줄 친 시어 중 (다)의 ㉠과 의미가 가장 비슷한 것은?

보기

1
하늘에 깔아 논
ⓐ바람의 여울터에서나
속삭이듯 서걱이는
나무의 ⓑ그늘에서나, 새는
노래한다. 그것이 노래인 줄도 모르면서
새는 그것이 사랑인 줄도 모르면서
두 놈이 부리를
서로의 죽지에 파묻고
따스한 체온을 나누어 가진다.

2
새는 울어
뜻을 만들지 않고,
지어서 ⓒ교태로
사랑을 가식하지 않는다.

3
— 포수는 한 덩이 ⓓ납으로
그 순수를 겨냥하지만,

매양 쏘는 것은
ⓔ피에 젖은 한 마리 상한 새에 지나지 않는다.

– 박남수, 「새」 –

① ⓐ ② ⓑ ③ ⓒ ④ ⓓ ⑤ ⓔ

04 다음 중 (다)의 ㉡과 삶의 태도가 가장 유사한 것은?

① 흙은 생명의 태반이며/ 또한 귀의처인 것을 나는 모른다/ 다만 그를 사랑한 도공이 밤낮으로/ 그를 주물러서 달덩이를 낳는 것을 본 일이 있다/ 또한 그의 가슴에 한 줌의 씨앗을 뿌리면/ 철 되어 한 가마의 곡식이 돌아오는 것도 보았다/ 흙의 일이므로/ 농부는 그것을 기적이라 부루지 않고/ 겸허하게 농사라고 불렀다.

– 문정희, 「흙」 –

② 가을 햇볕에 공기에/ 익는 벼에/ 눈부신 것 천지인데,/ 그런데,/ 아, 들판이 적막하다–/ 메뚜기가 없다!// 오 이 불길한 고요–/ 생명의 황금고리가 끊어졌느니……

– 정현종, 「들판이 적막하다」 –

③ 어둠이 오는 것이 왜 두렵지 않으랴 / 불어 닥치는 비바람이 왜 무섭지 않으랴 / 이들 더러 썩고 떨어지는 어둠 속에서 / 가지들 휘고 꺾이는 비바람 속에서 / 보인다 꼭 잡은 너희들 작은 손들이 / 손을 타고 흐르는 숨죽인 흐느낌이/ 어둠과 비바람까지도 삭여서 더 단단히 뿌리와 몸통을 키운다면/ 너희 왜 모르랴 밝는 날 어깨와 가슴에/ 더 많은 꽃과 열매를 달게 되리라는 걸

– 신경림, 「나무를 위하여」 –

④ 남으로 창을 내겠소/ 밭이 한참 갈이/ 괭이로 파고/ 호미론 김을 매지요.// 구름이 꼬인다 갈 리 있소./ 새 노래는 공으로 들으랴오./ 강냉이가 익걸랑/ 함께 와 자셔도 좋소.// 왜 사냐건/ 웃지요.

– 김상용, 「남으로 창을 내겠소」 –

⑤ 산 너머 남촌에는 누가 살길래/ 해마다 봄바람이 남으로 오네.// 꽃피는 사월이면 진달래 향기/ 밀 익는 오월이면 보리 내음새// 어느 것 한가진들 실어 안 오리/ 남촌서 남풍 불 제 나는 좋대나

– 김동환, 「산 너머 남촌에는」 –

[05~10] 다음 글을 읽고 물음에 답하시오.

(가) 근 열흘간이나 바람이 억세게 불어댔다. 지독한 꽃샘바람 때문에 동네 길목마다 비닐봉지며 과자 껍질들이 어수선하게 흩어져 있어서 오가는 행인들의 눈살을 찌푸리게 만들었다. 때때로 청소부들이 쓰레기를 주워 모아 공터에서 불을 사르기도 했다. 그럴 때마다 불어오는 바람에 실려 검은 연기가 이리저리 휩쓸려 올라가고 미농지보다 얇은 그을음들이 나방 떼처럼 떠돌아다녔다.

(나) 겨우내 굳어 있던 땅은 괭이 날 들어가기가 썩 힘이 들었고 게다가 돌덩이처럼 틀어박힌 연탄재 부스러기들은 일일이 골라내다 보면 한 두둑을 갈아엎는 데도 꽤 오랜 시간이 걸렸다. 용문이가 지난달 내내 ㉠<u>연탄재</u>들 거두어 내고 겨우 맨땅을 내놓았다고 한 꼴이 요 모양이었다. ㉡<u>서울 것들</u>이란 강 노인은 끙끙거리다 토막 난 욕설을 내뱉어 놓았다.

(다) 박 씨가 짐짓 허탈한 표정을 지으며 말하고 있는데 뒤따라 나온 동업자 고흥댁이 뒷말을 거든다.

"참말로 이 양반이 지난겨울부터 무진 애를 썼구만요. ⓐ<u>우리사 셋방이나 얻어 주고 소개료 받는 것으로도 얼마든지 살 수 있지라우</u>. 그람시도 그리 애를 쓴 것이야 다 한동네 사는 정리로다가 그런 것이지요."

강 노인은 가타부타 말이 없고 이번엔 박 씨가 나섰다.

"ⓑ<u>아직도 늦은 것은 아니고, 한 번 더 생각해 보세요</u>. 여름마다 똥냄새 풍겨 주는 밭으로 두고 있느니 ㉢<u>평당 백 만원</u> 이상으로 팔아넘기기가 그리 쉬운 일입니까. 이제는 참말이지 더 이상 땅값이 오를 수가 없게 돼 있다 이 말씀입니다. 아, 모르십니까. ㉣<u>팔팔</u> 올림픽 전에 북에서 쳐들어올 확률이 높다고 ㉤<u>신문 방송</u>에서 떠들어 쌓으니 이삼천짜리 집들도 매기가 뚝 끊겼다 이 말입니다."

(라) 가뭄이라 강 노인이 시들시들한 잎사귀를 펼쳐 보다가는 우두망찰 서 있는데 용민이네 밑에 세 든 미용실 여주인이 그를 불렀다.

"경국이 할아버지, 오늘 저희 집에서 반상회가 있어요. 아무래도 오늘 저녁에는 정미 엄마가 가만있을 것 같지 않네요. 아까도 무궁화 연립에 사는 이들꺼정 몰려와서 한바탕 쏟아 놓고 갔어요. 경국이 할머님이라도 꼭 참석하셔야 해요. 아셨죠?"

그녀는 23통 6반의 반장이다. 길 건너 5반장은 형제 슈퍼의 김 씨지만 우리 정육점의 임 씨가 똥 냄새 문제에는 노상 앞장을 서고 있는 중이었다. 임 씨에 비하면 6반장의 경우 강 노인한테만은 훨씬 우호적이다. 용민이네 가게에 세 든 탓도 있지만 임 씨가 애초 미용실 자리를 욕심냈다가 강 노인에게 퇴박을 당했던 까닭에 임 씨 스스로 강 노인에 대한 감정이 좋지 못하였다. 어디를 쇠백정이. 단 한마디로 잘라 낸 이태 전 일을 두고 임 씨는 여태도 강 노인을 바로 보지 않는다. ⓒ6반에 비하면 5반에서야 인분 냄새나 물 것 극성이 그저 그만할 정도인데도 작년에 시청에다 진정서를 낸 것은 5반이었다. 그게 다 임 씨의 술책이라는 것쯤은 강 노인도 알지만 무궁화 연립이라면 5반인데 현대 연립의 정미 엄마와 합세한 것을 보면 임 씨가 올해 또한 집주인들을 부추기는 것이 틀림없었다.

(마) "팔육인가 팔팔인가 땜에 도로 주변 미화 사업이 한창이라는데 밭농사를 그냥 두고 보겠수? 팔팔 전에는 어차피 이곳에다가 뭐 은행도 짓고 병원도 짓게끔 계획되어 있다고 그럽디다. ⓓ시에다 팔면 금이나 제대로 쳐줍디까? 그 전에 제 가격 받고……."

"시끄러!"

마누라 입을 봉해 놓고서 강노인은 이내 밭으로 되돌아왔다. 한 포기라도 살릴 수 있는 만큼은 건져내야 할 고추 모종들 때문에 한시가 급한 강 노인이었다. 반상회 파문은 그것으로 끝난 것이 아니었다. 반상회 소식이 알려지자마자 연립 주택에 산다는 은혜 엄마가 찾아와서 경국이 엄마가 지난달 꾸어간 오십만 원을 돌려달라고 하소연을 늘어놓기 시작한 것이다. 땅을 팔았다니 계약금을 받았을 터인즉 큰며느리 빚을 대신 갚아 줄 수 없겠느냐는 여자의 말에 강 노인은 주먹코가 더욱 빨개졌다. 지난겨울 서울에서 이사 와 동네 물정 모르고 딸이 다니는 에바다 피아노 학원에서 알게 된 경국이 엄마에게 곗돈을, 그것도 두 번째 탄 것을 빌려줬다는 것이다. 이 동네 지주의 큰며느리라 해서 별 의심도 하지 않고 돈을 주었는데 경국이 엄마가 동네에 뿌린 빚이 한두 군데가 아니어서 직접 시아버지와 담판을 짓겠다고 마음먹은 은혜 엄마였다.

그게 어떤 돈인가 말이다. 서울에서의 셋방살이가 하도 지긋지긋해서 연립 주택 한 채를 마련, 이곳에 이사 온 지 반년도 채 되지 않은 그녀였다. 곗돈 타고, 여름에 보너스 나오면 이자 나가는 빚 백만원을 갚을 요량이었는데 ⓔ그 몇 달 사이의 이자 몇 푼을 욕심내다가 생돈 떼이게 생겼으니 생각만 해도 속이 터질 지경이었다.

– 양귀자, 「마지막 땅」 –

05 〈자료〉를 바탕으로 윗글을 감상한 내용으로 적절한 것은?

자료

이 소설은 산업화·도시화가 가속화되면서 도시로 인구가 집중되는 시기를 배경으로 한다. 특히 서울로 모여드는 인구가 급속하게 증가함에 따라 주택의 수요도 증가했는데, 거기에 부동산 투기까지 겹치면서 주택난이 심각해졌다. 이를 해소하기 위해 정부가 택지 개발 사업을 추진한 결과, 서울 시내 외곽에는 대규모 아파트 단지가 조성되고 서울 근교에는 신도시가 본격적으로 개발되기 시작했다.

① 원미동에 거주하는 모든 주민들은 정부 택지 개발 사업에 대해 찬성을 하겠군.
② 강 노인은 서울 것들 때문에 주택난이 심각해진 것에 대해 불만을 품고 있군.
③ 집주인들은 서울에서 일어난 부동산 투기의 피해자들이라 할 수 있어.
④ 원미동의 대부분의 집주인들은 신도시 개발의 수혜자가 되고자 하는군.
⑤ 강 노인이 농사를 고집하는 이유는 정부 시책에 대한 반발 때문이군.

06 윗글에 대한 설명으로 적절하지 않은 것은?

① (가) : 인물의 심리보다 배경을 구체적으로 서술하여 작품의 분위기를 연출하고 있다.
② (나) : 특정 인물의 시선을 중심으로 사건을 서술하여 시점의 변화가 드러난다.
③ (다) : 서술자의 직접적인 서술보다는 인물 간의 대화를 볼 수가 있다.
④ (라) : 인물의 속사정을 이야기함으로써 사건 전개에 개연성을 부과한다.
⑤ (마) : 인물에 대하여 구체적이고 세밀하게 제시하고 있다.

07 윗글의 인물에 대한 설명으로 적절한 것은?

① 고흥댁은 강 노인 부인과의 친분과 정으로 땅 중개에 나섰다.
② 경국이 엄마는 다른 가족에 비해 강 노인의 땅에 대한 애착을 이해한다.
③ 미용실 여주인은 용민네에 세를 들었기 때문에 임씨에 비해 강 노인에게 우호적이다.
④ 정미 엄마는 5반에 살고 있지만 집 값 상승에 대한 기대로 강 노인이 땅을 팔기를 기대한다.
⑤ 임씨는 집 값 상승에 대한 기대뿐만이 아니라 강 노인으로부터 인격적 모독을 당했기 때문에 강 노인의 땅이 팔리도록 노력한다.

08 ㉠~㉤ 중 〈자료〉의 밑줄 친 부분의 기능을 하는 소재끼리 짝지은 것은?

자료

소재(素材)란 문학 작품의 바탕이 되는 재료로서 글쓴이의 안목에 비친 대상, 사회 환경, 인물의 생활, 행동, 감정 따위가 모두 소재가 될 수 있다. 현대 산문에서 소재의 기능은 갈등의 매개물, 회상의 매개물, 공간적 배경과 시간적 배경 제시, 장면의 연결 고리 역할, 상징적 의미, 주제를 부각시키는 기능을 한다.

① ㉠, ㉣ ② ㉠, ㉤ ③ ㉡, ㉢ ④ ㉢, ㉤ ⑤ ㉣, ㉤

09 ⓐ~ⓔ에 대한 설명으로 적절하지 않은 것은?

① ⓐ : 고흥댁이 강 노인에게 하는 말은 구밀복검이군.
② ⓑ : 강 노인이 땅을 팔지 않을까봐 전전긍긍하는군.
③ ⓒ : 강 노인의 입장에서 설상가상의 상황이군.
④ ⓓ : 땅을 파는 것은 강 노인에게 일석이조이군.
⑤ ⓔ : 은혜엄마는 소탐대실하였군.

10 다음의 화자가 윗글의 강 노인에게 할 수 있는 말로 가장 적절한 것은?

국철을 타고 앉아 가다가
문득 알아들을 수 없는 말이 들려 살피니
아시안 젊은 남녀가 건너편에 앉아 있었다
늦은 봄날 더운 공휴일 오후
나는 잔무 하러 사무실에 나가는 길이었다
저이들은 무엇하려고
국철을 탔는지 궁금해서 쳐다보면
서로 마주 보며 떠들다가 웃다가 귓속말할 뿐
나를 쳐다보지 않았다
모자 장사가 모자를 팔러 오자
천 원 주고 사서 번갈아 머리에 써 보고
만년필 장사가 만년필을 팔러 오자
천 원 주고 사서 번갈아 손바닥에 써 보는 저이들
문득 나는 천박한 호기심이 발동했다는 생각이 들어서
황급하게 차창 밖으로 고개 돌렸다
국철은 강가를 달리고 너울거리는 수면 위에는
깃털 색깔이 다른 새 여러 마리가 물결을 타고 있었다
나는 아시안 젊은 남녀와 천연하게
동승하기 못하고 있어 낯짝이 부끄러웠다
국철은 회사와 공장이 많은 노선을 남겨 두고 있었다
저이들도 일자리로 돌아가는 중이지 않을까

– 하종오, 「동승」 –

① 당신이 땅에 대해 애착이 있는 만큼 저도 제 업무에 대한 애착이 있습니다
② 타인을 차별적으로 인식하면 안 됩니다. 당신도 고흥댁의 진심을 알아주세요.
③ 저는 외국인 노동자와 심리적으로 동승하지 못했지만, 당신은 결국 아들들을 이해하는군요.
④ 당신은 농사에 무심했던 것에 대해 반성을 하는군요. 저는 저의 차별적 시각에 대해 반성을 했습니다.
⑤ 당신처럼 생명을 존중하는 가치를 지니는 점도 중요하지만 공동체 차원에서 타인과도 조화롭게 공존해야 합니다.

[11~15] 다음 글을 읽고 물음에 답하시오.

지물포 주 씨가 구둣발로 대충대충 불더미를 다독거려 놓고 들어가 버리면 마지막으로 등장하는 사람이 하나 있다. 그가 바로 강만성(姜萬成) 노인이다. 원미동 23통 일대에서는 강 노인을 모르는 이가 없었다. 아니 강 노인이라고 부르기보다는 지주(地主)라고 칭해야 더 잘 알았고, 그 지주네 밭에서 일어나는 여름과 겨울의 난리판을 속속들이 겪지 않고서는 이 동네 사람이라고 말할 수 없는 형편이었다. 일미터 팔십을 넘는 큰 키에 거대한 몸집을 가진 강 노인은 언제 보아도 막일꾼 차림새였다. 유난히 큰 코는 얼굴의 절반 이사을 차지하는 듯 싶고, 검붉은 얼굴과 어울리게끔 주먹코 또한 빨갛기가 딸기코 버금가는 빛깔이었다. 씩씩한 걸음걸이하며 노상 걷어붙인 채인 팔뚝의 꿈틀거리는 힘줄 따위를 보노라면 노인의 나이가 이제 칠순을 코앞에 둔 것이라고 어림잡기는 좀체 어려웠다. 목소리도 우렁차서, 그가 밭에서 일하다 말고 "용문아!" 하고 소리쳐 부르면 도로를 하나 건너서 백 미터쯤 떨어져 있는, 게다가 딱 뒤로 돌아앉은 그의 이층집에 있던 막내아들 용문이가 금세 튀어나오곤 했다. 〈중략〉

"영감님, 유사장이 저 심곡동 쪽으로 땅을 보러 다니나 봅디다. 영감님은 물론이고 우리 동네의 발전을 위해서 그렇게 애를 썼는데……." / 박 씨가 짐짓 허탈한 표정을 지으며 말하고 있는데 뒤따라 나온 동업자 고흥댁이 뒷말을 거든다.

"참말로 이 양반이 지난겨울부터 무진 애를 썼구만요. 우리사 셋방이나 얻어 주고 소개료 받는 것으로도 얼마든지 살 수 있지라우. 그람시도 그리 애를 쓴 것이야 다 한동네 사는 정리로다가 그런 것이지요." / 강 노인은 가타부타 말이 없고 이번엔 박 씨가 나섰다.

"아직도 늦은 것은 아니고, 한 번 더 생각해 보세요. 여름마다 똥냄새 풍겨 주는 밭으로 두고 있느니 평당 백만 원 이상으로 팔아넘기기가 그리 쉬운 일입니까. 이제는 참말이지 더 이상 땅값이 오를 수가 없게 돼 있다 이 말씀입니다. 아, 모르십니까. 팔팔 올림픽 전에 북에서 쳐들어올 확률이 높다고 신문 방송에서 떠들어 쌓으니 이삼천짜리 집들도 매기가 뚝 끊겼다 이 말입니다."

"영감님도 욕심 그만 부리고 이만한 가격으로 임자 나섰을 때 후딱 팔아 치우시요. 영감님이 아무리 기다리셔도 인자 더 이상 오르기는 어렵다는디 왜 못 알아들으실까잉. 경국이 할머니도 팔아 치우자고 저 야단인디……." / 고흥댁은 이제 강노인 마누라까지 쳐들고 나선다. 강 노인은 아무런 대꾸도 없이 일하던 자리로 돌아가 버린다. 그 등에 대고 박 씨가 마지막으로 또 한마디 던졌다. 〈중략〉

집주인들이 더 극성을 부리는 데에도 까닭은 있었다. 강 노인네 땅덩이들이 팔려서 거기에 번듯한 건물들이 들어서야 이 거리가 완벽하게 채워지기 때문이었다. 게다가 그 땅들이 모두 도로변에 있고 보면, 아니 도로변의 땅에데가 인분 뿌리며 푸성귀나 갈아먹는대서야 동네 모양새가 영 말이 아닌 것이다. 동네 신수가 훤해야 집값도 오를 터인데 모름지기 강 노인 밭이 저러고 있어서야 제값대로 보지 않는다는 불만들이 클 것임은 자명했다. 〈중략〉

그는 두 번 다시 마누라 쪽을 보지 않고 뒤꼍으로 가서 펌프 물을 뽑아 올린다. 밑 빠진 독에 물 붓기도 아니고 참말로 기가 막힐 노릇이었따. 쓸 줄만 알지 벌어들일 줄은 모르는 녀석들이 간덩이만 부어서 일만 크게 벌여 놓고 뒷감당은 모두 아비에게 떠넘기는 짓들이 오늘까지 계속이었다. 남들 다 하는 월급쟁이는 마다하고 떼돈 벌 궁리에 떼돈만 날리는 녀석들이다. 누구 돈이든 쏟아붓고 보자는 저 섣부른 행동이 결국은 그의 땅떵이로 막아져야 할 것임은 불을 보듯 뻔한 노릇이었다.

그날 저녁의 반상회에는 강 노인도 그의 아내도 참석하지 않았다.

"그놈의 똥 타령을 왜 내가 뒤집어쓴답니까?"

한번 들여다보라는 그의 언질에 마누라는 금세 통박이다. 경국이 녀석이 저녁밥도 안 먹고 쪼르르 달려와서 일러바치는 말로는, 돈 구하러 나갔던 큰며느리가 돌아오는 길에 아예 반상회까지 참석한 모양이니 뒤 소식이야 누구한테 들어도 알 수는 있을 것이므로 내외는 일찌감치 불 끄고 자리에 누워 버렸다.

다음 날 아침, 첫새벽부터 밭에 나갔던 강 노인은 그만 입을 쩍 벌리고 선 채 말을 잃었다. 세상에 이런 법은 없었다. 이제 손가락만 한 고추 모종이 깔려 있는 밭에 여기저기 연탄재들이 나뒹굴고 있지 않은가. 겨울 빈 밭에 내다 버리는 것이야 그럴 수 있다 치더라도 목숨이 붙어 자라고 있는 밭에 연탄재를 내던진 것은 명백히 짐승의 처사였다. 반상회 끝의 독기 어린 동네 사람들이 저지른 것임은 대번에 알 수 있었지만 아무리 그렇다 하여도 이런 짓거리까지 해 댈 줄이야 짐작도 못 했던 강 노인이었다. 수십 덩어리의 연탄재 폭격을 당해 짓뭉개진 모종이 한 고랑만 해도 숱했다. 〈중략〉

"밭에다 그 지경을 해 댄 걸 보면 오죽했겠수. 뭐, 틀린 말도 아니고 땅 팔아서 아들 살리고 남는 돈은 은행에 넣어 이자나 받으면 우리 식구 신간이사 편치 뭘 그러슈."

밭이 그 지경이라는데도 마누라는 천하태평이다. 강 노인은 어이가 없어 그만 입을 다물어 버린다. 마누라는 이때다 싶은지 또 한차례 오금을 박는다. 어제 다녀간 복덕방 박 씨의 의미심장한 충고가 생각나서였다.

"팔육인가 팔팔인가 땜에 도로 주변 미화 사업이 한창이라는데 밭농사를 그냥 두고 보겠수? 팔팔 전에는 어차피 이곳에다가 뭐 은행도 짓고 병원도 짓게끔 계획되어 있다고 그럽디다. 시에다 팔면 금이나 제대로 쳐줍디까? 그 전에 제 가격 받고……."

"시끄러!"

마누라 입을 봉해 놓고서 강노인은 이내 밭으로 되돌아왔다. 한 포기라도 살릴 수 있는 만큼은 건져내야 할 고추 모종들 때문에 한시가 급한 강 노인이었다. 반상회 파문은 그것으로 끝난 것이 아니었다. 반상회 소식이 알려지자마자 연립주택에 산다는 은혜 엄마가 찾아와서 경국이 엄마가 지난달 꾸어간 오십만 원을 돌려달라고 하소연을 늘어놓기 시작한 것이다. 〈중략〉

"땅은 안 돼, 안 팔아!"

"고집 좀 그만 부리고 우선 집 앞에 거라도 떼어 팔아 발등의 불이라도 꺼 봅시다. 다 자식 잘되라고 하는 짓인데 왜 그러우?"

"자식 놈들 뒷바라지에 땅 다 날려 보낸 걸 몰라!"

입씨름에 지친 마누라가 눈물 바람을 하다가 용문이 방으로 건너가 버린 뒤, 강 노인은 그 밤 오래도록 잠을 이루지 못하고 뒤척여야만 했다. 자식 농사는 포기한 지 오래지만 해마다 씨를 뿌리고 수확을 거두는 재미만큼은 쉽게 포기할 수 없는 그였다. 서울에서 밀려 나온 서울 것들 때문에 여기까지 땅값이 들먹거리는 북새통을 치렀고 그 와중에서 자식들이 모두 저 푼수로 커버렸다는 원망도 많은 게 강 노인이었다. 씨 뿌린 땅에서 거두어들이는 수확이 아닌 다음에야 어찌 땅 팔아서 그 돈으로 쌀 사고 채소 사며 살 수 있을 것인가. 농사꾼 주제로는 평생 만져 볼 엄두도 못내는 큰돈이 굴러 들어왔어도 쉽게 생긴 내력만큼이나 씀씀이도 허망하기 짝이 없었다. 그나마 이만큼이라도 ㉠마지막 땅 조각을 붙들고 있다는 위안이 강 노인에게는 큰 힘이 되었다. 이 고장에 ㉡서울 바람이 몰아닥쳐 요 모양으로 ㉢설익은 도시가 되지 않았더라면 아직껏 넓디넓은 땅을 가지고 있을 것이 틀림없는 스스로를 생각해 보면 더욱 화가 치밀었는데 다 부질없는 노릇이었다.

빚쟁이들이 몰려오는 줄 번연히 알면서도 들여다보지 않고 모른는 척하고 있는 용규 내외를 생각하면 괘씸하기가 짝이 없었지만 이제 강 노인이 거두어야 할 일만 남은 셈이다.

다음 날 아침, 강 노인은 느지막이 집을 나섰다. 마누라한테는 아무런 내색도 하지 않았다. 그러나 발길은 여전히 밭을 향했다. 밭고랑 사이로 밀고 올라오는 잡초를 뽑아내면서 문득 뒤돌아보니 원미산 장대봉이 그새 많이 푸르러져서 제법 운치가 있었다. 멀리서 보아야 아름답다 하여 '멀뫼'라 불리던 산이었다. 젊었을 적 나무하러 숱하게 오르내려서 능선마다 그의 땀방울이 묻어 있기도 한 산이다. ⓐ그때가 언제인데, 참 질기게도 오래 산다는 생각이 들었다. 땅에서 뽑혀 나와 잠깐 만에 이파리들이 축 늘어져 버린 잡초를 새삼스레 들여다보다가 강 노인은 시름없이 밭을 둘러보았다.

그러고 보니 어제오늘 고추 모종에 물을 주지 못한 게 생각났다. 아욱이야 그런대로 잘 자랐지만 마누라가 덤덤해하니 억센 겉잎이 밀고 올라오기 시작했다. 꽂아 놓은 개나리 가지에 움터 오던 노란 잎도 가뭄에 시달려 밥티처럼 오그라 붙었다. ㉣햇살은 푸지게 내리쬐고, 아이들은 지물포 옆에 옹기종기 모여서 땅따먹기 놀이를 하고 있었다. 강 노인은 큼큼 헛기침을 해 가며 강남 부동산으로 걸어갔다. 그러다 이내 되돌아서서 집을 향해 바쁜 걸음을 옮긴다. 암만해도 ㉤물 한 통 쯤은 져 날라서 우선 이것들 목이나 축여 줘야겠다는 생각이었다.

– 양귀자, 「마지막 땅」 –

11 윗글에 대한 설명으로 가장 적절한 것은?

① 장면에 따라 다른 인물의 시선으로 사건을 서술하고 있다.
② 인물의 회상을 통해 현재와 과거를 고백적 어조로 서술하고 있다.
③ 작품 속 인물이 현실에 대응하는 모습을 통해 사회의 모순을 풍자하고 있다.
④ 등장인물의 말과 행동을 통해 그 인물이 추구하는 사회 · 문화적 가치를 드러내고 있다.
⑤ 서로 다른 사회 · 문화적 가치를 추구하는 인물간의 갈등을 관찰하여 객관적으로 사건을 설명하고 있다.

12 ㉠~㉤에 대한 설명으로 적절하지 않은 것은?

① ㉠ : 인간과 함께 생명을 나누는 공간이며 강 노인에게는 삶의 터전을 의미한다.
② ㉡ : 개발의 여파로 도시화가 되어 가고 있음을 나타낸다.
③ ㉢ : 개발 바람에 휩싸여 삶의 기본과 중심을 잃게 된 도시를 의미한다.
④ ㉣ : 강 노인의 심정과 상반된 분위기로 내적 갈등을 완화하는 역할을 한다.
⑤ ㉤ : 강 노인이 땅에서 나는 모든 것에 대해 애정을 지니고 있음을 드러낸다.

13 윗글에 대한 이해로 가장 적절한 것은?

① 구체적 지명을 제시하여 작품에 사실감을 부여하고 있다.
② 속도감 있는 잦은 장면 전환을 통해 사건의 긴장감을 높이고 있다.
③ 하나의 이야기 속에 다양한 다른 이야기를 삽입하여 주제를 드러내고 있다.
④ 계절적 배경을 드러내는 소재를 통해 동네 사람들의 고달픈 삶을 드러내고 있다.
⑤ 각각 독립된 여러 가지의 사건들을 개별적으로 나열하여 새로운 사건의 발생을 암시하고 있다.

14 시적 화자의 정서가 ⓐ에 드러난 것과 가장 유사한 것은?

① 마음이 어린 후(後)니 하는 일이 다 어리다.
만중운산(萬重雲山)에 어느 님 오리마는
지는 잎 부는 바람에 행여 권가 하노라.

– 서경덕 –

② 가마귀 눈비 마ᄌᆞ 희ᄂᆞᆫ 듯 검노ᄆᆡ라.
야광명월(夜光明月)이 밤인들 어두오랴.
님 향(向)ᄒᆞᆫ 일편단심(一片丹心)이야 고칠 줄이 이시랴.

– 박팽년 –

③ 집방석(方席) 내지 마라 낙엽(落葉)인들 못 안즈랴.
솔불 혀지 마라 어제 진 달 도다 온다.
아희야, 박주산채(薄酒山菜)ㄹ만졍 업다 말고 내여라.

– 한호 –

④ 내 언제 무신(無信)하여 님을 언제 속였관대
월침삼경(月沈三更)에 온 뜻이 전혀 없네.
추풍(秋風)에 지는 잎 소리야 낸들 어이 하리요.

– 황진이 –

⑤ 오백 년(五百年) 도읍지(都邑地)를 필마(匹馬)로 도라드니,
산천(山川)은 의구(依舊)하되 인걸(人傑)은 간 듸 업다.
어즈버, 태평연월(太平烟月)이 꿈이런가 하노라.

– 길재 –

15 글의 내용과 일치하지 <u>않는</u> 것은?

① 강 노인은 자식들이 진 빚을 알게 된 후 결국 땅을 팔기로 결심한다.
② 집주인들은 강 노인의 밭 때문에 동네 집값이 오르지 않는다고 생각한다.
③ 강 노인의 자식들은 땅을 팔 것이라는 소문이 퍼진 후 강 노인의 처지를 걱정한다.
④ 강 노인의 아내는 농사를 그만두고 땅을 모조리 팔아 편안한 생활을 하고 싶어 한다.
⑤ 동네 사람들은 반상회를 한 후에도 강 노인에 대한 불만의 표시로 그의 밭에 연탄재를 뿌린다.

[16~19] 다음 글을 읽고 물음에 답하시오.

지물포 주 씨가 구둣발로 대충대충 불더미를 다독거려 놓고 들어가 버리면 마지막으로 등장하는 사람이 하나 있다. 그가 바로 강만성(姜萬成) 노인이다. 원미동 23통 일대에서는 강 노인을 모르는 이가 없었다. 아니 ⓐ강 노인이라고 부르기보다는 지주(地主)라고 칭해야 더 잘 알았고, 그 지주네 밭에서 일어나는 여름과 겨울의 난리판을 속속들이 겪지 않고서는 이 동네 사람이라고 말할 수 없는 형편이었다. 일미터 팔십을 넘는 큰 키에 거대한 몸집을 가진 강 노인은 언제 보아도 막일꾼 차림새였다. 유난히 큰 코는 얼굴의 절반 이사을 차지하는 듯 싶고, 검붉은 얼굴과 어울리게끔 주먹코 또한 빨강기가 딸기코 버금가는 빛깔이었다. 씩씩한 걸음걸이하며 노상 걷어붙인 채인 팔뚝의 꿈틀거리는 힘줄 따위를 보노라면 노인의 나이가 이제 칠순을 코앞에 둔 것이라고 어림잡기는 좀체 어려웠다. 목소리도 우렁차서, 그가 밭에서 일하다 말고 “용문아!” 하고 소리쳐 부르면 도로를 하나 건너서 백 미터쯤 떨어져 있는, 게다가 딱 뒤로 돌아앉은 그의 이층집에 있던 막내아들 용문이가 금세 튀어나오곤 했다.

〈중략〉

땅값 따위에는 관계없이 땅을 팔지 않겠다는 의사 표현을 누차 했건만 박 씨의 말본새는 언제나 저 모양이다. ㉠서울 것들이란. 박 씨 내외가 복덕방 안으로 들어가 버린 뒤에야 그는 한마디 내뱉는다. 저들 내외가 원래 전라도 사람이라는 것을 모르지는 않으나 강 노인에게 있어 원미동 사람들은 어쨌거나 모두 서울 끄나풀들이었다.

도대체가 서울 것들은 밭에서 풍겨 나오는 두엄 냄새라면 질색 자망을 하고 손을 내젓는, 천하에 본데없는 막된 것들이라니까. 강 노인은 팽개쳐 두었던 괭이자루에 묻은 흙을 대충대충 털어 내고는 다시 밭을 일구기 시작했다. 겨울 동안 좀 쉬고 있는 밭에다가 망할 놈의 연탄재나 산같이 내다 버리는 못된 습성까지 떠올리면 더욱 괘씸하기 짝이 없는데, 그가 아는 서울 것들의 내력은 모조리 그런 것투성이였다. 고추밭에 뿌리는 오줌에서부터 여름이 되어 김장배추 갈기 전에 얹어 주는 푹 삭힌 인분에 이르기까지. 서울 끄나풀들의 극성 때문에 실컷 장만해 둔 밑거름조차 제대로 쓰지 못하고 부석부석한 땅에서 수확을 거두던 것이 요 몇 해 농사 실정이었다.

㉡거기에다 매년 겨울이면 밭은 쓰레기장으로 변해 버리고 말았다. 겨울 동안 용문이 녀석을 시켜 밭을 지키고 때로는 직접 나서서 밤사이 몰래 연탄재를 내다 버리는 동네 사람을 지키고는 했지만 허사였다. 올봄에도 역시 트럭 한 대분 이상의 연탄재를 생돈 들여서 치워야 하는 손해를 입었다. 이 층 상가 주택이 아니면 단독 연립이니 하는 다세대 주택들이 즐비한 이 동네는 한 집에 적어도 네 가구 이상은 오밀조밀 모여 사는 게 보통이었다. 청소차가 하루는 쓰레기, 다음 날은 연탄내 하는 식으로 꼬박꼬박 다니고는 있지만 그게 말그대로 시도때도 없이 등장하는 바람에 연탄재쯤은 아무래도 손쉬운 쪽으로 처치하는 이들이 많았다. 그것도 그것이지만 여름내 더러운 인분 냄새 풍겨 주는 밭 꼬라지가 밉다고 부러 이곳에다 연탄재를 내던지는 동네 사람들의 속셈쯤은 강 노인도 짐작하고 있었다.

〈중략〉

“그 못난 놈이 공장까지 담보로 잡혀 먹었대요. 최신 기계 설비만 갖추면 돈 벌리는 게 눈에 보이는 사업이라는데……. 은행 대출도 기간이 차서 경고장이 날아왔답니다.”

이판사판이라고 ⓑ마누라도 이젠 감추지 않고 잘도 털어놓는다. 용규가 그 모양이니 처가에서까지 돈을 끌어댄 용민이는 어쩌겠느냐고 숫제 으름장이었다.

“땅은 안 돼, 안 팔아!”

“고집 좀 그만 부리고 우선 집 앞에 거라도 떼어 팔아 발등의 불이라도 꺼 봅시다. 다 자식 잘되라고 하는 짓인데 왜 그러우?”

“자식 놈들 뒷바라지에 땅 다 날려 보낸 걸 몰라!”

입씨름에 지친 마누라가 눈물 바람을 하다가 용문이 방으로 건너가 버린 뒤, ㉮강 노인은 그 밤 오래도록 잠을 이루지 못하고 뒤척여야만 했다. 자식 농사는 포기한 지 오래지만 해마다 씨를 뿌리고 수확을 거두는 재미만큼은 쉽게 포기할 수 없는 그였다. 서울에서 밀려 나온 서울 것들 때문에 여기까지 땅값이 들먹거리는 북새통을 치렀고 그 와중에서 자식들이 모두 저 푼수로 커버렸다는 원망도 많은 게 강 노인이었다. 씨 뿌린 땅에서 거두어들이는 수확이 아닌 다음에야 어찌 땅 팔아서 그 돈으로 쌀 사고 채소 사며 살 수 있을 것인가. 농사꾼 주제로는 평생 만져 볼 엄두도 못내는 큰돈이 굴러 들어

왔어도 쉽게 생긴 내력만큼이나 씀씀이도 허망하기 짝이 없었다. 그나마 이만큼이라도 마지막 땅 조각을 붙들고 있다는 위안이 강 노인에게는 큰 힘이 되었다. 이 고장에 ㉢서울 바람이 몰아닥쳐 요모양으로 설익은 도시가 되지 않았더라면 아직껏 넓디넓은 땅을 가지고 있을 것이 틀림없는 스스로를 생각해 보면 더욱 화가 치밀었는데 다 부질없는 노릇이었다.

빚쟁이들이 몰려오는 줄 번연히 알면서도 들여다보지 않고 모른는 척하고 있는 용규 내외를 생각하면 괘씸하기가 짝이 없었지만 이제 강 노인이 거두어야 할 일만 남은 셈이다.

다음 날 아침, 강 노인은 느지막이 집을 나섰다. 마누라한테는 아무런 내색도 하지 않았다. 그러나 발길은 여전히 밭을 향했다. 밭고랑 사이로 밀고 올라오는 잡초를 뽑아내면서 문득 뒤돌아보니 원미산 장대봉이 그새 많이 푸르러져서 제법 운치가 있었다. ㉣멀리서 보아야 아름답다 하여 '멀뫼'라 불리던 산이었다. 젊었을 적 나무하러 숱하게 오르내려서 능선마다 그의 땀방울이 묻어 있기도 한 산이다. 그때가 언제인데, 참 질기게도 오래 산다는 생각이 들었다.

땅에서 뽑혀 나와 잠깐 만에 이파리들이 축 늘어져 버린 잡초를 새삼스레 들여다보다가 강 노인은 시름없이 밭을 둘러보았다.

그러고 보니 어제오늘 고추 모종에 물을 주지 못한 게 생각났다. 아욱이야 그런대로 잘 자랐지만 마누라가 덤덤해하니 억센 겉잎이 밀고 올라오기 시작했다. 꽂아 놓은 개나리 가지에 움터 오던 노란 잎도 가뭄에 시달려 밥티처럼 오그라 붙었다. ㉤햇살은 푸지게 내리쬐고, 아이들은 지물포 옆에 옹기종기 모여서 땅따먹기 놀이를 하고 있었다. 강 노인은 큼큼 헛기침을 해 가며 강남 부동산으로 걸어갔다. 그러다 이내 되돌아서서 집을 향해 바쁜 걸음을 옮긴다. 암만해도 물 한 통쯤은 져 날라서 우선 이것들 목이나 축여 줘야겠다는 생각이었다.

– 양귀자, 「마지막 땅」 –

16 위 글의 서술방식으로 가장 적절한 것은?

① 외양 묘사를 통해 인물의 성격을 암시하고 있다.
② 서술자는 중립적인 위치에서 사건을 서술하고 있다.
③ 배경을 치밀하게 묘사하여 긴장감을 형성하고 있다.
④ 현재형 시제를 통해 사건을 생동감 있게 전달하고 있다.
⑤ 과거와 현재를 빈번하게 교차하여 갈등을 고조시키고 있다.

17 위 글과 〈보기〉를 비교한 내용으로 적절하지 <u>않은</u> 것은?

보기

일년에 한번, 아버지 추도식에 참석하기 위해 고속버스를 타고 전주에 갈 때마다 표지판이 아니면 언뜻 알아볼 수 없을 만큼 달라져 있는 고향의 모습이 내게는 낯설기만 하였다. 이제는 사방팔방으로 도로가 확장되어 여관이나 상가 사이에 홀로 박혀 있는 친정집도 예전의 모습을 거의 다 잃고 있었다. 옛집을 부수고 새로이 양옥으로 개축한 친정집 역시 여관을 지으려는 사람이 진작부터 눈독을 들이고 있는 중이었다. 집 앞을 흐르던 하천이 복개되면서 동네는 급격히 시가지로 편입되기 시작하였다. 그나마 철길이 뜯기면서는 완벽하게 옛 모습이 스러져버렸다.

〈중략〉

일년에 한 번씩 타인의 낯선 얼굴을 확인하러 고향 동네에 가는 일은 쓸쓸함뿐이었다. 이제는 그 쓸쓸함조차도 내 것으로 남지 않게 될 것이었다. 누구라 해도 다시는 고향으로 돌아가지 못할 것이었다. 고향은 지나간 시간 속에 있을 뿐이니까. 누구는 동구밖의 느티나무로, 갯마을의 짠냄새로, 동네를 끼고 흐르는 긴 강으로 고향을 확인하며 산다고 했다. 내게 남은 마지막 표지판은 은자인 셈이었다. 보이는 것들은, 큰오빠까지도 다 변하였지만 상상 속의 은자는 언제나 같은 모습이었다. 은자만 떠올리면 옛 기억들이, 내게 남은 고향의 모든 숨소리가 손에 잡힐 듯이 다가오곤 하였다. 허물어지지 않은 큰오빠의 모습도 그 속에 온전히 남아있었다. 내가 새부천클럽에 가서 은자를 만나버리고나면 그때부터는 어떤 표지판에 기대어 고향을 찾아갈 수 있을 것인지 정말 알 수 없었다. 〈중략〉 수십 년간 가슴에 품어온 고향의 얼굴을 현실 속에서 만나고 싶지는 않다, 라고 나는 생각하였다. 만나버린 뒤에는 내게 위안을 주었던 유년의 소설도, 소설 속의 한 시대도 스러지고야 말리라는 불안감을 떨쳐버릴 수가 없었다. 그렇다 하더라도 이미 현실로 나타난 은자를 외면할 수 있을는지 그것만큼은 풀 수 없는 숙제로 남겨둔 채 토요일밤을 나는 원미동 내 집에서 보내고 말았다.

– 양귀자, 「한계령」 –

① 〈보기〉의 '나'에게 '은자'는 '강 노인'의 마지막 땅과 같은 존재이다.
② 위 글과 〈보기〉는 모두 산업화 사회에 대한 비판적 태도가 드러난다.
③ '강 노인'과 〈보기〉의 '나'는 모두 과거와 현재의 괴리감을 느끼고 있다.
④ 〈보기〉와 달리 위 글에서는 인물 간의 갈등이 첨예하게 드러나고 있다.
⑤ 위 글과 달리 〈보기〉에서는 인물의 내적 갈등을 섬세하게 묘사하고 있다.

18 ㉮와 관련된 한자성어로 가장 적절한 것은?

① 감언이설(甘言利說)
② 대기만성(大器晩成)
③ 명재경각(命在頃刻)
④ 유비무환(有備無患)
⑤ 전전반측(輾轉反側)

19 ㉠~㉤에 대한 설명으로 적절하지 <u>않은</u> 것은?

① ㉠ : '서울 것들'에 대한 인물의 부정적인 심리가 반영된 표현이다.
② ㉡ : 청소차에 시간 맞추기가 번거로워서 생긴 결과물로, 동네 사람들의 부도덕한 모습을 엿볼 수 있다.
③ ㉢ : 마지막 남은 땅을 팔고 삶의 의지를 잃게 되는 원인이 된다.
④ ㉣ : '멀뫼'는 과거를 회상하게 하는 매개체이다.
⑤ ㉤ : 인물이 처한 상황과 배경을 대비하여 인물의 심정을 부각시키고 있다.

[20~26] **다음 글을 읽고 물음에 답하시오.**

(가) "영감님, 유사장이 저 심곡동 쪽으로 땅을 보러 다니나 봅디다. 영감님은 물론이고 우리 동네의 발전을 위해서 그렇게 애를 썼는데……."

박 씨가 ㉠집짓 허탈한 표정을 지으며 말하고 있는데 뒤따라 나온 동업자 고흥댁이 뒷말을 거든다.

"참말로 이 양반이 지난겨울부터 무진 애를 썼구만요. 우리사 셋방이나 얻어 주고 소개료 받는 것으로도 얼마든지 살 수 있지라우. 그람시도 그리 애를 쓴 것이야 다 한동네 사는 정리로다가 그런 것이지요."

강 노인은 ㉡가타부타 말이 없고 이번엔 박 씨가 나섰다.

"아직도 늦은 것은 아니고, 한 번 더 생각해 보세요. 여름마다 똥냄새 풍겨 주는 밭으로 두고 있느니 평당 백만 원 이상으로 팔아넘기기가 그리 쉬운 일입니까. 이제는 참말이지 더 이상 땅값이 오를 수가 없게 돼 있다 이 말씀입니다. 아, 모르십니까. 팔팔 올림픽 전에 북에서 쳐들어올 확률이 높다고 신문 방송에서 떠들어 쌓으니 이삼천짜리 집들도 매기가 뚝 끊겼다 이 말입니다."

"영감님도 욕심 그만 부리고 이만한 가격으로 임자 나섰을 때 후딱 팔아 치우시요. 영감님이 아무리 기다리셔도 인자 더 이상 오르기는 어렵다는디 왜 못 알아들으실까잉. 경국이 할머니도 팔아 치우자고 저 야단인디……."

고흥댁은 이제 강 노인 마누라까지 ㉢쳐들고 나선다. 강 노인은 아무런 대꾸도 없이 일하던 자리로 돌아가 버린다. 그 등에 대고 박 씨가 마지막으로 또 한마디 던졌다.

"아직도 유 사장 마음은 이 땅에 있는 모양이니께 금액이야 영감님 마음에 맞게 잘 조정해 보기로 하고, 일단 결정해 뿌리시요!"

땅값 따위에는 관계없이 땅을 팔지 않겠다는 의사 표현을 누차 했건만 박 씨의 말본새는 언제나 저 모양이다. 서울 것들이란. 박 씨 내외가 복덕방 안으로 들어가 버린 뒤에야 그는 한마디 내뱉는다. 저들 내외가 원래 전라도 사람이라는 것을 모르지는 않으나 강 노인에게 있어 원미동 사람들은 어쨌거나 모두 서울 끄나풀들이었다. 〈중략〉

다음 날 아침, 첫새벽부터 밭에 나갔던 강 노인은 그만 입을 쩍 벌리고 선 채 말을 잃었다. 세상에 이런 법은 없었다. 이제 손가락만 한 고추 모종이 깔려 있는 밭에 여기저기 연탄재들이 나뒹굴고 있지 않은가. 겨울 빈 밭에 내다 버리는 것이야 그럴 수 있다 치더라도 목숨이 붙어 자라고 있는 밭에 연탄재를 내던진 것은 명백히 짐승의 처사였다. 반상회 끝의 독기 어린 동네 사람들이 저지른 것임은 대번에 알 수 있었지만 아무리 그렇다 하여도 이런 짓거리까지 해 댈 줄이야 짐작도 못 했던 강 노인이었다. 수십 덩어리의 연탄재 폭격을 당해 짓뭉개진 모종이 한 고랑만 해도 숱했다. 세상에 막된 인종들……. 강 노인은 주먹코를 씰룩이며 밭으로 달려들어가서 닥치는 대로 연탄재를 길가에 내던졌다. 서울 것들이나 되니 살아 있는 밭에 해코지할 생각을 갖지. 땅을 아는 자라면 저 시퍼런 하늘이 무서워서라도 감히 이따위 행패를 생각이나 하겠는가. 흰 연탄재 가루를 뒤집어쓰고 쓰러져 있는 죄 없는 풀잎을 차마 바로 볼 수 없어서 강 노인은 잔뜩 허둥대고 있었다.

도로 청소원인 김 씨가 아침밥을 먹으러 들어오면서 보니 강 노인은 검정 고무신이 벗겨진 줄도 모르고 손바닥으로 연탄재를 끌어모으느라 정신이 없었다. 밤사이 밭에 무슨 일이 있었는지 눈여겨보지 않아 알 턱이 없었던 김 씨가 인사랍시고 던진 말은 더욱 ㉣가관이었다.

"영감님네 땅을 내놓으셨다면서요? 그런데 뭘 그리 열심히 가꾸십니까. 이내 넘길 거라면서……."

"아니, 누가 그런 소릴 해?"

시뻘건 얼굴을 홱 돌리며 벽력같이 고함을 지르는 통에 김 씨가 움찔 뒤로 물러났다.

"어젯밤 반상회에서 댁의 며느님이 그러셨다는데요? 저도 우리 집 여편네한테 들은 소리라서."

더 들어 볼 것도 없이 강 노인은 곧장 집으로 뛰어갔다. 벗겨진 신발을 짝짝이로 꿰어 차고서. 얼갈이배추와 열무들을 다듬고 있던 마누라가 노인의 허둥대는 기세에 토끼 눈을 뜨고 일어섰다.

"그렇게 말한 게 아니라, 우리 아버님 근력이 쇠하셔서 올해일랑은 더 이상 일을 못 하시니까 파실 모양이더라고 말했다는군요. 경국이 어미도 동네 사람들 닦달에 그냥 해 본 소리겠지요."

"그냥?"

"밭에다 그 지경을 해 댄 걸 보면 오죽했겠수. 뭐, 틀린 말도 아니고 땅 팔아서 아들 살리고 남는 돈은 은행에 넣어 이자나 받으면 우리 식구 신간이사 편치 뭘 그러슈."

밭이 그 지경이라는데도 마누라는 천하태평이다. 강 노인은 어이가 없어 그만 입을 다물어 버린다. 마누라는 이때다 싶은지 또 한차례 ⓜ오금을 박는다. 어제 다녀간 복덕방 박 씨의 의미심장한 충고가 생각나서였다.

"팔육인가 팔팔인가 땜에 도로 주변 미화 사업이 한창이라는데 밭농사를 그냥 두고 보겠수? 팔팔 전에는 어차피 이곳에다가 뭐 은행도 짓고 병원도 짓게끔 계획되어 있다고 그럽디다. 시에다 팔면 금이나 제대로 쳐줍디까? 그 전에 제 가격 받고……."

"시끄러!"

(나) 국철을 타고 앉아 가다가
문득 알아들을 수 없는 말이 들려 살피니
아시안 젊은 남녀가 건너편에 앉아 있었다
늦은 봄날 더운 공휴일 오후
나는 잔무 하러 사무실에 나가는 길이었다
저이들은 무엇하려고
국철을 탔는지 궁금해서 쳐다보면
서로 마주 보며 떠들다가 웃다가 귓속말할 뿐
나를 쳐다보지 않았다
모자 장사가 모자를 팔러 오자
천 원 주고 사서 번갈아 머리에 써 보고
만년필 장사가 만년필을 팔러 오자
천 원 주고 사서 번갈아 손바닥에 써 보는 저이들
문득 나는 천박한 호기심이 발동했다는 생각이 들어서
황급하게 차창 밖으로 고개 돌렸다
국철은 강가를 달리고 너울거리는 수면 위에는
깃털 색깔이 다른 새 여러 마리가 물결을 타고 있었다
나는 아시안 젊은 남녀와 천연하게
동승하기 못하고 있어 낯짝이 부끄러웠다
국철은 회사와 공장이 많은 노선을 남겨 두고 있었다
저이들도 일자리로 돌아가는 중이지 않을까

– 하종오, 「동승」 –

20 (가)와 (나)의 공통점으로 가장 적절한 것은?

① 대상에 대한 인물의 인식을 통해서 인물이 지향하는 가치관이 드러난다.
② 대조를 통해 인물의 정서가 심화되고 깨달음을 얻는 과정이 드러난다.
③ 현학적 표현을 통해 주제를 암시적으로 드러낸다.
④ 대비적인 장면을 병치시켜서 인물의 정서를 효과적으로 그려낸다.
⑤ 감각적인 표현을 통해 인물의 심리를 세밀하게 묘사하고 있다.

21 (가)에 대한 설명으로 가장 적절한 것은?

① 새로운 사건의 발생으로 갈등이 심화된다.
② 인물의 외양묘사를 통해 성격을 직접 제시하고 있다.
③ 시점의 전환을 통해 사건을 입체적으로 보여준다.
④ 세태의 모습을 사실감 있게 드러내어 특정 대상을 풍자한다.
⑤ 인물의 태도 변화 과정을 제시하여 긴장감이 고조된다.

22 (가)의 ㉠~㉤의 사전적 의미로 적절하지 않은 것은?

① ㉠ : 마음은 그렇지 않으나 일부러 그렇게.
② ㉡ : 어떤 일에 대하여 옳다느니 그르다느니 함.
③ ㉢ : 초들고. 핑계를 만들어 명분을 삼다.
④ ㉣ : 꼴이 볼만하다는 뜻으로 남의 언행을 비웃는 뜻으로 이르는 말.
⑤ ㉤ : 다른 사람에게 말이나 행동을 하지 못하게 단단히 이르다.

23 (가) 작품 전체를 고려하여 강노인의 땅에 대한 인식으로 가장 적절하지 않은 것은?

① 삶의 근간이자 인간과 생명을 나누는 공간이다.
② 재미와 보람이자 삶의 긍지를 느끼게 해주는 공간이다.
③ 도시화 과정에서도 자신에게 정서적인 위안을 주는 공간이다.
④ 자신이 평생 애쓰며 가꾸어 왔기 때문에 물질적으로 환산이 불가능한 공간이다.
⑤ 농사를 지어 생계를 이어 나가므로 원형 그대로를 보존해야하는 공간이다.

24 〈보기〉를 참고하여 (가)를 감상한 내용으로 가장 적절한 것은?

보기

소설 속의 모든 인물은 자아이면서 동시에 세계의 일부이다. 자아를 작품 속에서 행동하는 주체라고 하면, 그 주체를 둘러싸고 있는 모든 것은 세계가 된다.

① 자아로서의 '강노인'은 자신 속에 존재하는 또 다른 자아와 갈등하고 있다.
② 자아로서의 '강노인'은 자아의 논리를 지키기 위해 세계와 대립하고 있다.
③ 자아로서의 '박 씨'는 세계의 부당함을 폭로하기 위해 반상회를 개최한다.
④ 자아로서의 '강노인 아내'는 '강노인'과 '자식'의 대립을 중재하고 있다.
⑤ 자아로서 '며느리'는 세계와의 대립을 통해 자신의 결핍을 해소한다.

25 (가)와 〈보기〉를 비교한 설명으로 가장 적절하지 않은 것은?

보기

아버지는 아들의 뒤를 좇아 이내 개울에서 들어왔다. 아들은, 의사인 아들은, 마치 환자에게 치료 방법을 이르듯이, 냉정히 차근차근히 이야기를 시작하였다. 외아들인 자기가 부모님을 진작 모시지 못한 것이 잘못인 것, 한집에 모이려면 자기가 병원을 버리기보다는 부모님이 농토를 버리시고 서울로 오시는 것이 순리인 것, 병원은 나날이 환자가 늘어 가나 입원실이 부족하여 오는 환자의 삼분지 일밖에 수용 못하는 것, 지금 시국에 큰 건물을 새로 짓기란 거의 불가능의 일인 것, 마침 교통 편한 자리에 삼 층 양옥이 하나 난 것, 〈중략〉 돈만 있으면 땅은 이담에라도, 서울 가까이라도 얼마든지 좋은 것으로 살 수 있는 것…….

아버지는 아들의 의견을 끝까지 잠잠히 들었다. 그리고, // "점심이나 먹어라. 나두 좀 생각해 봐야 대답허겠다." // 하고는 다시 개울로 나갔고, 떨어졌던 다릿돌을 올려놓고야 들어와 그도 점심상을 받았다. // 점심을 자시면서였다. "원, 요즘 사람들은 힘두 줄었나봐! 그 다리 첨 놀 제 내가 어려서 봤는데 불과 여남은이서 거들던 돌인데 장정 수십 명이 한나잘을 씨름을 허다니!"

"나무다리가 있는데 건 왜 고치시나요?"

"너두 그런 소릴 허는구나. 나무가 돌만 허다든? 넌 그 다리서 고기 잡던 생각두 안 나니? 서울루 공부 갈 때 그 다리 건너서 떠나던 생각 안 나니? 시쳇사람들은 모두 인정이란 게 사람헌테만 쓰는 건 줄 알드라! 내 할아버님 산소에 상돌을 그 다리로 건네다 모셨구, 내가 천잘 끼구 그 다리루 글 읽으러 댕겼다. 네 어미두 그 다리루 가말 타구 내 집에 왔어. 나 죽건 그 다리루 건네다 묻어라……. 난 서울 갈 생각 없다."

"네?" // "천금이 쏟아진대두 난 땅은 못 팔겠다. 내 아버님께서 손수 이룩허시는 걸 내 눈으루 본 밭이구, 내 할아버님께서 손수 피땀을 흘려 모신 돈으루 장만허신 논들이야. 돈 있다고 어디가 느르지논 같은 게 있구, 독시장밭 같은 걸 사? 느르지논둑에 선 느티나문 할아버님께서 심으신 거구, 저 사랑 마당의 은행나무는 아버님께서 심으신 거다. 그 나무 밑에를 설 때마다 난 그 어룬들 동상(銅像)이나 다름없이 경건한 마음이 솟아 우러러보군 헌다. 땅이란 걸 어떻게 일시 이해를 따져 사구팔구 허느냐? 땅 없어 봐라, 집이 어딨으며 나라가 어딨는 줄 아니? 땅이란 천지만물의 근거야."

– 이태준, 「돌다리」 –

① (가)의 '박씨 부부'와 〈보기〉의 '아들'은 땅의 본래적 가치보다 금전적 가치를 중시한다.
② (가)와 〈보기〉의 등장인물들의 모습을 통해 물질만능주의 사회에 대한 비판이 드러난다.
③ (가)의 '연탄재'와 〈보기〉의 '나무다리'는 땅이 생명을 나누는 공간임을 보여주는 상징적인 소재이다.
④ (가)의 '강노인 아내'는 현실적인 가치를 추구하고, 〈보기〉의 '아들'은 실용적 가치를 추구한다.
⑤ (가)의 '박 씨 부부'와 〈보기〉의 '아들'은 '강노인'과 '아버지'가 땅을 팔게 하기 위해 회유하고 있다.

26 (나)에 대한 감상으로 적절하지 않은 것은?

① '늦은 봄날 더운 공휴일 오후'에서 계절적 배경과 시간적 배경이 드러나는군.
② '나'가 '저이들'을 대하는 태도는 다른 사람을 의식하지 않는 '저이들'의 모습과 대비되는군.
③ '나'가 황급히 '고개를 돌린' 것은 차별적 시선을 거두려는 행위로 스스로 부끄러움을 느꼈기 때문이야.
④ '깃털 색깔이 다른 새'는 다양한 인종이 더불어 살아가야하는 상황을 상징적으로 드러내고 있어.
⑤ '저이들도'에서는 보조사 '도'를 사용하여 '나'와 '저이들'의 처지가 이질적임을 드러내고 있다.

[27~29] 다음 글을 읽고 물음에 답하시오.

(가) 근 열흘간이나 바람이 억세게 불어댔다. 지독한 꽃샘바람 때문에 동네 길목마다 비닐봉지며 과자껍질들이 어수선하게 흩어져 있어서 오가는 행인들의 눈살을 찌푸리게 만들었다. 때때로 청소부들이 쓰레기를 주워 모아 공터에서 불을 사르기도 했다. 그럴 때마다 불어오는 바람에 실려 검은 연기가 이리저리 휩쓸려 올라가고 미농지보다 얇은 그을음들이 나방 떼처럼 떠돌아다녔다.

(나) 청소부가 불만 피워 놓고 떠나 버림녀 그다음은 아이들 차지였다. 지물포 집 큰아이인 상수, 쓰레기차를 끄는 김씨의 막내딸 경옥이, 말썽꾸러기 진만이 들이 우르르 몰려나와 불더미 속에 돌을 던지기도 하고 말라붙은 풀 더미에 불씨를 옮겨 붙이기도 한다. 원미동 아이들은 집 안에서 틀어박혀 지내는 법은 애당초 배운 적이 없다. 아침 눈뜨면서부터 집앞으로 뛰쳐나와 어두워질 때까지 거리에서 놀았다. 하루 온종일 아이들의 떠드는 소리, 울음소리가 거리에 가득한데 그런 꼬마들이 불장난의 짜릿한 재미를 앞에 두고 온전할 리 없다. 아이들의 얼굴은 금세 검댕투성이가 되고 때로 손을 덴 아이가 자지러지게 울어 젖힐 무렵이면 으레 원미 지물포 주 씨가 등장했다. 원래는 부산에서 미장이 기술로 벌어먹었으나 어찌어찌 부천시 원미동까지 오게 된 주 씨네 지물포가 바로 공터 옆의 첫 집이었다. 맞바람에 불씨라도 옮겨붙으면 제대로 남아 있지 않을 물건들을 보존하기 위해 그가 우락부락한 몸짓으로 뛰어나와 호통을 치면, 아이들은 꽁무니를 빼고 달아나 버린다. 행복 사진관의 셋째 딸인 세 살배기 미야 같은 꼬마는 도망치다 신발이 벗겨져 넘어지는 통에 숨넘어가는 울음을 토해 내기도 한다. 사진관 엄 씨는 딸만 세을 두어서 자칭 행복한 사나이라고 말하는 사람이었다. 첫째는 엄지, 둘째는 엄선, 셋째는 엄미라는 이름을 붙인 것도 행복한 사나이의 발상이었다.

(다) 지물포 주 씨가 구둣발로 대충대충 불더미를 다독거려 놓고 들어가 버리면 마지막으로 등장하는 사람이 하나 있다. 그가 바로 강만성(姜萬成) 노인이다. 원미동 23통 일대에서는 강 노인을 모르는 이가 없었다. 아니 강 노인이라고 부르기보다는 지주(地主)라고 칭해야 더 잘 알았고, 그 지주네 밭에서 일어나는 여름과 겨울의 난리판을 속속들이 겪지 않고서는 이 동네 사람이라고 말할 수 없는 형편이었다. 일미터 팔십을 넘는 큰 키에 거대한 몸집을 가진 강 노인은 언제 보아도 막일꾼 차림새였다. 유난히 큰 코는 얼굴의 절반 이사을 차지하는 듯 싶고, 검붉은 얼굴과 어울리게끔 주먹코 또한 빨갛기가 딸기코 버금가는 빛깔이었다. 씩씩한 걸음걸이하며 노상 걷어붙인 채인 팔뚝의 꿈틀거리는 힘줄 따위를 보노라면 노인의 나이가 이제 칠순을 코앞에 둔 것이라고 어림잡기는 좀체 어려웠다. 목소리도 우렁차서, 그가 밭에서 일하다말고 "용문아!" 하고 소리쳐 부르면 도로를 하나 건너서 백 미터쯤 떨어져 있는, 게다가 딱 뒤로 돌아앉은 그의 이층집에 있던 막내아들 용문이가 금세 튀어나오곤 했다.

(라) 강남 부동산 박 씨의 동업자이자 마누라이기도 한 고흥댁 말에 의하면 그가 막내아들 용문이를 어찌나 깐깐하게 다루는지 이날 이때껏 아드랗고 다정히 말을 주고받는 것을 본 적이 없노라고 했다. 고흥댁이 '이날 이때껏'이라고 말하면 그것은 곧 원미동 23통 일대의 역사를 통틀어 말하는 게 되는 셈이다. 강 노인 말고는 가장 오래 이 동네에 터를 잡고 있는 가게가 강남 부동산이었으니까. 헐값의 원미동 땅들이 요 근래 들어 황금값이 되기까지 박 씨와 고흥댁의 활약상은 눈부실 정도였다. 그의 말을 그대로 믿는다면, 한때는 서울 개포동 이쪽의 강남땅을 떡 주무르듯 했던 큰손이었다가 밝힐 수 없는 모종의 사건으로 한재산 다 날리고 달랑 맨손으로 부천에 내려와 별 볼 일 없는 거간꾼이 돼 버렸다는 박 씨였다. 별 볼 일 없다고는 하지만 박 씨가 원미동에서 한재산 단단히 붙잡았다는 사실에 대해 이의를 제기할 사람은 아무도 없었다.

(마) 청소부가 쓰레기를 모아 태운 공터도 강남 부동산에서 계약서 쓰고 강 노인이 팔아넘긴 땅이었다. 그때 들어선 이층 상가가 벌써 네 채나 되지만 도로 편의 공터는 아직 새 임자가 땅을 묵혀 두고 있는 판이었다. 몇 달 안으로 새 건물이 들어설 자리이기는 했다. 이것을 빼고도 소방 도로 왼쪽에는 팔아 버리지 않은 땅이 백 평 남짓한 덩어리로 셋이나 되었다. 그중 하나는 건재상에게 빌려주어 시멘트나 모래 따위가 그득 들어차 있고, 나머지 땅은 강 노인이 해마다 아들과 함

께 밭을 일구어서 채소들을 가꾸었다. 큰돈이야 못 되어도 그럭저럭 가용은 쓸 만큼 되는 알뜰한 밭이었다.

(바) 강 노인이 이제 재밖에는 안 남은 쓰레기 태운 자리를 찾아오는 것도 바로 그 밭 때문이었다. 밭에 거름이 될 만하다 싶으면 그는 어떤 것이라도 낡고 더러운 망태기에 쓸어 담는 사람이었다. 결혼해서 따로 사는 아들이 둘이나 되지만 어느 놈 하나 생활비 보태 줄 자식은 없어서, 거재상과 이 층에 세 사는 이가 다달이 내미는 월세만 가지고 사는 형편이니만큼 강 노인 땅이 시가 몇 억짜리 덩치라 한들 그 땅에 고추 농사나 지어서 수지가 안 맞는 지주였다. 문제는 그 비싼 땅에다가 강 노인은 한사코 푸성귀 따위나 가꾸겠다고 고집을 부리는 데 있었다. 지난 몇 년간 여러 차례 임자가 나섰건만 이제는 절대 땅을 팔지 않겠다는 강 노인 고집에 막혀, 시청으로 통하는 2차선 도로의 양편으로는 여전히 밭농사가 계속되는 중이었다. 올해도 봄은 왔고 그래서 강 노인은 어김없이 허름한 옷차림으로 맨발 위에 신은 검정 고무신을 끌고 자신의 밭에 모습을 나타내었다.

27 **(가)~(바)에서 알 수 있는 정보로 적절하지 않은 것은?**

① (가) : 이 소설의 시간적 배경은 1980년 이른 봄이다.
② (나) : 이 소설의 공간적 배경은 부천시 원미동이다.
③ (다) : 강 노인은 키가 크고 목소리도 우렁차다.
④ (마) : 강 노인은 자기 땅을 일부 팔기도 했다.
⑤ (바) : 강 노인은 올해도 계속해서 농사를 지으려는 듯하다.

28 **이 글에 등장하는 인물에 대한 설명으로 옳은 것은?**

① 용문이 : 강 노인의 아들로 서울에 살고 있음.
② 주 씨 : 종이 장사를 하고 있으며, 부산에서 살다 왔음.
③ 엄 씨 : 사진관을 운영하고 있으며, 시집 간 세 딸이 있음.
④ 고흥댁 : 강만성의 부인이며, 박 씨와 부동산업을 같이 하고 있음.
⑤ 박 씨 : 복덕방을 운영하고 있으며, 부천에서 부동산 사업하다 재산을 다 날림.

29 **이 글의 서술상의 특징으로 가장 적절한 것은?**

① 특정 인물의 회상을 통해 이야기를 전개하고 있다.
② 주인공의 시점에서 내면 심리를 자세하게 서술하고 있다.
③ 빈번한 장면 전환을 통해 극적 긴장감을 고조시키고 있다.
④ 작품 밖 서술자의 시점에서 여러 인물과 사건을 서술하고 있다.
⑤ 특정 인물의 시점에서 다른 인물들의 행동을 관찰하여 서술하고 있다.

[30~32] 다음 글을 읽고 물음에 답하시오.

(가) 겨우내 굳어 있던 땅은 괭이 날 들어가기가 썩 힘이 들었고 게다가 돌덩이처럼 틀어박힌 ㉠연탄재 부스러기들을 일일이 골라내다 보면 한 두둑을 갈아엎는 데도 꽤 오랜 시간이 걸렸다. 용문이가 지난달 내내 연탄재들을 거두어 내고 겨우 맨땅을 내놓았다고 한 꼴이 요 모양이었다. 서울것들이란. 강 노인은 끙끙거리다 토막 난 욕설을 내뱉어 놓았다.

(나) "영감님, 유사장이 저 심곡동 쪽으로 땅을 보러 다니나 봅디다. 영감님은 물론이고 우리 동네의 발전을 위해서 그렇게 애를 썼는데……."

박 씨가 짐짓 허탈한 표정을 지으며 말하고 있는데 뒤따라 나온 동업자 고흥댁이 뒷말을 거든다.

"참말로 이 양반이 지난겨울부터 무진 애를 썼구만요. 우리사 셋방이나 얻어 주고 소개료 받는 것으로도 얼마든지 살 수 있지라우. 그람시도 그리 애를 쓴 것이야 다 한동네 사는 정리로다가 그런 것이지요."

강 노인은 가타부타 말이 없고 이번엔 박 씨가 나섰다.

"아직도 늦은 것은 아니고, 한 번 더 생각해 보세요. 여름마다 똥냄새 풍겨 주는 밭으로 두고 있느니 평당 백만 원 이상으로 팔아넘기기가 그리 쉬운 일입니까. 이제는 참말이지 더 이상 땅값이 오를 수가 없게 돼 있다 이 말씀입니다. 아, 모르십니까. 팔팔 올림픽 전에 북에서 쳐들어올 확률이 높다고 신문 방송에서 떠들어 쌓으니 이삼천짜리 집들도 매기가 뚝 끊겼다 이 말입니다."

"영감님도 욕심 그만 부리고 이만한 가격으로 임자 나섰을 때 후딱 팔아 치우시요. 영감님이 아무리 기다리셔도 인자 더 이상 오르기는 어렵다는디 왜 못 알아들으실까잉. 경국이 할머니도 팔아 치우자고 저 야단인디……."

(다) "아직도 유사장 마음은 이 땅에 있는 모양이니께 금액이야 영감님 마음에 맞게 잘 조정해 보기로 하고, 일단 결정해 뿌리시요!"

땅값 따위에는 관계없이 땅을 팔지 않겠다는 의사 표현을 누차 했건만 박 씨의 말본새는 언제나 저 모양이다. ㉡서울것들이란. 박 씨 내외가 복덕방 안으로 들어가 버린 뒤에야 그는 한마디 내뱉는다. 저들 내외가 원래 전라도 사람이라는 것을 모르지는 않으나 강 노인에게 있어 원미동 사람들은 어쨌거나 모두 서울 끄나풀들이었다.

(라) 거기에다 매년 겨울이면 밭은 쓰레기장으로 변해 버리고 말았다. 겨울 동안 용문이 녀석을 시켜 밭을 지키고 때로는 직접 나서서 밤사이 몰래 연탄재를 내다 버리는 동네 사람을 지키고는 했지만 허사였다. 올봄에도 역시 트럭 한 대분 이상의 연탄재를 생돈 들여서 치워야 하는 손해를 입었다. 이 층 상가 주택이 아니면 단독 연립이니 하는 다세대 주택들이 즐비한 이 동네는 한 집에 적어도 네 가구 이상은 오밀조밀 모여 사는 게 보통이었다. 청소차가 하루는 쓰레기, 다음 날은 연탄재 하는 식으로 꼬박꼬박 다니고는 있지만 그게 말그대로 시도때도 없이 등장하는 바람에 연탄재쯤은 아무래도 손쉬운 쪽으로 처치하는 이들이 많았다. 그것도 그것이지만 여름내 ㉢더러운 인분 냄새 풍겨 주는 밭 꼬라지가 밉다고 부러 이곳에다 연탄재를 내던지는 동네 사람들의 속셈쯤은 강 노인도 짐작하고 있었다.

(마) 집주인들이 더 극성을 부리는 데에도 까닭은 있었다. 강 노인네 땅덩이들이 팔려서 거기에 번듯한 건물들이 들어서야 이 거리가 완벽하게 채워지기 때문이었다. 게다가 그 땅들이 모두 도로변에 있고 보면, 아니 도로변의 땅에데가 인분 뿌리며 푸성귀나 갈아먹는대서야 동네 모양새가 영 말이 아닌 것이다. 동네 신수가 훤해야 집값도 오를 터인데 모름지기 강 노인 밭이 저러고 있어서야 제값대로 보지 않는다는 불만들이 클 것임은 자명했다.

(바) "서너 번 날라라."

"용민이 지금 서울 가는 길이요. 내가 져 나르리다."

뒤뜰에 파 놓은 펌프 쪽으로 걸어가다 뒤돌아보니 마누라가 아랫입술을 뚱 내밀고 안색이 좋지 않았다.

"서울? 뭣하러?"

"제 형이 보낸답디다. 처가 돈이라도 꾸어 오라고. 직공들 월급도 몇 달때 거르고 있대요. 아, 그러기에 좀 도와주시구랴. 남도 아니고 당신 아들 둘이 벌여 놓은 일인데 넘 보듯 하지 말고……."

그는 두 번 다시 마누라 쪽을 보지 않고 뒤꼍으로 가서 펌프 물을 뽑아 올린다. ㉣밑 빠진 독에 물 붓기도 아니고 참말로 기가 막힐 노릇이었따. 쓸 줄만 알지 벌어들일 줄은 모르는 녀석들이 간덩이만 부어서 일만 크게 벌여 놓고 뒷감당은 모두 아비에게 떠넘기는 짓들이 오늘까지 계속이었다. 남들 다 하는 월급쟁이는 마다하고 떼돈 벌 궁리에 떼돈만 날리는 녀석들이다. 누구 돈이든 쏟아붓고 보자는 저 섣부른 행동이 결국은 그의 땅떵이로 막아져야 할 것임은 불을 보듯 뻔한 노릇이었다.

그날 저녁의 반상회에는 강 노인도 그의 아내도 참석하지 않았다.

"그놈의 ㉤똥 타령을 왜 내가 뒤집어쓴답니까?"

한번 들여다보라는 그의 언질에 마누라는 금세 통박이다.

30 이 작품 속에서 ㉠~㉤의 지니는 의미에 대한 설명으로 가장 적절한 것은?

① ㉠ : 남을 위해 자신을 희생한 숭고한 존재
② ㉡ : 서울에서 돈 많이 벌어 떵떵거리며 사는 사람들
③ ㉢ : 돈 밖에 모르는 마을 사람들의 이기심
④ ㉣ : 아무리 설득해도 소용없는 강 노인의 고집
⑤ ㉤ : 인분으로 농사짓는 것에 대한 마을 사람들의 항의

31 각 인물에 대한 분석으로 적절하지 못한 것은?

① 강 노인 : 땅의 전통적 가치를 추구하고 있다.
② 강 노인 아내 : 땅을 팔아서 그 돈으로 아들들을 돕고 싶어 한다.
③ 박 씨 : 강 노인의 땅을 헐값에 사서 다른 사람에게 비싸게 팔려고 하고 있다.
④ 강 노인 아들들 : 착실히 돈을 벌기보다 큰돈을 벌기 위해 무작정 일을 벌이곤 한다.
⑤ 마을 사람들 : 여름 동안 똥 냄새에 시달려서 강 노인이 농사짓는 것을 반대하고 있다.

32 (나)에 대한 설명으로 적절한 것은?

① 서술자가 사건에 개입하여 사건을 중재하고 있다.
② 요약적 서술을 통해 사건의 인과 관계를 밝히고 있다.
③ 인물의 성격 변화 과정을 제시하여 긴장감을 고조하고 있다.
④ 새로운 인물을 등장시켜 인물 간의 대립 구도를 드러내고 있다.
⑤ 인물 간의 대화를 보여 주어 상황을 현장감 있게 제시하고 있다.

[33~36] **다음 글을 읽고 물음에 답하시오.**

(가) 다음날 아침, 첫새벽부터 밭에 나갔던 강 노인은 그만 입을 쩍 벌리고 선 채 말을 잃었다. 세상에 이런 법은 없었다. 이제 손가락만 한 고추 모종이 깔려 있는 밭에 여기저기 ⓐ연탄재들이 나뒹굴고 있지 않은가. 겨울 빈 밭에 내다 버리는 것이야 그럴 수 있다 치더라도 목숨이 붙어 자라고 있는 밭에 연탄재를 내던진 것은 명백히 짐승의 처사였다. 반상회 끝의 독기 어린 동네 사람들이 저지른 것임은 대번에 알 수 있었지만 아무리 그렇다 하여도 이런 짓거리까지 해 댈 줄이야 짐작도 못 했던 강 노인이었다. 수십 덩어리의 연탄재 폭격을 당해 짓뭉개진 모종이 한 고랑만 해도 숱했다. 세상에 막된 인종들…….

(나) "어젯밤 반상회에서 댁의 며느님이 그러셨다는데요? 저도 우리집 여편네한테 들은 소리라서."

더 들어 볼 것도 없이 강 노인은 곧장 집으로 뛰어갔다. ㉠벗겨진 신발을 짝짝이로 꿰어 차고서. 얼갈이배추와 열무들을 다듬고 있던 마누라가 노인의 허둥대는 기세에 토끼눈을 뜨고 일어섰다.

"그렇게 말한 게 아니라, 우리 아버님 근력이 쇠하셔서 올해일랑은 더 이상 일을 못 하시니까 파실 모양이더라고 말했다는군요. 경국이 어미도 동네 사람들 닦달에 그냥 해본 소리겠지요."

"그냥?"

"㉡밭에다 그 지경을 해 댄 걸 보면 ㉢오죽했겠수. 뭐, 틀린 말도 아니고 땅 팔아서 아들 살리고 남는 돈은 은행에 넣어 이자나 받으면 우리 식구 신간이사 편치 뭘 그러슈."

밭이 그 지경이라는데도 마누라는 천하태평이다. 강 노인은 어이가 없어 그만 입을 다물어 버린다. 마누라는 이때다 싶은지 또 한차례 오금을 박는다. 어제 다녀간 복덕방 박 씨의 의미심장한 충고가 생각나서였다.

"ⓑ팔육인가 팔팔인가 땜에 ⓒ도로 주변 미화 사업이 한창이라는데 밭농사를 그냥 두고 보겠수? 팔팔 전에는 어차피 이곳에다가 뭐 은행도 짓고 병원도 짓게끔 계획되어 있다고 그럽디다. 시에다 팔면 금이나 제대로 쳐줍디까? 그 전에 제 가격 받고……."

(다) 그게 어떤 돈인가 말이다. 서울에서의 셋방살이가 하도 지긋지긋해서 ⓓ연립 주택 한 채를 마련, 이곳에 이사 온 지 반년도 채 되지 않은 그녀였다. 곗돈 타고, 여름에 보너스 나오면 이자 나가는 빚 백만 원을 갚을 요량이었는데 그 몇 달 사이의 이자 몇 푼을 욕심내다가 생돈 떼이게 생겼으니 생각만 해도 속이 터질 지경이었다.

땅을 팔았다는 소문이 번지면서 큰아들 용규에게 빚을 준 동네 사람들이 강 노인에게 몰려왔다. 은혜 엄마까지 꼭 여덟 명이었다. 그중에는 목동에서 살다 철거 보상금 받아 쥐고 이곳까지 흘러온 김영진이라는 ⓔ날품팔이 사내도 끼여 있었다. 철거 보상금을 삼 부 이자로 놓아 주겠다는 고흥댁의 말만 믿고 돈을 건네준 사람이었다. 그들은 한결같이 강 노인 땅을 믿고 빌려준 돈이니까 책임을 져야 한다고 우겨 대면서 땅을 판 적이 없다는 그의 말을 도무지 믿으려 하지 않았다.

(라) 빚쟁이들이 몰려오는 줄 번연히 알면서도 들여다보지 않고 모르는 척하고 있는 용규 내외를 생각하면 괘씸하기가 짝이 없었지만 Ⓐ이제 강 노인이 거두어야 할 일만 남은 셈이다.

다음 날 아침, 강 노인은 느지막이 집을 나섰다. 마누라한테는 아무런 내색도 하지 않았다. 그러나 발길은 여전히 밭을 향했다.

(마) 그러고 보니 어제오늘 고추 모종에 물을 주지 못한 게 생각났다. 아욱이야 그런대로 잘 자랐지만 마누라가 덤덤해하니 억센 겉잎이 밀고 올라오기 시작했다. 꽂아 놓은 개나리 가지에 움터 오던 노란 잎도 가뭄에 시달려 밥티처럼 오그라 붙었다. ㉣햇살은 푸지게 내리쬐고, 아이들은 지물포 옆에 옹기종기 모여서 땅따먹기 놀이를 하고 있었다. 강 노인은 큼큼 헛기침을 해 가며 강남 부동산으로 걸어갔다. 그러다 이내 되돌아서서 집을 향해 바쁜 거름을 옮긴다. ㉤암만해도 물 한 통 쯤은 져 날라서 우선 이것들 목이나 축여 줘야겠다는 생각이었다.

33 ⓐ~ⓔ에서 이 작품의 시대적 배경이 드러나는 소재로 볼 수 있는 것만을 있는 대로 고른 것은?

① ⓐ, ⓑ, ⓒ　② ⓐ, ⓑ, ⓓ　③ ⓐ, ⓓ, ⓔ　④ ⓑ, ⓒ, ⓓ　⑤ ⓑ, ⓒ, ⓔ

34 ㉠~㉤에 대한 해석으로 적절하지 <u>않은</u> 것은?

① ㉠ : 강 노인의 다급한 마음을 나타낸다.
② ㉡ : 고추 모종을 심은 밭에 연탄재를 내다버린 것을 말한다.
③ ㉢ : 반상회에서 심하게 닦달을 받았다는 뜻이다.
④ ㉣ : 강 노인의 현재 심경을 그대로 반영하고 있다.
⑤ ㉤ : 강 노인의 생명에 대한 사랑을 엿볼 수 있다.

35 이 소설이 이야기하고자 하는 바를 가장 잘 설명한 것은?

① 식량 자급을 위한 농업의 중요성을 주장하고 있다.
② 부동산 투기로 인한 집값 상승 문제를 제기하고 있다.
③ 생명의 공간으로서의 땅의 소중한 가치를 강조하고 있다.
④ 사회적 약자에 대한 배려와 사회적 연대를 촉구하고 있다.
⑤ 소외된 노인에 대한 관심과 사랑이 필요함을 역설하고 있다.

36 (라)의 Ⓐ가 의미하는 내용을 서술하시오. ('~의미이다.' 형식으로 쓸 것.)

서술형 심화문제

[01~03] 다음 글을 읽고 물음에 답하시오.

(가) 자그마한 체구에 검은 테 안경을 쓰고, 머리는 기름 발라 착 달라붙게 빗어넘긴 박 씨의 면상을 보는 일이 강 노인으로서는 괴롭기 짝이 없었다. 얼굴만 마주쳤다 하면 땅을 팔아보지 않겠느냐고 은근히 회유를 거듭하더니 지난 겨울부터는 임자가 나섰다고 숫제 집까지 찾아와서 온갖 감언이설을 다 늘어놓는 박 씨였다. 그것도 강 노인의 나머지 땅을 한꺼번에 사들여서 길 이쪽저쪽으로 쌍둥이 빌딩을 지어 부천의 명물로 만들 것이고, 거기에 초호화판 위락시설이 들어서서 동네가 삽시간에 환해질 것이라고 했다. 일층에는 상가, 이층은 사우나, 삼층은 헬스클럽, 사오층은 사무실로 임대하는 식의 건물 용도부터가 강노인 마음에는 들지 않았지만 어차피 팔지 않을 땅이므로 어느 작자가 어떤 김칫국을 마시든 크게 나무랄 일은 못 되었다.

"영감님, 유사장이 저 심곡동 쪽으로 땅을 보러 다니나 봅디다. 영감님은 물론이고 우리 동네의 발전을 위해서 그렇게 애를 썼는데……."

박 씨가 짐짓 허탈한 표정을 지으며 말하고 있는데 뒤따라 나온 동업자 고흥댁이 뒷말을 거든다.

"참말로 이 양반이 지난겨울부터 무진 애를 썼구만요. 우리사 셋방이나 얻어 주고 소개료 받는 것으로도 얼마든지 살 수 있지라우. 그람시도 그리 애를 쓴 것이야 다 한동네 사는 정리로다가 그런 것이지요."

강 노인은 가타부타 말이 없고 이번엔 박 씨가 나섰다.

"아직도 늦은 것은 아니고, 한 번 더 생각해 보세요. 여름마다 똥냄새 풍겨 주는 밭으로 두고 있느니 평당 백만 원 이상으로 팔아넘기기가 그리 쉬운 일입니까. 이제는 참말이지 더 이상 땅값이 오를 수가 없게 돼 있다 이 말씀입니다. 아, 모르십니까. 팔팔 올림픽 전에 북에서 쳐들어올 확률이 높다고 신문 방송에서 떠들어 쌓으니 이삼천짜리 집들도 매기가 뚝 끊겼다 이 말입니다."

"영감님도 욕심 그만 부리고 이만한 가격으로 임자 나섰을 때 후딱 팔아 치우시요. 영감님이 아무리 기다리셔도 인자 더 이상 오르기는 어렵다는디 왜 못 알아들으실까잉. 경국이 할머니도 팔아 치우자고 저 야단인디……."

고흥댁은 이제 강노인 마누라까지 쳐들고 나선다. 강 노인은 아무런 대꾸도 없이 일하던 자리로 돌아가 버린다. 그 등에 대고 박 씨가 마지막으로 또 한마디 던졌다.

"아직도 유 사장 마음은 이 땅에 있는 모양이니께 금액이야 영감님 마음에 맞게 잘 조정해 보기로 하고, 일단 결정해 뿌리시요!"

땅값 따위에는 관계없이 땅을 팔지 않겠다는 의사 표현을 누차 했건만 박 씨의 말본새는 언제나 저 모양이다. 서울 것들이란. 박 씨 내외가 복덕방 안으로 들어가 버린 뒤에야 그는 한마디 내뱉는다. 저들 내외가 원래 전라도 사람이라는 것을 모르지는 않으나 강 노인에게 있어 원미동 사람들은 어쨌거나 모두 서울 끄나풀들이었다.

(나) 다음 날 아침, 첫새벽부터 밭에 나갔던 강 노인은 그만 입을 쩍 벌리고 선 채 말을 잃었다. 세상에 이런 법은 없었다. 이제 손가락만 한 고추 모종이 깔려 있는 밭에 여기저기 연탄재들이 나뒹굴고 있지 않은가. 겨울 빈 밭에 내다 버리는 것이야 그럴 수 있다 치더라도 목숨이 붙어 자라고 있는 밭에 연탄재를 내던진 것은 명백히 짐승의 처사였다. 반상회 끝의 독기 어린 동네 사람들이 저지른 것임은 대번에 알 수 있었지만 아무리 그렇다 하여도 이런 짓거리까지 해 댈 줄이야 짐작도 못 했던 강 노인이었다. 수십 덩어리의 연탄재 폭격을 당해 짓뭉개진 모종이 한 고랑만 해도 숱했다. 세상에 막된 인종들……. 강 노인은 주먹코를 씰룩이며 밭으로 달려 들어가서 닥치는 대로 연탄재를 길가에 내던졌다. 서울 것들이나 되니 살아 있는 밭에 해코지할 생각을 갖지. 땅을 아는 자라면 저 시퍼런 하늘이 무서워서라도 감히 이따위 행패를 생각이나 하겠는가. 흰 연탄재 가루를 뒤집어쓰고 쓰러져 있는 죄 없는 풀잎을 차마 바로 볼 수 없어서 강 노인은 잔뜩 허둥대고 있었다.

01 (가)~(나)를 읽고, 윗글의 시대적 배경을 다음 〈조건〉에 맞게 서술하시오.

조건
- 시대적 배경을 알 수 있는 소재 두 개를 찾아 쓸 것.
- 40자 내외의 완결된 문장으로 쓸 것.

02 '땅'의 가치를 중심으로 강 노인과 박 씨의 사회적 가치관을 〈조건〉에 맞게 서술하시오.

조건
- 본문에서 근거를 찾아서 쓸 것.
- 강 노인과 박 씨의 가치관이 대비되게 쓸 것.
- '강 노인은 ~것으로 보아 땅을 ~(으)로 생각함을 알 수 있고, 박 씨는 ~것으로 보아 땅을 ~(으)로 생각함을 알 수 있다.'의 형식으로 쓸 것.

03 다음 글의 주인공인 '강 노인'이 작품의 결말 이후에 취할 수 있는 행동을 추리해서 서술하시오.

그러고 보니 어제오늘 고추 모종에 물을 주지 못한 게 생각났다. 아욱이야 그런대로 잘 자랐지만 마누라가 덤덤해하니 억센 겉잎이 밀고 올라오기 시작했다. 꽂아 놓은 개나리 가지에 움터 오던 노란 잎도 가뭄에 시달려 밥티처럼 오그라 붙었다. 햇살은 푸지게 내리쬐고, 아이들은 지물포 옆에 옹기종기 모여서 땅따먹기 놀이를 하고 있었다. 강 노인은 큼큼 헛기침을 해 가며 강남 부동산으로 걸어갔다. 그러다 이내 되돌아서서 집을 향해 바쁜 걸음을 옮긴다. 암만해도 물 한 통 쯤은 져 날라서 우선 이것들 목이나 축여 줘야겠다는 생각이었다.

– 양귀자, 「마지막 땅」 –

조건
- 근거+주장의 구조로 서술할 것
- '–다.' 형태의 완결된 문장으로 서술할 것.

[04~06] 다음 글을 읽고 물음에 답하시오.

지물포 주 씨가 구둣발로 대충대충 불더미를 다독거려 놓고 들어가 버리면 마지막으로 등장하는 사람이 하나 있다. 그가 바로 ⓐ강만성(姜萬成) 노인이다. 원미동 23통 일대에서는 강 노인을 모르는 이가 없었다. 아니 강 노인이라고 부르기보다는 지주(地主)라고 칭해야 더 잘 알았고, 그 지주네 밭에서 일어나는 여름과 겨울의 난리판을 속속들이 겪지 않고서는 이 동네 사람이라고 말할 수 없는 형편이었다. 일미터 팔십을 넘는 큰 키에 거대한 몸집을 가진 강 노인은 언제 보아도 막일꾼 차림새였다. 유난히 큰 코는 얼굴의 절반 이사을 차지하는 듯 싶고, 검붉은 얼굴과 어울리게끔 주먹코 또한 빨갛기가 딸기코 버금가는 빛깔이었다. 씩씩한 걸음걸이하며 노상 걷어붙인 채인 팔뚝의 꿈틀거리는 힘줄 따위를 보노라면 노인의 나이가 이제 칠순을 코앞에 둔 것이라고 어림잡기는 좀체 어려웠다. 목소리도 우렁차서, 그가 밭에서 일하다 말고 "용문아!" 하고 소리쳐 부르면 도로를 하나 건너서 백 미터쯤 떨어져 있는, 게다가 딱 뒤로 돌아앉은 그의 이층집에 있던 막내아들 용문이가 금세 튀어나오곤 했다. 〈중략〉

"영감님, 유사장이 저 심곡동 쪽으로 땅을 보러 다니나 봅디다. 영감님은 물론이고 우리 동네의 발전을 위해서 그렇게 애를 썼는데……." / 박 씨가 짐짓 허탈한 표정을 지으며 말하고 있는데 뒤따라 나온 동업자 고흥댁이 뒷말을 거든다.

"참말로 이 양반이 지난겨울부터 무진 애를 썼구만요. 우리사 셋방이나 얻어 주고 소개료 받는 것으로도 얼마든지 살 수 있지라우. 그람시도 그리 애를 쓴 것이야 다 한동네 사는 정리로다가 그런 것이지요." / 강 노인은 가타부타 말이 없고 이번엔 박 씨가 나섰다.

"아직도 늦은 것은 아니고, 한 번 더 생각해 보세요. 여름마다 똥냄새 풍겨 주는 밭으로 두고 있느니 평당 백만 원 이상으로 팔아넘기기가 그리 쉬운 일입니까. 이제는 참말이지 더 이상 땅값이 오를 수가 없게 돼 있다 이 말씀입니다. 아, 모르십니까. 팔팔 올림픽 전에 북에서 쳐들어올 확률이 높다고 신문 방송에서 떠들어 쌓으니 이삼천짜리 집들도 매기가 뚝 끊겼다 이 말입니다."

"영감님도 욕심 그만 부리고 이만한 가격으로 임자 나섰을 때 후딱 팔아 치우시요. 영감님이 아무리 기다리셔도 인자 더 이상 오르기는 어렵다는디 왜 못 알아들으실까잉. 경국이 할머니도 팔아 치우자고 저 야단인디……." / 고흥댁은 이제 강노인 마누라까지 쳐들고 나선다. 강 노인은 아무런 대꾸도 없이 일하던 자리로 돌아가 버린다. 그 등에 대고 박 씨가 마지막으로 또 한마디 던졌다. 〈중략〉

집주인들이 더 극성을 부리는 데에도 까닭은 있었다. 강 노인네 땅덩이들이 팔려서 거기에 번듯한 건물들이 들어서야 이 거리가 완벽하게 채워지기 때문이었다. 게다가 그 땅들이 모두 도로변에 있고 보면, 아니 도로변의 땅에데가 인분 뿌리며 푸성귀나 갈아먹는대서야 동네 모양새가 영 말이 아닌 것이다. 동네 신수가 훤해야 집값도 오를 터인데 모름지기 강 노인 밭이 저러고 있어서야 제값대로 보지 않는다는 불만들이 클 것임은 자명했다. 〈중략〉

그는 두 번 다시 ⓑ마누라 쪽을 보지 않고 뒤꼍으로 가서 펌프 물을 뽑아 올린다. 밑 빠진 독에 물 붓기도 아니고 참말로 기가 막힐 노릇이었따. 쓸 줄만 알지 벌어들일 줄은 모르는 녀석들이 간덩이만 부어서 일만 크게 벌여 놓고 뒷감당은 모두 아비에게 떠넘기는 짓들이 오늘까지 계속이었다. 남들 다 하는 월급쟁이는 마다하고 떼돈 벌 궁리에 떼돈만 날리는 녀석들이다. 누구 돈이든 쏟아붓고 보자는 저 섣부른 행동이 결국은 그의 땅떵이로 막아져야 할 것임은 불을 보듯 뻔한 노릇이었다.

그날 저녁의 반상회에는 강 노인도 그의 아내도 참석하지 않았다.

"그놈의 똥 타령을 왜 내가 뒤집어쓴답니까?"

한번 들여다보라는 그의 언질에 마누라는 금세 통박이다. 경국이 녀석이 저녁밥도 안 먹고 쪼르르 달려와서 일러바치는 말로는, 돈 구하러 나갔던 큰며느리가 돌아오는 길에 아예 반상회까지 참석한 모양이니 뒤 소식이야 누구한테 들어도 알 수는 있을 것이므로 내외는 일찌감치 불 끄고 자리에 누워 버렸다.

다음 날 아침, 첫새벽부터 밭에 나갔던 강 노인은 그만 입을 쩍 벌리고 선 채 말을 잃었다. 세상에 이런 법은 없었다. 이제 손가락만 한 고추 모종이 깔려 있는 밭에 여기저기 연탄재들이 나뒹굴고 있지 않은가. 겨울 빈 밭에 내다 버리는 것이야 그럴 수 있다 치더라도 목숨이 붙어 자라고 있는 밭에 연탄재를 내던진 것은 명백히 짐승의 처사였다. 반상회 끝의 독기 어린 동네 사람들이 저지른 것임은 대번에 알 수 있었지만 아무리 그렇다 하여도 이런 짓거리까지 해 댈 줄이야 짐작도 못 했던 강 노인이었다. 수십 덩어리의 연탄재 폭격을 당해 짓뭉개진 모종이 한 고랑만 해도 숱했다. 〈중략〉

"밭에다 그 지경을 해 댄 걸 보면 오죽했겠수. 뭐, 틀린 말도 아니고 땅 팔아서 아들 살리고 남는 돈은 은행에 넣어 이자나 받으면 우리 식구 신간이사 편치 뭘 그러슈."

밭이 그 지경이라는데도 마누라는 천하태평이다. 강 노인은 어이가 없어 그만 입을 다물어 버린다. 마누라는 이때다 싶은지 또 한차례 오금을 박는다. 어제 다녀간 복덕방 박 씨의 의미심장한 충고가 생각나서였다.

"팔육인가 팔팔인가 땜에 도로 주변 미화 사업이 한창이라는데 밭농사를 그냥 두고 보겠수? 팔팔 전에는 어차피 이곳에다가 뭐 은행도 짓고 병원도 짓게끔 계획되어 있다고 그럽디다. 시에다 팔면 금이나 제대로 쳐줍디까? 그 전에 제 가격 받고……."

"시끄러!"

마누라 입을 봉해 놓고서 강노인은 이내 밭으로 되돌아왔다. 한 포기라도 살릴 수 있는 만큼은 건져내야 할 고추 모종들 때문에 한시가 급한 강 노인이었다. 반상회 파문은 그것으로 끝난 것이 아니었다. 반상회 소식이 알려지자마자 연립주택에 산다는 은혜 엄마가 찾아와서 경국이 엄마가 지난달 꾸어간 오십만 원을 돌려달라고 하소연을 늘어놓기 시작한 것이다. 〈중략〉

"땅은 안 돼, 안 팔아!"

"고집 좀 그만 부리고 우선 집 앞에 거라도 떼어 팔아 발등의 불이라도 꺼 봅시다. 다 자식 잘되라고 하는 짓인데 왜 그러우?"

"자식 놈들 뒷바라지에 땅 다 날려 보낸 걸 몰라!"

입씨름에 지친 마누라가 눈물 바람을 하다가 용문이 방으로 건너가 버린 뒤, 강 노인은 그 밤 오래도록 잠을 이루지 못하고 뒤척여야만 했다. 자식 농사는 포기한 지 오래지만 해마다 씨를 뿌리고 수확을 거두는 재미만큼은 쉽게 포기할 수 없는 그였다. 서울에서 밀려 나온 서울 것들 때문에 여기까지 땅값이 들먹거리는 북새통을 치렀고 그 와중에서 자식들이 모두 저 푼수로 커버렸다는 원망도 많은 게 강 노인이었다. 씨 뿌린 땅에서 거두어들이는 수확이 아닌 다음에야 어찌 땅 팔아서 그 돈으로 쌀 사고 채소 사며 살 수 있을 것인가. 농사꾼 주제로는 평생 만져 볼 엄두도 못내는 큰돈이 굴러 들어왔어도 쉽게 생긴 내력만큼이나 씀씀이도 허망하기 짝이 없었다. 그나마 이만큼이라도 마지막 땅 조각을 붙들고 있다는 위안이 강 노인에게는 큰 힘이 되었다. 이 고장에 서울 바람이 몰아닥쳐 요 모양으로 설익은 도시가 되지 않았더라면 아직껏 넓디넓은 땅을 가지고 있을 것이 틀림없는 스스로를 생각해 보면 더욱 화가 치밀었는데 다 부질없는 노릇이었다.

빚쟁이들이 몰려오는 줄 번연히 알면서도 들여다보지 않고 모른는 척하고 있는 용규 내외를 생각하면 괘씸하기가 짝이 없었지만 이제 강 노인이 거두어야 할 일만 남은 셈이다.

다음 날 아침, 강 노인은 느지막이 집을 나섰다. 마누라한테는 아무런 내색도 하지 않았다. 그러나 발길은 여전히 밭을 향했다. 밭고랑 사이로 밀고 올라오는 잡초를 뽑아내면서 문득 뒤돌아보니 원미산 장대봉이 그새 많이 푸르러져서 제법 운치가 있었다. 멀리서 보아야 아름답다 하여 '멀뫼'라 불리던 산이었다. 젊었을 적 나무하러 숱하게 오르내려서 능선마다 그의 땀방울이 묻어 있기도 한 산이다. 그때가 언제인데, 참 질기게도 오래 산다는 생각이 들었다. 땅에서 뽑혀 나와 잠깐 만에 이파리들이 축 늘어져 버린 잡초를 새삼스레 들여다보다가 강 노인은 시름없이 밭을 둘러보았다.

그러고 보니 어제오늘 고추 모종에 물을 주지 못한 게 생각났다. 아욱이야 그런대로 잘 자랐지만 마누라가 덤덤해하니 억센 겉잎이 밀고 올라오기 시작했다. 꽂아 놓은 개나리 가지에 움터 오던 노란 잎도 가뭄에 시달려 밥티처럼 오그라 붙었다. 햇살은 푸지게 내리쬐고, 아이들은 지물포 옆에 옹기종기 모여서 땅따먹기 놀이를 하고 있었다. 강 노인은 큼큼 헛기침을 해 가며 강남 부동산으로 걸어갔다. 그러다 이내 되돌아서서 집을 향해 바쁜 걸음을 옮긴다. 암만해도 물 한 통 쯤은 져 날라서 우선 이것들 목이나 축여 줘야겠다는 생각이었다.

– 양귀자, 「마지막 땅」 –

04 다음 물음에 답하시오.

(1) 시대적 배경이 드러나는 소재 세 가지를 찾아 쓰시오.

(2) 농사에 대한 강 노인의 가치관이 드러난 문장 하나를 찾아 첫 어절과 끝 어절을 쓰시오.

05 '땅'을 중심으로 ⓐ, ⓑ각 각각 추구하는 사회 · 문화적 가치가 무엇인지 〈조건〉에 맞게 쓰시오.

조건

- 'ⓐ는 (   )적 가치를, ⓑ는 (   )적 가치를 중시한다.'의 문장 형식으로 작성할 것.
- 각각 2음절로 작성할 것.
- 맞춤법과 어법에 맞게 작성할 것.

06 마을 사람들 중에서 강 노인의 농사에 더 적극적으로 반대하는 사람들은 누구인지, 그리고 그 이유는 무엇인지 서술하시오.

최악의 저출산 현상

해결책은 공동 육아

2016년 5월까지 국내 출산과 혼인 건수가 사상 최저치를 기록했다. 통계청이 발표한 '인구 동향'에 따르면 통계를 작성한 2000년 이래 올해 5월에 가장 적은 신생아가 태어났다. 지난 1월부터 5월까지 누계로도 신생아 수는 통계 작성 이후 가장 적다. (저출산 문제가 심각한 현실) 출산에 직접적인 영향을 미치는 혼인 건수도 계속 줄어 역대 가장 적은 수치를 나타냈다. 신생아와 혼인 건수의 감소 추세는 앞으로도 이어져 최저치를 계속 *경신할 것으로 보인다.

국내 출생률을 높이기 위해 정부는 다양한 지원 정책을 마련해 적극적으로 추진하고 있다. 정부 정책의 성과를 높이려면 출산에 대한 사회 인식을 높이고 (저출산 현상의 해결 방안 ①) 새로운 육아 문화가 형성 (저출산 현상의 해결 방안 ②)되어야 한다. 출산에 대한 사회 인식을 높이기 위해서는 우선 저출산이 심각하다는 사회적 공감대를 형성하는 것 (출산에 대한 사회 인식을 높이기 위해 해야 할 일 ①)이 절실하다. 저출산은 인구 감소로 직접 연결되며, 인구 감소는 생산 가능 인구를 축소해 노동력의 약화를 불러온다. (저출산이 사회적 문제가 되는 이유) 저출산은 급속도로 진행되고 있는 고령화 추세와 맞물려 있어 더 큰 문제이다. 젊은 세대의 노인 부양 부담이 커질수록 세대 간 불화와 갈등이 심화 (저출산 · 고령화 추세에 따른 문제점 ①)되고, 국가의 복지 재정 부담도 점점 증가 (저출산 · 고령화 추세에 따른 문제점 ②)한다. 궁극적으로는 국가 경쟁력 자체가 떨어지게 된다. (저출산 · 고령화 추세에 따른 문제점 ③) 따라서 각급 학교나 언론, 시민 단체들은 기회가 있을 때마다 저출산으로 생기는 문제점을 인식하게 하고 널리 알리는 데 힘을 모아야 한다.

국내 적정 인구의 규모를 오늘날에 맞게 정확히 계산하는 것 (출산에 대한 사회 인식을 높이기 위해 해야 할 일 ①)도 필요하다. 우리 사회는 점점 일자리가 줄어 고용난이 심화 (오늘날 일자리 환경의 변화 ①)되고 있으며, 새로운 과학 기술의 발달로 노동 대체 현상이 나타나고 있다. (오늘날 일자리 환경의 변화 ②) 또한 인간 수명이 늘어나 생산 가능 연령이 높아짐에 따라 고령자들의 근로 기간이 연장되고 있다. (오늘날 일자리 환경의 변화 ③) 이와 같은 상황에서 무조건 인구를 늘리는 것이 최선의 대안은 아니라는 의견도 있다. (출생률을 높이는 정책에 대한 반론) 국제 경쟁력을 떨어뜨리지 않으면서도 경제 활력을 불어넣을 수 있는 적정 인구가 정확하게 계산되면 출생률을 높이기 위한 정책의 *당위성이 확보될 것이다.

***경신할**: 어떤 분야의 종전 최고치나 최저치를 깨뜨릴.
***생산 가능 인구**: 경제 활동을 할 수 있는 연령(15~64세)의 인구
***적정 인구**: 일정한 지역 사회 안에서 사회적 복지를 만족시키며 부양할 수 있는 인구.
***당위성**: 마땅히 그렇게 하거나 되어야 할 성질.

출생률을 실질적으로 높이려면 신생아 출산에 대한 인식을 높이고 새로운 육아 문화를 이루어야 한다. 가장 시급한 것이 이제 결혼을 앞둔 젊은 세대들을 대상으로 출산과 결혼에 대한 인식 및 가치관을 변화시키는 것이다. 지금의 결혼 *적령기 층은 '아이 덜 낳기 운동'으로 출생률이 떨어지기 시작한 1980년 이후에 출생한 세대이다. 이들은 대개 두 명 이하의 형제 속에서 성장하여 다자녀 가정이 매우 낯설므로, 결혼하고 다자녀 가정을 이루는 것이 생활을 풍요롭게 하는 것임을 이들이 자연스럽게 받아들일 수 있도록 사회 분위기를 만들어야 한다. 이를 위해 교육 기관과 방송 매체 등에서도 기회가 될 때마다 다자녀 가정의 행복함을 알리는 데 힘썼으면 좋겠다.

혼인 건수가 출산에 직접적인 영향을 미치기 때문임.

결혼을 앞둔 젊은 세대들의 특징

새로운 육아 문화를 이루기 위해 해야할 일 ①

남녀가 함께 아이를 키우는 육아 문화를 하루빨리 정착하는 일도 서둘러야 한다. 젊은 여성 직장인들이 결혼과 출산을 꺼리고 피하는 가장 큰 원인은 육아로 인해 발생하는 경력 단절을 걱정하기 때문이다. 공공 기관뿐만 아니라 일반 기업에서도 여성은 물론 남성도 육아 휴직을 편히 쓰는 분위기가 만들어져야 출산과 육아에 대한 여성의 부담을 덜 수 있게 된다. 이와 함께 조부모와 부모 그리고 손주들이 함께 생활하는 다세대 공존 주택 환경을 조성하고 육아 도우미 제도를 정착하여 대가족 공동체를 복원해야 한다. 더 나아가 각 지역이나 기업 단위로 공동 육아 시설을 확충하여 사회 전체가 육아에 참여하는 '육아 공동체'를 형성해야 비로소 한국에 아이 울음소리가 끊이지 않을 것이다.

새로운 육아 문화를 이루기 위해 해야할 일 ②

남녀가 함께 아이를 키우는 육아 문화를 정착시키기 위한 노력 ①

남녀가 함께 아이를 키우는 육아 문화를 정착시키기 위한 노력 ②

남녀가 함께 아이를 키우는 육아 문화를 정착시키기 위한 노력 ③

–『매경이코노미』(제1870호) –

***적령기**: 어떤 일을 하기에 알맞은 나이가 된 때.

⊙ **핵심정리**

갈래	칼럼
성격	분석적, 설득적
제재	저출산 현상
주제	저출산 현상을 해결하기 위한 방법
특징	• 통계 자료를 인용하여 주장의 신뢰성을 확보함. • 저출산 현상을 해결하기 위한 다양한 방안을 제시함.

확인학습

01 이 글은 '날로 심각해지는 저출산 현상'이라는 개인적 문제를 다루고 있다. O□ ×□

02 위 글에서 제시한 해결 방안으로는 출산에 대한 사회 인식을 높여야 한다는 방안이 있다. O□ ×□

03 위 글에서 제시한 해결 방안으로는 새로운 육아 문화가 형성되어야 한다는 방안이 있다. O□ ×□

04 위 글에서 제시한 해결 방안의 실현 방법으로 정부의 적극적인 개입이 필요함을 역설하고 있다. O□ ×□

05 실현 방법으로 어떠한 사회적 시스템의 구축보다는 공감대와, 육아 문화 정착에 중점을 두고 독자를 설득하고 있다. O□ ×□

객관식 기본문제

[01] 다음 글을 읽고 물음에 답하시오.

최악의 저출산 현상 해결책은 공동 육아

2016년 5월까지 국내 출산과 혼인 건수가 사상 최저치를 기록했다. 통계청이 발표한 '인구 동향'에 따르면 통계를 작성한 2000년 이래 올해 5월에 가장 적은 신생아가 태어났다. 지난 1월부터 5월까지 누계로도 신생아 수는 통계 작성 이후 가장 적다. 출산에 직접적인 영향을 미치는 혼인 건수도 계속 줄어 역대 가장 적은 수치를 나타냈다. 신생아와 혼인 건수의 감소 추세는 앞으로도 이어져 최저치를 계속 경신할 것으로 보인다.

국내 출생률을 높이기 위한 정부는 다양한 지원 정책을 마련해 적극적으로 추진하고 있다. 정부 정책의 성과를 높이려면 출산에 대한 사회 인식을 높이고 새로운 육아 문화가 형성되어야 한다. 출산에 대한 사회 인식을 높이기 위해서는 우선 저출산이 심각하다는 사회적 공감대를 형성하는 것이 절실하다. 저출산은 인구 감소로 직접 연결되며, 인구 감소는 생산 가능 인구를 축소해 노동력의 약화를 불러온다. 저출산은 급속도로 진행되고 있는 고령화 추세와 맞물려 있어 더 큰 문제이다. 젊은 세대의 노인 부양 부담이 커질수록 세대 간 불화와 갈등이 심화되고, 국가의 복지 재정 부담도 점점 증가한다. 궁극적으로는 국가 경쟁력 자체가 떨어지게 된다. 따라서 각급 학교나 언론, 시민 단체들을 기회가 있을 때마다 저출산으로 생기는 문제점을 인식하게 하고 널리 알리는 데 힘을 모아야 한다.

국내 적정 인구의 규모를 오늘날에 맞게 정확히 계산하는 것도 필요하다. 우리 사회는 점점 일자리가 줄어 고용난이 심화되고 있으며, 새로운 과학 기술의 발달로 노동 대체 현상이 나타나고 있다. 또한 인간 수명이 늘어나 생산 가능 연령이 높아짐에 따라 고령자들의 근로 기간이 연장되고 있다. 이와 같은 상황에서 무조건 인구를 늘리는 것이 최선의 대안은 아니라는 의견도 있다. 국제 경쟁력을 떨어뜨리지 않으면서도 경제 활력을 불어넣을 수 있는 적정 인구가 정확하게 계산되면 출생률을 높이기 위한 정책의 당위성이 확보될 것이다.

출생률을 실질적으로 높이려면 신생아 출산에 대한 인식을 높이고 새로운 육아 문화를 이루어야 한다. 가장 시급한 것이 이제 결혼을 앞둔 젊은 세대들을 대상으로 출산과 결혼에 대한 인식 및 가치관을 변화시키는 것이다. 지금의 결혼 적령기 층은 '아이 덜 낳기 운동'으로 출생률이 떨어지기 시작한 1980년 이후에 출생한 세대이다. 이들은 대개 두 명 이하의 형제 속에서 성장하여 다자녀 가정이 매우 낯설므로, 결혼하고 다자녀 가정을 이루는 것이 생활을 풍요롭게 하는 것임을 이들이 자연스럽게 받아들일 수 있도록 사회 분위기를 만들어야 한다. 이를 위해 교육 기관과 방송 매체 등에서도 기회가 될 때마다 다자녀 가정의 행복함을 알리는 데 힘썼으면 좋겠다.

남녀가 함께 아이를 키우는 육아 문화를 하루빨리 정착하는 일도 서둘러야 한다. 젊은 여성 직장인들이 결혼과 출산을 꺼리고 피하는 가장 큰 원인은 육아로 인해 발생하는 경력 단절을 걱정하기 때문이다. 공공 기관뿐만 아니라 일반 기업에서도 여성은 물론 남성도 육아 휴직을 편히 쓰는 분위기가 만들어져야 출산과 육아에 대한 여성의 부담을 덜 수 있게 된다. 이와 함께 조부모와 부모 그리고 손주들이 함께 생활하는 다세대 공존 주택 환경을 조성하고 육아 도우미 제도를 정착하여 대가족 공동체를 복원해야 한다. 더 나아가 각 지역이나 기업 단위로 공동 육아 시설을 확충하여 사회 전체가 육아에 참여하는 '육아 공동체'를 형성해야 비로소 한국에 아이 울음소리가 끊이지 않을 것이다.

01 다음은 윗글을 쓰기 위한 글쓰기 계획이다. 윗글에 반영되지 않은 것은?

- 객관적인 통계 자료를 통해 문제 상황의 심각성을 강조해야겠어. ······ ①
- 저출산으로 인해 발생하는 사회적 문제를 인과적 흐름에 따라 설명해야겠어. ······ ②
- 독자들이 어려워할 수 있는 생소한 단어는 우선 개념을 정의한 뒤 다음 주장으로 이어나가야겠어. ······ ③
- 출생률을 높이는 정책에 대해 지적될 수 있는 반론도 언급해야겠어. ······ ④
- 저출산 문제를 해결하기 위한 방안을 한 가지 측면보다는 다양한 관점에서 제시해야겠어. ······ ⑤

[02~03] 다음 글을 읽고 물음에 답하시오.

최악의 저출산 현상 해결책은 공동 육아

2016년 5월까지 국내 출산과 혼인 건수가 사상 최저치를 기록했다. 통계청이 발표한 '인구 동향'에 따르면 통계를 작성한 2000년 이래 올해 5월에 가장 적은 신생아가 태어났다. 지난 1월부터 5월까지 누계로도 신생아 수는 통계 작성 이후 가장 적다. 출산에 직접적인 영향을 미치는 혼인 건수도 계속 줄어 역대 가장 적은 수치를 나타냈다. 신생아와 혼인 건수의 감소 추세는 앞으로도 이어져 최저치를 계속 경신할 것으로 보인다.

국내 출생률을 높이기 위한 정부는 다양한 지원 정책을 마련해 적극적으로 추진하고 있다. 정부 정책의 성과를 높이려면 출산에 대한 사회 인식을 높이고 새로운 육아 문화가 형성되어야 한다. 출산에 대한 사회 인식을 높이기 위해서는 우선 저출산이 심각하다는 사회적 공감대를 형성하는 것이 절실하다. 저출산은 인구 감소로 직접 연결되며, 인구 감소는 생산 가능 인구를 축소해 노동력의 약화를 불러온다. 저출산은 급속도로 진행되고 있는 고령화 추세와 맞물려 있어 더 큰 문제이다. 젊은 세대의 노인 부양 부담이 커질수록 세대 간 불화와 갈등이 심화되고, 국가의 복지 재정 부담도 점점 증가한다. 궁극적으로는 국가 경쟁력 자체가 떨어지게 된다. 따라서 각급 학교나 언론, 시민 단체들을 기회가 있을 때마다 저출산으로 생기는 문제점을 인식하게 하고 널리 알리는 데 힘을 모아야 한다.

국내 적정 인구의 규모를 오늘날에 맞게 정확히 계산하는 것도 필요하다. 우리 사회는 점점 일자리가 줄어 고용난이 심화되고 있으며, 새로운 과학 기술의 발달로 노동 대체 현상이 나타나고 있다. 또한 인간 수명이 늘어나 생산 가능 연령이 높아짐에 따라 고령자들의 근로 기간이 연장되고 있다. 이와 같은 상황에서 무조건 인구를 늘리는 것이 최선의 대안은 아니라는 의견도 있다. 국제 경쟁력을 떨어뜨리지 않으면서도 경제 활력을 불어넣을 수 있는 적정 인구가 정확하게 계산되면 출생률을 높이기 위한 정책의 당위성이 확보될 것이다.

출생률을 실질적으로 높이려면 신생아 출산에 대한 인식을 높이고 새로운 육아 문화를 이루어야 한다. 가장 시급한 것이 이제 결혼을 앞둔 젊은 세대들을 대상으로 출산과 결혼에 대한 인식 및 가치관을 변화시키는 것이다. 지금의 결혼 적령기 층은 '아이 덜 낳기 운동'으로 출생률이 떨어지기 시작한 1980년 이후에 출생한 세대이다. 이들은 대개 두 명 이하의 형제 속에서 성장하여 다자녀 가정이 매우 낯설므로, 결혼하고 다자녀 가정을 이루는 것이 생활을 풍요롭게 하는 것임을 이들이 자연스럽게 받아들일 수 있도록 사회 분위기를 만들어야 한다. 이를 위해 교육 기관과 방송 매체 등에서도 기회가 될 때마다 다자녀 가정의 행복함을 알리는 데 힘썼으면 좋겠다.

남녀가 함께 아이를 키우는 육아 문화를 하루빨리 정착하는 일도 서둘러야 한다. 젊은 여성 직장인들이 결혼과 출산을 꺼리고 피하는 가장 큰 원인은 육아로 인해 발생하는 경력 단절을 걱정하기 때문이다. 공공 기관뿐만 아니라 일반 기업에서도 여성은 물론 남성도 육아 휴직을 편히 쓰는 분위기가 만들어져야 출산과 육아에 대한 여성의 부담을 덜 수 있게 된다. 이와 함께 조부모와 부모 그리고 손주들이 함께 생활하는 다세대 공존 주택 환경을 조성하고 육아 도우미 제도를 정착하여 대가족 공동체를 복원해야 한다. 더 나아가 각 지역이나 기업 단위로 공동 육아 시설을 확충하여 사회 전체가 육아에 참여하는 '육아 공동체'를 형성해야 비로소 한국에 아이 울음소리가 끊이지 않을 것이다.

– 「매경이코노미」(제1870호) –

02 윗글의 논지전개방식으로 가장 적절한 것은?

① 저출산에 대한 전문가의 견해를 제시하고 자신의 해결방안을 제시하였다.
② 저출산 현상이 끼치는 영향을 인과적으로 설명하고 해결방안을 제시하였다.
③ 통계를 활용하여 기존의 저출산 대책을 비판하고 새로운 해결방안을 밝혔다.
④ 저출산 현상을 설명하고 필자의 생각과 반대되는 견해의 장단점을 분석하였다.
⑤ 저출산 현상과 유사한 사회문제를 제시하고 해결방안과 한계점을 제시하였다.

03 윗글의 주장에 따라 구체적인 실천 방법을 제시할 때, 적절하지 않은 것은?

① 캠페인을 통해 우리나라 저출산 현상에 따른 문제의 심각성을 안내한다.
② 국가의 제도적인 지원을 통해 취업난을 해결하고 주거비, 양육비 등을 보조한다.
③ 다세대 공존 주택 건설을 통해 육아에 도움이 되는 대가족이 확산될 수 있도록 유도한다.
④ 직장에 유치원 설치를 통해 맞벌이 부부는 물론 사회가 육아에 참여하는 시스템을 만든다.
⑤ 언론 매체를 통해 자녀들과 함께 사는 가정의 행복을 알리고 건강한 가족 모델을 제시한다.

객관식 심화문제

[01~02] 다음은 토론 중의 발언이다. 발언을 읽고 물음에 답하시오.

최악의 저출산 현상
해결책은 공동 육아

2016년 5월까지 국내 출산과 혼인 건수가 사상 최저치를 기록했다. 통계청이 발표한 '인구 동향'에 따르면 통계를 작성한 2000년 이래 올해 5월에 가장 적은 신생아가 태어났다. 지난 1월부터 5월까지 누계로도 신생아 수는 통계 작성 이후 가장 적다. 출산에 직접적인 영향을 미치는 혼인 건수도 계속 줄어 역대 가장 적은 수치를 나타냈다. 신생아와 혼인 건수의 감소 추세는 앞으로도 이어져 최저치를 계속 경신할 것으로 보인다.

국내 출생률을 높이기 위한 정부는 다양한 지원 정책을 마련해 적극적으로 추진하고 있다. 정부 정책의 성과를 높이려면 출산에 대한 사회 인식을 높이고 새로운 육아 문화가 형성되어야 한다. 출산에 대한 사회 인식을 높이기 위해서는 우선 저출산이 심각하다는 사회적 공감대를 형성하는 것이 절실하다. 저출산은 인구 감소로 직접 연결되며, 인구 감소는 생산 가능 인구를 축소해 노동력의 약화를 불러온다. 저출산은 급속도로 진행되고 있는 고령화 추세와 맞물려 있어 더 큰 문제이다. 젊은 세대의 노인 부양 부담이 커질수록 세대 간 불화와 갈등이 심화되고, 국가의 복지 재정 부담도 점점 증가한다. 궁극적으로는 국가 경쟁력 자체가 떨어지게 된다. 따라서 각급 학교나 언론, 시민 단체들을 기회가 있을 때마다 ㉠저출산으로 생기는 문제점을 인식하게 하고 널리 알리는 데 힘을 모아야 한다.

국내 적정 인구의 규모를 오늘날에 맞게 정확히 계산하는 것도 필요하다. 우리 사회는 점점 일자리가 줄어 고용난이 심화되고 있으며, 새로운 과학 기술의 발달로 노동 대체 현상이 나타나고 있다. 또한 인간 수명이 늘어나 생산 가능 연령이 높아짐에 따라 고령자들의 근로 기간이 연장되고 있다. 이와 같은 상황에서 무조건 인구를 늘리는 것이 최선의 대안은 아니라는 의견도 있다. 국제 경쟁력을 떨어뜨리지 않으면서도 경제 활력을 불어넣을 수 있는 적정 인구가 정확하게 계산되면 출생률을 높이기 위한 정책의 당위성이 확보될 것이다.

출생률을 실질적으로 높이려면 신생아 출산에 대한 인식을 높이고 새로운 육아 문화를 이루어야 한다. 가장 시급한 것이 이제 결혼을 앞둔 젊은 세대들을 대상으로 출산과 결혼에 대한 인식 및 가치관을 변화시키는 것이다. 지금의 결혼 적령기 층은 '아이 덜 낳기 운동'으로 출생률이 떨어지기 시작한 1980년 이후에 출생한 세대이다. 이들은 대개 두 명 이하의 형제 속에서 성장하여 다자녀 가정이 매우 낯설므로, 결혼하고 다자녀 가정을 이루는 것이 생활을 풍요롭게 하는 것임을 이들이 자연스럽게 받아들일 수 있도록 사회 분위기를 만들어야 한다. 이를 위해 교육 기관과 방송 매체 등에서도 기회가 될 때마다 다자녀 가정의 행복함을 알리는 데 힘썼으면 좋겠다.

남녀가 함께 아이를 키우는 육아 문화를 하루빨리 정착하는 일도 서둘러야 한다. 젊은 여성 직장인들이 결혼과 출산을 꺼리고 피하는 가장 큰 원인은 육아로 인해 발생하는 경력 단절을 걱정하기 때문이다. 공공 기관뿐만 아니라 일반 기업에서도 여성은 물론 남성도 육아 휴직을 편히 쓰는 분위기가 만들어져야 출산과 육아에 대한 여성의 부담을 덜 수 있게 된다. 이와 함께 조부모와 부모 그리고 손주들이 함께 생활하는 다세대 공존 주택 환경을 조성하고 육아 도우미 제도를 정착하여 대가족 공동체를 복원해야 한다. 더 나아가 각 지역이나 기업 단위로 공동 육아 시설을 확충하여 사회 전체가 육아에 참여하는 '육아 공동체'를 형성해야 비로소 한국에 아이 울음소리가 끊이지 않을 것이다.

01 윗글에 대한 설명으로 가장 적절한 것은?

① 저출산 현상의 문제점을 분석하고 다양한 해결책을 제시하고 있다.
② 특정 인물의 관점을 활용하여 출산과 혼인 건수의 감소의 원인을 분석하고 있다.
③ 저출산에 대한 사회적 통념을 제시하고 이에 대해 반박하며 해결책을 제시하고 있다.
④ 저출산 문제에 대해 서로 다른 견해를 소개한 후 이를 절충하여 해결책을 제시하고 있다.
⑤ 저출산의 문제를 통시적인 관점에서 살펴본 후 그에 대해 분석하여 해결책을 도출하고 있다.

02 윗글의 내용을 바탕으로 할 때 ㉠으로 적절한 것만을 〈보기〉에서 있는 대로 고른 것은?

보기

ㄱ. 생산인구의 감소로 인하여 노동력의 약화를 가져온다.
ㄴ. 국가 경쟁력이 떨어져 국가의 복지 재정 부담이 증가한다.
ㄷ. 젊은 세대의 노인부양 부담이 커져 세대 간 불화와 갈등이 심화된다.
ㄹ. 두 명 이하의 형제 속에서 성장하여 다자녀 가정이 매우 낯설게 된다.
ㅁ. 인간 수명이 늘어나 생산 가능 연령이 높아져 고령자의 근로기간이 늘어난다.

① ㄱ, ㄴ ② ㄱ, ㄷ ③ ㄱ, ㄴ, ㄷ ④ ㄴ, ㄷ, ㄹ ⑤ ㄴ, ㄷ, ㅁ

[03~05] 다음은 토론 중의 발언이다. 발언을 읽고 물음에 답하시오.

2016년 5월까지 국내 출산과 혼인 건수가 사상 최저치를 기록했다. 통계청이 발표한 '인구 동향'에 따르면 통계를 작성한 2000년 이래 올해 5월에 가장 적은 신생아가 태어났다. 지난 1월부터 5월까지 누계로도 신생아 수는 통계 작성 이후 가장 적다. 출산에 직접적인 영향을 미치는 혼인 건수도 계속 줄어 역대 가장 적은 수치를 나타냈다. 신생아와 혼인 건수의 감소 추세는 앞으로도 이어져 최저치를 계속 경신할 것으로 보인다.

국내 출생률을 높이기 위한 정부는 다양한 지원 정책을 마련해 적극적으로 추진하고 있다. 정부 정책의 성과를 높이려면 ⓐ출산에 대한 사회 인식을 높이고 ⓑ새로운 육아 문화가 형성되어야 한다. 출산에 대한 사회 인식을 높이기 위해서는 우선 ⓒ저출산이 심각하다는 사회적 공감대를 형성하는 것이 절실하다. 저출산은 인구 감소로 직접 연결되며, 인구 감소는 생산 가능 인구를 축소해 노동력의 약화를 불러온다. 저출산은 급속도로 진행되고 있는 고령화 추세와 맞물려 있어 더 큰 문제이다. 젊은 세대의 노인 부양 부담이 커질수록 세대 간 불화와 갈등이 심화되고, 국가의 복지 재정 부담도 점점 증가한다. 궁극적으로는 국가 경쟁력 자체가 떨어지게 된다. 따라서 각급 학교나 언론, 시민 단체들을 기회가 있을 때마다 저출산으로 생기는 문제점을 인식하게 하고 널리 알리는 데 힘을 모아야 한다.

ⓓ국내 적정 인구의 규모를 오늘날에 맞게 정확히 계산하는 것도 필요하다. 우리 사회는 점점 일자리가 줄어 고용난이 심화되고 있으며, 새로운 과학 기술의 발달로 노동 대체 현상이 나타나고 있다. 또한 인간 수명이 늘어나 생산 가능 연령이 높아짐에 따라 고령자들의 근로 기간이 연장되고 있다. 이와 같은 상황에서 무조건 인구를 늘리는 것이 최선의 대안은 아니라는 의견도 있다. 국제 경쟁력을 떨어뜨리지 않으면서도 경제 활력을 불어넣을 수 있는 적정 인구가 정확하게 계산되면 출생률을 높이기 위한 정책의 당위성이 확보될 것이다.

출생률을 실질적으로 높이려면 신생아 출산에 대한 인식을 높이고 새로운 육아 문화를 이루어야 한다. 가장 시급한 것이 이제 결혼을 앞둔 젊은 세대들을 대상으로 출산과 결혼에 대한 인식 및 가치관을 변화시키는 것이다. 지금의 결혼 적령기 층은 '아이 덜 낳기 운동'으로 출생률이 떨어지기 시작한 1980년 이후에 출생한 세대이다. 이들은 대개 두 명 이하의 형제 속에서 성장하여 다자녀 가정이 매우 낯설므로, 결혼하고 다자녀 가정을 이루는 것이 생활을 풍요롭게 하는 것임을 이들이 자연스럽게 받아들일 수 있도록 사회 분위기를 만들어야 한다. 이를 위해 교육 기관과 방송 매체 등에서도 기회가 될 때마다 ⓔ다자녀 가정의 행복함을 알리는 데 힘썼으면 좋겠다.

ⓕ남녀가 함께 아이를 키우는 육아 문화를 하루빨리 정착하는 일도 서둘러야 한다. 젊은 여성 직장인들이 결혼과 출산을 꺼리고 피하는 가장 큰 원인은 육아로 인해 발생하는 경력 단절을 걱정하기 때문이다. 공공 기관뿐만 아니라 일반 기업에서도 ⓖ여성은 물론 남성도 육아 휴직을 편히 쓰는 분위기가 만들어져야 출산과 육아에 대한 여성의 부담을 덜 수 있게 된다. 이와 함께 조부모와 부모 그리고 손주들이 함께 생활하는 다세대 공존 주택 환경을 조성하고 육아 도우미 제도를 정착하여 대가족 공동체를 복원해야 한다. 더 나아가 각 지역이나 기업 단위로 공동 육아 시설을 확충하여 사회 전체가 육아에 참여하는 '육아 공동체'를 형성해야 비로소 한국에 아이 울음소리가 끊이지 않을 것이다.

03 위 글에 대한 설명으로 가장 적절한 것은?

① 개념을 정의하여 이해를 돕고 있다.
② 인과관계에 따라 내용을 전개하고 있다.
③ 구체적인 사례를 들어 설득력을 높이고 있다.
④ 두 대상의 공통점과 차이점을 분석하고 있다.
⑤ 마지막에 전체 내용을 요약하여 마무리하고 있다.

04 위 글을 읽고 보일 수 있는 반응으로 적절하지 않은 것은?

① 수현 : 아빠가 육아에 동참하는 방송 프로그램을 제작하는 방법도 좋겠어.
② 경목 : 혼인건수가 출산율과 비례하므로 혼인에 대한 정부 정책도 필요하겠어.
③ 현주 : 생산 가능 인구보다 국가 전체 인구를 늘리는 방향으로 정책을 마련해야겠어.
④ 준영 : 육아에 대한 남녀의 평등한 인식을 조성하는 공익광고를 제작하는 방법도 좋겠어.
⑤ 진하 : 조부모, 부모, 손자 3대가 함께 살면서 육아에 동참하는 대가족의 생활상을 다큐멘터리로 만들면 좋겠어.

05 〈보기〉의 ㉠~㉡과 같은 관계로 ⓐ~ⓖ를 연결한 것으로 틀린 것은?

보기

1. 환경오염 문제 해결 방안
 (1) 자원 절약하기 ······ ㉠
  1) 종이컵 대신 개인컵 사용하기 ······ ㉡
  2) 재활용품 분리 배출하기
  3) 음식물 쓰레기 줄이기

① ⓐ – ⓒ ② ⓐ – ⓓ ③ ⓑ – ⓔ ④ ⓔ – ⓕ ⑤ ⓕ – ⓖ

서술형 심화문제

01 다음 글에서 글쓴이가 제시한 해결방안에 대한 실현방법 두 가지를 찾아 완결된 문장으로 서술하시오.

최악의 저출산 현상
해결책은 공동 육아

2016년 5월까지 국내 출산과 혼인 건수가 사상 최저치를 기록했다. 통계청이 발표한 '인구 동향'에 따르면 통계를 작성한 2000년 이래 올해 5월에 가장 적은 신생아가 태어났다. 지난 1월부터 5월까지 누계로도 신생아 수는 통계 작성 이후 가장 적다. 출산에 직접적인 영향을 미치는 혼인 건수도 계속 줄어 역대 가장 적은 수치를 나타냈다. 신생아와 혼인 건수의 감소 추세는 앞으로도 이어져 최저치를 계속 경신할 것으로 보인다.

국내 출생률을 높이기 위한 정부는 다양한 지원 정책을 마련해 적극적으로 추진하고 있다. 정부 정책의 성과를 높이려면 출산에 대한 사회 인식을 높이고 새로운 육아 문화가 형성되어야 한다. 출산에 대한 사회 인식을 높이기 위해서는 우선 저출산이 심각하다는 사회적 공감대를 형성하는 것이 절실하다. 저출산은 인구 감소로 직접 연결되며, 인구 감소는 생산 가능 인구를 축소해 노동력의 약화를 불러온다. 저출산은 급속도로 진행되고 있는 고령화 추세와 맞물려 있어 더 큰 문제이다. 젊은 세대의 노인 부양 부담이 커질수록 세대 간 불화와 갈등이 심화되고, 국가의 복지 재정 부담도 점점 증가한다. 궁극적으로는 국가 경쟁력 자체가 떨어지게 된다. 따라서 각급 학교나 언론, 시민 단체들을 기회가 있을 때마다 저출산으로 생기는 문제점을 인식하게 하고 널리 알리는 데 힘을 모아야 한다.

국내 적정 인구의 규모를 오늘날에 맞게 정확히 계산하는 것도 필요하다. 우리 사회는 점점 일자리가 줄어 고용난이 심화되고 있으며, 새로운 과학 기술의 발달로 노동 대체 현상이 나타나고 있다. 또한 인간 수명이 늘어나 생산 가능 연령이 높아짐에 따라 고령자들의 근로 기간이 연장되고 있다. 이와 같은 상황에서 무조건 인구를 늘리는 것이 최선의 대안은 아니라는 의견도 있다. 국제 경쟁력을 떨어뜨리지 않으면서도 경제 활력을 불어넣을 수 있는 적정 인구가 정확하게 계산되면 출생률을 높이기 위한 정책의 당위성이 확보될 것이다.

해결 방안	실현 방법
출산에 대한 사회 인식을 높여야 한다.	(1)
	(2)

단원 종합평가

[01~05] 다음은 토론 중의 발언이다. 발언을 읽고 물음에 답하시오.

(가) 텔레비전

뉴스 진행자 : 대한민국 대표 축제, 보령 머드 축제가 세계적인 축제로 커 가고 있습니다. 오늘 주한 뉴질랜드 대사가 보령 머드 축제장을 찾아 직접 머드 체험을 즐겼습니다. 박○○ 기자의 보도입니다.

기자 : 주한 뉴질랜드 대사가 보령 머드 축제장을 찾았습니다. 다양한 색으로 ㉠착색된 머드를 얼굴에 바르며 신기한 듯 미소를 띱니다. 공포의 감옥 안에서 온몸으로 머드 ㉡세례를 받으며 짜릿한 즐거움도 만끽합니다.

주한 뉴질랜드 대사 : 정말 즐겁습니다. 보시다시피 축제의 열정을 그대로 느꼈고, 특히 방학을 맞은 젊은이들이 편한 마음으로 다함께 즐기는 것 같아 멋졌습니다.

기자 : 주한 뉴질랜드 대사는 내년 12월 뉴질랜드에서 열릴 로토루아 머드 축제의 성공적 개최를 위해 기술과 비법을 배우러 축제장을 찾았습니다. 앞서 보령시는 뉴질랜드에 내년부터 5년간 머드 원액을 수출하는 협약을 체결했습니다. 머드 체험 시설과 머드로 만든 제품 등이 뉴질랜드 로토루아 시에 수출됩니다.

보령 시장 : 콘텐츠, 그리고 우리가 가지고 있는 시설 모든 것을 뉴질랜드에 수출함으로써 세계인이 함께 하는 보령 머드 축제를 만들어 가겠습니다.

기자 : 올해로 열아홉 번째를 맞은 보령 머드 축제가 이제 명실상부한 세계적인 축제로 발돋움하고 있습니다.

– 케이비에스(KBS)「뉴스 5」(2016. 7. 22.) –

(나) 신문

축제 한류 이끄는 '보령 머드 축제'

-스페인 이어 뉴질랜드에 수출, 외국인 관광객 약 44퍼센트 늘어나

국내 대표 축제인 보령 머드 축제가 수출길에 오르는 등 세계적인 축제로 거듭나고 있다. 충남 보령시는 뉴질랜드 로토루아 시와 협약을 ㉢체결해 내년부터 5년 동안 머드 원료 등을 수출한다고 26일 밝혔다.

보령시는 앞서 2014년부터 2년간 세계 유명 축제인 스페인 토마토 축제장에 머드 체험장을 운영하는 방식으로 머드 축제를 처음 해외에 전파했다. 뉴질랜드로의 두 번째 머드 축제 수출을 위해 보령시는 지난달 보령 시장 등이 로토루아 시를 방문해 협약을 맺은 바 있다.

로토루아 시는 뉴질랜드 교육부의 지원을 받아 내년 12월 보령 머드 축제를 본보기로 한 머드 축제를 개최한다는 계획이다. 이에 따라 지난 22일 주한 뉴질랜드 대사가 보령 머드 축제장을 찾아 직접 축제를 체험하고 보령 시장과 머드 원료 수출에 대한 구체적인 협약 이행 방안을 논의하기도 했다.

보령 머드 축제는 1996년 시작된 '대한민국 대표 축제'로, 해마다 대천 해수욕장 일원에서 열리는 축제장을 찾는 외국인 관광객이 늘면서 세계적인 축제로 발돋움해 왔다.

지난 15~24일 열린 올해 보령 머드 축제 역시 외국인 관광객 수가 43만 9,000여 명으로 지난 30만 4,000여 명보다 약 44퍼센트 늘어난 것으로 보령시는 집계했다.

보령 시장은 "올해 열아홉 번째 열린 머드 축제는 그동안 국내외 언론의 많은 조명을 받는 세계적인 축제로 성장해 왔다."라며 "이번 수출은 머드 축제가 한류 문화를 이끄는 세계 유명 축제로 발전하는 계기가 될 것"이라고 말했다.

▲ 보령 머드 축제를 즐기고 있는 외국인 관광객들

(다) 인쇄 광고

(라) 인터넷 기사

외국인이 본 보령 머드 축제 “재밌지만, 대기 시간 길어”

공연 · 머드 체험 ‘좋아요!’, 먹을거리 · 관광 ‘아쉬워요!’

한국 관광 공사 대전 충남 지사는 지난 주말에 ‘주한 외국인 충청권 세계 축제 홍보단’ 40여 명과 함께 보령 머드 축제장을 찾았다. 이후 ‘축제 발전 방안’을 주제로 개최한 토론회에서 외국인 홍보 단원은 공연과 머드를 활용한 체험 행사에 만족감을 나타냈다. 그러나 유료로 이용할 수 있는 머드 체험 구역의 시설물 대기 시간이 한두 시간에 이르러, 입장료 대비 시설에 대한 만족도는 낮았다. 이에 따라 유료 구역에서 체험할 수 있는 시설물과 체험 행사를 추가하는 한편, 머드 광장에만 집중적으로 몰리는 인파를 분산하기 위한 공간 활용이 필요하다는 지적이 제기됐다. 또, 주변 식당에서는 대부분 조개구이나 생선회를 내놓아 음식 선택의 폭이 좁으므로 먹을거리를 다양화했으면 좋겠다고 ㉣주문했다. 그뿐만 아니라 교통수단을 ㉤확충하고 주변 관광지와의 접근성을 개선해야 한다는 의견도 나왔다.

– 『연합뉴스』(2016. 7. 30.) –

01 **(가)에서 활용되는 매체에 대한 설명으로 적절한 것을 모두 골라 바르게 묶은 것은?**

ㄱ. 음성 언어와 영상만을 사용한다.
ㄴ. 어떤 사실에 대하여 객관적 정보를 제공한다.
ㄷ. 일방향적 소통이 아닌, 상호 소통적 성격을 지니다.
ㄹ. 인쇄 매체에 비해 많은 정보를 더 빠르게 전달할 수 있다.
ㅁ. 본질적으로 일시적이어서 먼 곳에 있는 사람에게는 전달하기 어렵다.

① ㄱ, ㄴ ② ㄱ, ㄷ ③ ㄴ, ㄹ ④ ㄱ, ㄴ, ㄹ ⑤ ㄴ, ㄹ, ㅁ

02 (나)에 대한 설명으로 적절하지 않은 것은?

① 표제, 부제, 전문, 본문으로 구성되어 있다.
② 사진을 제시하여 독자의 이해를 돕고 있다.
③ 인물의 말을 인용하여 앞으로의 전망을 제시하고 있다.
④ 사건이 발생한 시간 순서에 따라 내용을 전개하고 있다.
⑤ 구체적인 수치를 제시하여 정보의 신뢰성을 높이고 있다.

03 (나)와 (다)에 대한 설명으로 적절하지 않은 것은?

① (나)와 (다)는 모두 동일한 제재를 다루고 있다.
② (나)와 (다)는 모두 축제의 세계적 성격을 부각하고 있다.
③ (나)에 비해 (다)는 주로 이미지를 통해 내용을 전달하고 있다.
④ (나)와 (다)는 모두 글쓴이의 의도나 관점을 드러내는 방식이 동일하다.
⑤ (나)는 객관적 정보 제공이 중심인 글임에 비해 (다)는 설득적 성격이 강하다.

04 (라)에서 제시한 문제점을 효과적으로 드러내기 위한 추가 자료로 적절하지 않은 것은?

① 머드 체험 구역에 기다리고 서 있는, 길게 늘어선 관광객의 사진
② 머드 축제에서 행해지는 공연에 환호하는 외국인들의 모습을 담은 동영상
③ 먹을거리가 다양하지 못해 아쉽다고 말하는 관광객의 인터뷰 영상
④ 머드 광장에 인파가 집중적으로 몰리는 장면을 담은 동영상
⑤ 머드 축제장과 주변 관광지를 쉽게 오갈 수 있는 교통수단이 부족하다고 지적하는 전문가의 인터뷰 영상

05 ㉠~㉤의 예로 적절하지 않은 것은?

① ㉠ : 오렌지빛으로 착색된 옷감이 곱다.
② ㉡ : 아이들은 등굣길에 소나기 세례를 받았다.
③ ㉢ : 주변국들과 군사 동맹을 체결하였다.
④ ㉣ : 그녀는 주인에게 자장면과 탕수육을 조금 싱겁게 만들어 달라고 주문했다.
⑤ ㉤ : 인간은 서로의 부족함을 확충하고 협력하면서 집단생활을 한다.

[06~08] 다음은 토론 중의 발언이다. 발언을 읽고 물음에 답하시오.

"땅은 안 돼, 안 팔아!"

"고집 좀 그만 부리고 우선 집 앞에 거라도 떼어 팔아 발등의 불이라도 꺼 봅시다. 다 자식 잘되라고 하는 짓인데 왜 그러우?"

"자식 놈들 뒷바라지에 땅 다 날려 보낸 걸 몰라!"

입씨름에 지친 마누라가 눈물 바람을 하다가 용문이 방으로 건너가 버린 뒤, 강 노인은 그 밤 오래도록 잠을 이루지 못하고 뒤척여야만 했다. 자식 농사는 포기한 지 오래지만 해마다 씨를 뿌리고 수확을 거두는 재미만큼은 쉽게 포기할 수 없는 그였다. 서울에서 밀려 나온 서울 것들 때문에 여기까지 땅값이 들먹거리는 북새통을 치렀고 그 와중에서 자식들이 모두 저 푼수로 커버렸다는 원망도 많은 게 강 노인이었다. ㉠씨 뿌린 땅에서 거두어들이는 수확이 아닌 다음에야 어찌 땅 팔아서 그 돈으로 쌀 사고 채소 사며 살 수 있을 것인가. 농사꾼 주제로는 평생 만져 볼 엄두도 못내는 큰돈이 굴러 들어왔어도 쉽게 생긴 내력만큼이나 씀씀이도 허망하기 짝이 없었다. 그나마 이만큼이라도 마지막 ㉡땅 조각을 붙들고 있다는 위안이 강 노인에게는 큰 힘이 되었다. 이 고장에 서울 바람이 몰아닥쳐 요모양으로 설익은 도시가 되지 않았더라면 아직껏 넓디넓은 땅을 가지고 있을 것이 틀림없는 스스로를 생각해 보면 더욱 화가 치밀었는데 다 부질없는 노릇이었다.

빚쟁이들이 몰려오는 줄 번연히 알면서도 들여다보지 않고 모른는 척하고 있는 용규 내외를 생각하면 괘씸하기가 짝이 없었지만 이제 강 노인이 거두어야 할 일만 남은 셈이다.

다음 날 아침, 강 노인은 느지막이 집을 나섰다. 마누라한테는 아무런 내색도 하지 않았다. 그러나 발길은 여전히 밭을 향했다. 밭고랑 사이로 밀고 올라오는 잡초를 뽑아내면서 문득 뒤돌아보니 원미산 장대봉이 그새 많이 푸르러져서 제법 운치가 있었다. 멀리서 보아야 아름답다 하여 '멀뫼'라 불리던 산이었다. 젊었을 적 나무하러 숱하게 오르내려서 능선마다 그의 땀방울이 묻어 있기도 한 산이다. 그때가 언제인데, 참 질기게도 오래 산다는 생각이 들었다. 땅에서 뽑혀 나와 잠깐만에 이파리들이 축 늘어져 버린 잡초를 새삼스레 들여다보다가 강 노인은 시름없이 밭을 둘러보았다.

그러고 보니 어제오늘 고추 모종에 물을 주지 못한 게 생각났다. 아욱이야 그런대로 잘 자랐지만 마누라가 덤덤해하니 억센 겉잎이 밀고 올라오기 시작했다. 꽂아 놓은 개나리 가지에 움터 오던 노란 잎도 가뭄에 시달려 밥티처럼 오그라 붙었다. 햇살은 푸지게 내리쬐고, 아이들은 지물포 옆에 옹기종기 모여서 땅따먹기 놀이를 하고 있었다. 강 노인은 큼큼 헛기침을 해 가며 강남 부동산으로 걸어갔다. 그러다 이내 되돌아서서 집을 향해 바쁜 걸음을 옮긴다. 암만해도 물 한 통 쯤은 져 날라서 우선 이것들 목이나 축여 줘야겠다는 생각이었다.

06 ㉠에 대한 설명으로 가장 적절한 것은?

① 땅과 농사에 대해 자본주의적 태도를 취하고 있다.
② 땅을 팔아서는 쌀과 채소를 살 수 없을 만큼 땅값이 싸다.
③ 전통적인 농사 방법으로는 이익을 얻지 못한다는 것을 알고 있다.
④ 도시화의 흐름 속에서 자신의 가치관이 무너지고 있는 것을 직감하고 있다.
⑤ 자본주의적 삶의 태도에서 벗어나 정신적 가치를 중시하는 삶을 추구하고 있다.

07 이 글의 서술상 특징으로 적절하지 않은 것은?

① 서술자가 여러 인물들의 시선을 다양하게 드러내고 있다.
② 서술자가 작중 상황과 사건을 전지적 시점으로 전달하고 있다.
③ 작품 밖의 서술자가 원미동 사람들 사이에서 일어나는 사건을 서술하고 있다.
④ 독자가 '강 노인'의 내면에 공감하게 함으로써 작품의 주제를 효과적으로 전달하고 있다.
⑤ 서술자가 '강 노인'의 생각을 중심으로 서술함으로써 '강 노인'의 가치관과 심리 등을 독자에게 잘 전달하고 있다.

08 '강 노인'에게 ㉡은 어떤 의미를 지닌 공간인지 서술하시오. ('~공간이다'로 끝나는 문장으로 완성하시오.)

[09~10] 다음은 토론 중의 발언이다. 발언을 읽고 물음에 답하시오.

최악의 저출산 현상 해결책은 공동 육아

2016년 5월까지 국내 출산과 혼인 건수가 사상 최저치를 기록했다. 통계청이 발표한 '인구 동향'에 따르면 통계를 작성한 2000년 이래 올해 5월에 가장 적은 신생아가 태어났다. 지난 1월부터 5월까지 누계로도 신생아 수는 통계 작성 이후 가장 적다. 출산에 직접적인 영향을 미치는 혼인 건수도 계속 줄어 역대 가장 적은 수치를 나타냈다. 신생아와 혼인 건수의 감소 추세는 앞으로도 이어져 최저치를 계속 경신할 것으로 보인다.

국내 출생률을 높이기 위한 정부는 다양한 지원 정책을 마련해 적극적으로 추진하고 있다. 정부 정책의 성과를 높이려면 출산에 대한 사회 인식을 높이고 새로운 육아 문화가 형성되어야 한다. 출산에 대한 사회 인식을 높이기 위해서는 우선 저출산이 심각하다는 사회적 공감대를 형성하는 것이 절실하다. 저출산은 인구 감소로 직접 연결되며, 인구 감소는 생산 가능 인구를 축소해 노동력의 약화를 불러온다. 저출산은 급속도로 진행되고 있는 고령화 추세와 맞물려 있어 더 큰 문제이다. 젊은 세대의 노인 부양 부담이 커질수록 세대 간 불화와 갈등이 심화되고, 국가의 복지 재정 부담도 점점 증가한다. 궁극적으로는 국가 경쟁력 자체가 떨어지게 된다. 따라서 각급 학교나 언론, 시민 단체들을 기회가 있을 때마다 저출산으로 생기는 문제점을 인식하게 하고 널리 알리는 데 힘을 모아야 한다.

국내 적정 인구의 규모를 오늘날에 맞게 정확히 계산하는 것도 필요하다. 우리 사회는 점점 일자리가 줄어 고용난이 심화되고 있으며, 새로운 과학 기술의 발달로 노동 대체 현상이 나타나고 있다. 또한 인간 수명이 늘어나 생산 가능 연령이 높아짐에 따라 고령자들의 근로 기간이 연장되고 있다. 이와 같은 상황에서 무조건 인구를 늘리는 것이 최선의 대안은 아니라는 의견도 있다. 국제 경쟁력을 떨어뜨리지 않으면서도 경제 활력을 불어넣을 수 있는 적정 인구가 정확하게 계산되면 출생률을 높이기 위한 정책의 당위성이 확보될 것이다.

출생률을 실질적으로 높이려면 신생아 출산에 대한 인식을 높이고 새로운 육아 문화를 이루어야 한다. 가장 시급한 것이 이제 결혼을 앞둔 젊은 세대들을 대상으로 출산과 결혼에 대한 인식 및 가치관을 변화시키는 것이다. 지금의 결혼 적령기 층은 '아이 덜 낳기 운동'으로 출생률이 떨어지기 시작한 1980년 이후에 출생한 세대이다. 이들은 대개 두 명 이하의 형제 속에서 성장하여 다자녀 가정이 매우 낯설므로, 결혼하고 다자녀 가정을 이루는 것이 생활을 풍요롭게 하는 것임을 이들이 자연스럽게 받아들일 수 있도록 사회 분위기를 만들어야 한다. 이를 위해 교육 기관과 방송 매체 등에서도 기회가 될 때마다 다자녀 가정의 행복함을 알리는 데 힘썼으면 좋겠다.

남녀가 함께 아이를 키우는 육아 문화를 하루빨리 정착하는 일도 서둘러야 한다. 젊은 여성 직장인들이 결혼과 출산을 꺼리고 피하는 가장 큰 원인은 육아로 인해 발생하는 경력 단절을 걱정하기 때문이다. 공공 기관뿐만 아니라 일반 기업에서도 여성은 물론 남성도 육아 휴직을 편히 쓰는 분위기가 만들어져야 출산과 육아에 대한 여성의 부담을 덜 수 있게 된다. 이와 함께 조부모와 부모 그리고 손주들이 함께 생활하는 다세대 공존 주택 환경을 조성하고 육아 도우미 제도를 정착하여 대가족 공동체를 복원해야 한다. 더 나아가 각 지역이나 기업 단위로 공동 육아 시설을 확충하여 사회 전체가 육아에 참여하는 '육아 공동체'를 형성해야 비로소 한국에 아이 울음소리가 끊이지 않을 것이다.

– 「매경이코노미」(제1870호) –

09 윗글의 내용 전개 방식으로 가장 적절한 것은?

① 통계 자료를 인용하여 주장의 신뢰성을 확보하고 있다.
② 제시된 여러 가지 대안의 장점과 단점을 비교하고 있다.
③ 전문가의 말을 인용하여 문제 상황의 원인을 분석하고 있다.
④ 외국의 사례를 들어 사회 문제의 해결 방안을 모색하고 있다.
⑤ 문제가 발생하게 된 배경을 시대적 흐름에 따라 설명하고 있다.

10 윗글의 내용과 일치하는 것은?

① 윗글에서 중점적으로 다루고 있는 사회 문제는 급속도로 진행되는 고령화 현상의 원인과 해결 방안이다.
② 글쓴이는 사회 문제 해결 방안으로 국내 출생률을 높이기 위한 정부의 다양한 지원 정책이 부족함을 비판하고 있다.
③ 우리나라의 출생률이 사상 최저 수준이라는 사회 · 문화적 상황을 제시하고 저출산이 사회적 문제가 되는 이유를 설명하고 있다.
④ 국내 적정 인구의 규모를 오늘날에 맞게 정확히 계산함으로써 무조건 출생률을 높이는 것이 최선의 대안이 아니라는 당위성을 확보하고 있다.
⑤ 새로운 육아 문화의 형성의 구체적 실천 방안으로 다세대 공존 주택 환경을 조성하여 의무적으로 대가족 공동체를 복원해야 함을 주장하고 있다.

7

설득이라는 이름의 창과 방패

(1) 고당류 음료의 가격을 올려야 한다

(2) 내 생각에 귀 기울여 줄래요

고당류 음료의 가격을 올려야 한다

토론 참가자	사회자, 찬성 측 토론자 1 · 2, 반대 측 토론자 1 · 2, 배심원들

「」: 사회자의 역할 ① – 토론의 논제를 제시함.
「」: 고당류 음료의 가격 인상 문제에 관한 토론이 필요한 배경

사회자 안녕하십니까? 「오늘은 '고당류 음료의 가격을 올려야 한다.'라는 논제로 토론하겠습니다.」 「최근 세계 각국이 설탕과의 전쟁을 선언하고 '*당 줄이기' 운동을 펼치고 있습니다. 우리나라 역시 '제1차 당류 저감 종합 계획'을 발표하여 2020년까지 가공식품을 통한 당 섭취량을 하루에 섭취하는 총열량의 10퍼센트 이내로 낮추겠다는 목표를 밝혔습니다. 당 섭취량을 줄이기 위해 당 함유 가공식품, 특히 고당류 음료의 가격을 올려야 한다는 의견에 대한 찬반 논란이 뜨거운데요,」 오늘은 이 문제를 가지고 토론해 보고자 합니다. 먼저 찬성 측의 입론부터 들어 보겠습니다.

정책 논제
토론을 통해 해결하고자 하는 문제
가공식품: 농산물, 축산물, 수산물 따위를 인공적으로 처리하여 만든 식품
사회자의 역할 ② – 토론 순서를 지정하며 토론을 진행함.

입론 찬성 1 먼저 우리나라의 *고도 비만율 추이를 나타낸 그래프를 보실까요? 이 그래프를 보면 2002년 이후 우리나라의 고도 비만율이 꾸준히 증가하고 있고, 앞으로도 이런 추세가 계속될 것임을 알 수 있습니다. 비만이 우리의 건강을 위협한다는 것은 누구나 알고 있는 상식인데, 왜 비만율이 줄지 않는 걸까요? 그것은 우리가 필요한 것 이상으로 많은 당을 섭취하고 있기 때문입니다. 청소년이 당을 섭취하게 되는 주요 식품이 바로 가공 음료라고 합니다. 우리가 습관적으로 마시는 가공음료가 얼마나 위험한 것인지, 제가 오늘 가지고 나온 각설탕을 통해 알려 드리겠습니다. 여러분은 이 3그램짜리 각설탕을 한 번에 몇 개나 드실 수 있나요? 두 개 혹은 세 개? 「혹시 오늘 젖산균 요구르트 150밀리리터를 마셨다면 이미 각설탕 일곱 개를 섭취한」 것과 같습니다. 많은 사람들이 가공 음료에 이렇게나 많은 당이 들어 있는지 모른 채 다양한 음료를 즐겨 마시고 있습니다. 가공 음료를 통한 과도한 당 섭취는 비만으로 이어질 확률이 높습니다. 따라서 당 섭취량을 줄이기 위해 고당류 음료의 가격을 올려 소비를 감소해야 한다고 생각합니다.

찬성 1이 제시한 근거 자료 ① – 국내 고도 비만율 추이
그래프를 통해 알 수 있는 내용
논증을 강화하기 위해서는 객관적인 근거 자료를 제시해야 함.
「」: 찬성 1이 제시한 근거 자료 ② – 당 함유량이 높은 가공 음료
젖산균: 유산균, 당류(糖類)를 분해하여 젖산을 만드는 균의 하나
찬성 1의 주장

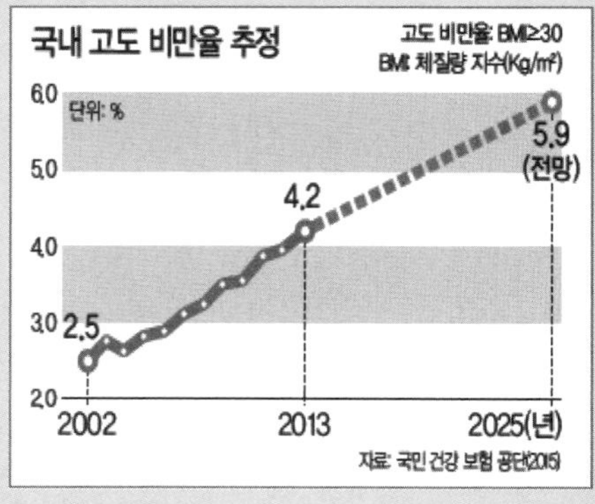

*당: 당류. 물에 잘 녹으며 단 맛이 있는 탄수화물, 단당류 · 이당류 · 다당류로 나뉘며, 포도당 · 과당 · 맥아당 · 전분 등이 있다.
*고도 비만: 몸무게가 표준 체중의 50퍼센트를 넘는 비만

사회자 찬성 측에서 국민 건강을 위협하는 과도한 당 섭취를 줄이기 위해 고당류 음료의 가격을 올려야 한다는 주장을 제시하였습니다. 이에 반대 측 토론자, 교차 조사해 주십시오.

교차 조사 반대 2 비만율이 증가하고 있다는 것은 저희도 알고 있습니다. 그런데 비만의 원인이 당 섭취에 있다고 단정하는 근거가 있나요?

찬성 1 당의 해로움을 지적한 연구는 적지 않습니다. 식품 의약품 안전 평가원에서 2011년 배포한 보도 자료에 따르면(신뢰할 만한 기관의 자료를 제시함.), 달게 먹는 습관이 비만의 위험을 높이는 것으로 나타났습니다. 우리나라 성인 16,992명을 대상으로 6~12년간 추적 조사한 결과, 설탕이나 물엿과 같은 첨가 당(가공식품을 제조하는 과정이나 음식을 조리할 때 첨가되는 당)을 하루에 22그램 이상 많이 섭취한 집단은 하루에 8그램 이하로 적게 섭취한 집단보다 비만 위험이 28퍼센트나 높은 것으로 확인되었습니다. 평가원은 첨가 당 섭취량이 많아질수록 비만 위험도가 높아지고, 이것이 *만성 질환을 유발하므로 덜 달게 먹는 습관을 지니는 것이 중요하다고 밝혔습니다.(당의 해로움)

반대 2 저희가 조사한 자료를 보면, 미국 식품 의약국은 1976년에 이미 설탕의 안전성을 연구했고, 권장량의 설탕 섭취는 인체에 해를 끼치지 않는다는 결론을 내렸습니다.(당의 해로움에 대한 반대 근거) 이는 어떻게 생각하십니까?

찬성 1 권장량이라는 것은 말 그대로 권장량일 뿐입니다. 세계 보건 기구가 권장하는 하루 당 섭취량은 하루에 섭취하는 총열량의 5퍼센트 수준인 25그램 이하입니다. 그런데 탄산음료 500밀리리터 한 병에는 약 50그램의 당이 들어 있습니다. 건강에 좋다고 인식되는 주스는 어떨까요?(선입견에 대한 반박) 주스 한 잔에 들어 있는 당은 평균 15~24그램으로, 때에 따라 한 잔의 주스만으로도 하루 당 섭취 권장량을 모두 섭취할 수도 있습니다. 저희가 말씀드리고 싶은 것은 개인이 권장량에 맞춰 당 섭취량을 줄이는 게 쉽지 않다는 것입니다.

***만성 질환**: 증상이 그다지 심하지는 않으면서 오래 끌고 잘 낫지 않는 병을 통틀어 이르는 말.

사회자 다음은 반대 측 첫 번째 토론자, 입론해 주십시오.

입론 반대 1 우리가 주식으로 먹는 밥 또는 빵의 주 영양소는 탄수화물입니다. 탄수화물은 인체의 성장과 활동에 꼭 필요한 삼대 영양소 중 하나로, 섭취하지 않으면 영양상 심각한 불균형을 초래합니다. 당 역시 탄수화물입니다. 설탕을 비롯한 일부 당은 복잡한 소화 과정을 거치지 않고 우리 몸에 빠르게 흡수되어 바로 에너지로 쓰입니다. 또한, 당은 뇌의 주 에너지원이기도 합니다. 우리가 피곤하거나 머리가 멍할 때 탄산음료나 주스같이 단 음료가 당기는 것도 우리 몸과 뇌에 에너지가 필요하기 때문입니다. 그런데 그때마다 비싼 값을 치르고 고당류 음료를 사 먹어야 한다면 소비자는 경제적인 부담을 느낄 것입니다. 따라서 저희는 고당류 음료의 가격을 올려서는 안 된다고 생각합니다.

당의 필요성 – 에너지원임.

고당류 음료의 가격을 올렸을 때의 문제점

반대 1의 주장

사회자 반대 측에서는 고당류 음료에 들어 있는 당도 우리 몸의 중요한 에너지원이라는 근거를 들어 고당류 음료의 가격을 올리지 않아야 한다고 주장하고 있습니다. 찬성 측 첫 번째 토론자, 교차 조사해 주십시오.

교차 조사 찬성 1 앞서 당의 순기능을 말씀하셨는데, 반대로 당은 몸에 빠르게 흡수되기 때문에 혈당을 급격하게 높여서 *당뇨병이나 *대사 증후군을 유발할 수 있다는 점은 생각해 보지 않으셨나요?

당의 역기능

반대 1 당뇨병은 당 섭취뿐 아니라 유전이나 흡연과 같은 다른 요인도 크게 작용하는 것으로 알고 있습니다. 무엇보다도 많은 청소년이 탄산음료와 같은 고당류 음료를 즐기고 있는데, 모두 당뇨병이나 대사 증후군에 걸렸나요? 찬성 측은 희박한 가능성을 일반화하고 있습니다.

당의 역기능에 대한 반대 근거 ①

당의 역기능에 대한 반대 근거 ② – 성급한 일반화의 오류임.

찬성 1 그러나 우리 몸에 흡수되어 에너지원으로 소비되고 남은 당은 결국 지방으로 축적되고, 이것이 비만의 주범이 된다는 사실은 반대 측도 인정해야 하지 않을까요?

축적된 당은 비만의 주 원인이 됨.

반대 1 저희는 비만의 원인이 당에만 있다고 생각하지 않습니다. 미국의 경우 설탕 소비량은 1970년부터 1985년 사이에 40퍼센트나 줄었으며, 2000년 이후 모든 당의 소비량이 감소했지만, 비만율은 오히려 증가했습니다. 이를 보면 꼭 당 자체의 문제가 아니라 어떤 성분이든 '과다 섭취'가 문제라는 것을 알 수 있습니다.

***당뇨병**: 소변에 당분이 많이 섞여 나오는 병. 탄수화물 대사를 조절하는 호르몬 단백질인 인슐린이 부족하여 생긴다.
***대사 증후군**: 고혈당, 고혈압, 고지혈증, 비만 등의 여러 질환이 한 개인에게서 한꺼번에 나타나는 상태.

사회자 네, 다음은 찬성 측 두 번째 토론자, 입론해 주시길 바랍니다.

입론 찬성 2 고당류 음료의 가격을 규제하면 비만의 사회 경제적 비용을 줄일 수 있습니다. 국민 건강 보험 공단 주최로 2015년 12월에 열린 '비만 관리 종합 대책 수립을 위한 공청회'에서 ㅇㅇ병원 조△△ 교수는 고도 비만 관련 질환의 사회 경제적 비용이 2009년 4,926억 원에서 2013년 7,262억 원으로 4년간 약 1.5배 증가했다고 발표했습니다. 이러한 비용 증가는 결국 건강 보험의 재정 악화를 불러오고 국민 개개인의 경제적 부담을 높이는 결과를 가져옵니다. 저희는 일정 기준 이상의 당을 함유한 음료는 그 함량에 비례하여 가격을 올리고, 이를 통해 소비를 억제함으로써 국민건강을 증진할 수 있을 뿐만 아니라 국가의 경제적 손실을 줄일 수 있다고 생각합니다.

(찬성 2의 주장 / 찬성 2가 제시한 근거 자료 - 고도 비만의 사회 경제적 총비용 / 비만으로 인한 사회 경제적 총비용 증가의 문제점 / 찬성 측 주장의 구체화 / 주장이 실현되었을 때의 기대 효과)

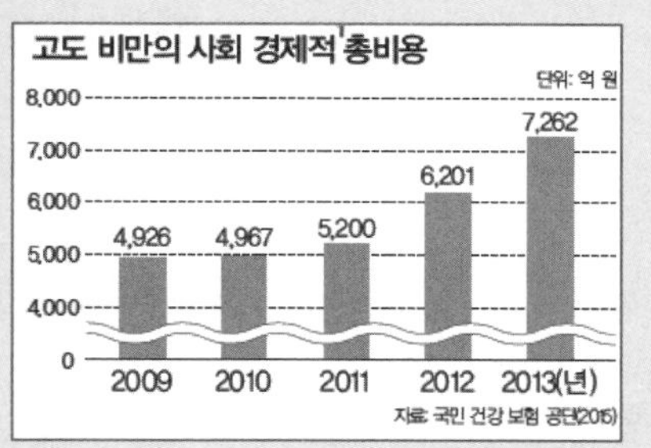

사회자 찬성 측에서는 고당류 음료의 가격 규제를 통해 비만의 사회 경제적 비용을 줄일 수 있다고 하였습니다. 이에 반대 측 첫 번째 토론자 교차 조사해 주십시오.

교차 조사 반대 1 미국에서 일명 '설탕 세'를 도입하기 위해 삼십여 개 주를 대상으로 주민 투표를 시행했지만, 한 지역을 제외하고는 모두 무산된 것으로 알고 있습니다. 덴마크도 반대 여론에 밀려 2014년에 이 제도를 없앴습니다. 맞습니까?

(다른 나라에서 유사한 정책이 실패한 사례)

찬성 2 네, 맞습니다. 하지만 프랑스의 경우 2012년부터 설탕이 들어간 음료에 세금을 부과하고 있는데, 이 정책을 도입한 첫해에 탄산음료 판매량이 전년 대비 약 3퍼센트 줄어들었습니다. 멕시코 역시 2014년 '설탕 세'를 본격 시행한 이후 연간 탄산음료 소비량이 전년에 비해 약 6퍼센트 줄어든 것으로 나타났습니다.

(다른 나라에서 유사한 정책이 성공한 사례)

반대 1 찬성 측에서 언급한 사례를 다시 짚어 드리겠습니다. 최근 조사에 따르면 프랑스에서 세금을 부과한 첫해에는 탄산음료의 판매량이 줄었으나, 소비자들이 비싼 가격에 익숙해진 후로는 판매 억제 효과가 약해진 것으로 드러났습니다. 멕시코 역시 '설탕 세'를 도입한 첫해에는 자국 내 탄산음료 시장 규모가 줄었지만 그 이듬해 다시 증가세로 돌아섰습니다. 이런 점을 미루어 봤을 때 과연 고당류 음료의 가격을 올린다고 해서 당 섭취량이 줄어들까요?

(다른 나라에서 유사한 정책이 성공한 사례에 대한 반대 근거)

■

찬성 2 물론 하루아침에 큰 변화가 나타나지는 않을 것입니다. 하지만 지금처럼 당을 과다 섭취하면 비만 인구가 점점 늘어나 나중에는 감당하기 힘들 정도로 많은 사회 경제적 비용이 발생할 것입니다. 예방 차원에서라도 당의 소비를 억제하기 위한 대책이 필요한 때입니다.

사회자 이어서 반대 측 두 번째 토론자, 입론해 주십시오.

입론 반대 2 고당류 음료의 가격을 올리면 또 다른 문제가 발생할 수 있습니다.
반대 2의 주장

2014년 유럽 의회 보고서에서 "제품 가격이 오르면 소비자는 단가가 더 낮은
반대 2가 제시한 근거 자료 ① – 특정 성분의 가격 상승이 낳는 결과
제품을 찾게 된다."라며, 특정 성분의 가격 상승이 결과적으로 더 해로운 성분의 소비 증가로 이어질 수 있다고 지적한 바 있습니다. 이는 당이 들어간다고 해서 가격을 올리면 당보다 더 안 좋은 성분이 유통되는 문제로 이어질 수 있다는 말입니다. 또한, 우리 사회에서 비만보다 시급히 해결해야 할 문제는 음주와 흡연입니다. 다음 자료를 봐 주십시오. 건강 보험 정책 연구원에서 2016년 1월에 발표한 음주 · 흡연 · 비만의 사회 경제적 비용을 살펴보면 2013년을 기준으로 음주와 흡연이 각각 9조 4,524억 원과 7조 1,258억 원으로, 6조 7,695억 원인 비만보다 더 많은 사회 경제 비용을 발생하고 있습니다.
반대 2가 제시한 근거 자료 ② – 음주, 흡연, 비만의 사회 경제적 총비용 추이
사회 경제 비용 발생: 음주〉흡연〉비만

따라서 비만보다 음주와 흡연의 사회 경제적 비용을 줄일 방안에 대한 논의를 먼저 해야 한다고 생각합니다.

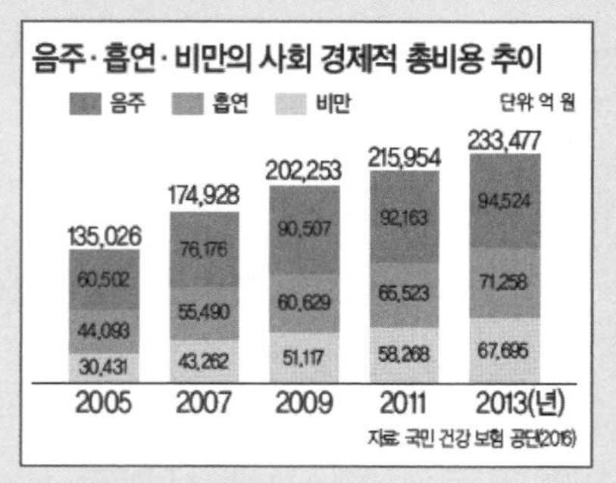

사회자 반대 측에서는 가격 규제가 또 다른 문제로 이어질 수 있으며, 비만보다 음주와 흡연 문제를 먼저 해결해야 한다고 하였습니다. 이에 찬성 측 교차 조사해 주십시오.

교차 조사 찬성 2 제품의 가격 규제가 또 다른 문제로 이어질 수 있다면, 왜 프랑스 같은 선진국에서 이런 정책을 도입했다고 생각하십니까?

반대 2 그건 세금 때문이겠죠.

찬성 2 그렇습니다. 프랑스 정부는 '설탕 세'로 거둬들인 세금을 농업 종사자를 위한 사회 보장 제도에 활용할 예정이
설탕 세가 국민 복지에 사용되는 사례 ① – 프랑스
라고 밝혔습니다. 또한, 2018년부터 '설탕 세'를 도입하겠다고 한 영국은 이를 통해 얻은 세금을 초등학교의 체육 활동을 활성화하기 위한 예산으로 쓸 것이라 하였습니다. 우리나라도 고당류 음료에 부과된 세금을 국민 건강을 위한 예산으로 사용한다면, 이 또한 국민에게 이로운 일이 되지 않을까요?
설탕 세가 국민 복지에 사용되는 사례 ② – 영국
고당류 음료 가격 인상으로 얻을 수 있는 이익

사회자 양측의 입론과 교차 조사 잘 들었습니다. 이어서 바로 반론으로 넘어가겠습니다. 먼저 반대 측부터 발언해 주십시오.

반론 반대 1 찬성 측에서는 국민의 건강을 위협하는 주범으로 당을 지목하셨는데요, 과다 섭취했을 때 몸에 해로운 것이 설탕뿐인가요? 소금도 마찬가지입니다. (찬성 측의 주장에 대한 반론 제기 – ①) 소금에 들어 있는 나트륨은 혈압과 세포의 삼투압을 유지하는 필수 성분이지만 과다 섭취하면 몸에 해롭습니다. 세계 보건 기구의 조사 결과, 음식을 짜게 먹는 사람은 뇌졸중 위험이 23퍼센트, 심장병 위험이 14퍼센트 높아진다고 합니다. 하지만 설탕보다 소금에 대한 규제는 미비합니다. 그리고 일단 형성된 식습관은 쉽게 달라지지 않습니다. (찬성 측의 주장에 대한 반론 제기 – ②) 예를 들어, 우리 국민이 좋아하는 돼지고기 삼겹살은 가격이 크게 상승해도 인기가 급격히 줄지 않습니다. 몇몇 국가의 정책에 영향을 받아서 우리의 식생활까지 규제하는 것은 옳지 않다고 생각합니다.

반론 찬성 1 우리나라는 당 소비량의 증가와 비례하여 비만율도 눈에 띄게 증가하고 있습니다. (반대 측의 주장에 대한 반론 제기 – ①) 특히 2014년 기준 초 · 중 · 고교 학생의 15퍼센트가 비만이라는 사실은 심각한 사회 문제가 아닐 수 없습니다. 게다가 최근 식품 회사들은 설탕에 대한 거부감을 피하고자 '무설탕'이라고 홍보하면서 '액상 과당'을 사용하고 있습니다. (반대 측의 주장에 대한 반론 제기 – ②) 액상 과당은 설탕보다 체내에 빠르게 흡수되고 포만감을 느끼지 못하게 하여 과식을 유도합니다. (액상 과당의 부작용 – ①) 또한, 지나친 과당의 섭취는 비알코올성 지방간이나 통풍성 관절염의 원인이 됩니다. (액상 과당의 부작용 – ②) 당의 종류를 구분하지 않고 고당류 음료의 가격을 올리면 식품 회사의 이러한 편법을 막을 수 있을 뿐 아니라, 소비자의 경각심도 불러일으킬 수 있습니다. 특히 청소년들이 많이 소비하는 고당류 음료는 가격 규제의 효과가 더욱 확실하게 나타날 것입니다. (고당류 음료의 가격 인상의 기대 효과)

반론 반대 2 우리가 즐겨 먹는 탄산음료나 주스 한 병에 하루 권장량 이상의 당이 들어있다는 걸 알았다면 그 음료를 먹었을까요? 위험을 인지하면 피하는 것이 당연한 일입니다. 국내 유통 중인 가공식품의 '영양 성분표'에는 해당 식품에 당이 얼마나 포함되었는지 표시되어 있습니다. 그런데 소비자 대부분이 이를 확인하지 않습니다. 당 섭취를 줄이려는 노력 없이 가격만 올리는 정책은 소비자들의 불만만 가중할 뿐입니다. (찬성 측의 주장에 대한 반론 제기) 저희는 소비자들이 올바른 식습관을 지니도록 적극적으로 홍보한 다음, 식품에 영양 성분 표시를 하거나 경고 문구를 넣는 방법 등으로 당 섭취를 충분히 줄일 수 있다고 생각합니다. (가격 인상 이외의 당 섭취를 줄이는 방법의 예) 고당류 음료의 가격을 올리는 것은 맛과 영양에 대한 소비자의 선택권을 제한하는 결과를 가져올 것이므로 이에 반대합니다. (고당류 음료의 가격 인상은 소비자의 권리를 제한하는 것임.)

반론 찬성 2 저희는 당 자체에 문제가 있다는 것이 아닙니다. 저희가 문제 삼고 있는 것은 고당류 음료를 통해 당을 과도하게 섭취하는 상황입니다. 소비자의 선택에 영양 성분 표시와 가격 중 어떤 것이 더 영향을 미칠까요? 물론 개인의 선택도 중요하지만, 공익을 위해서는 강제성 있는 규제가 더 효과적일 때도 있습니다. 따라서 국민 건강 증진과 사회 경제적 비용 감소를 위해 고당류 음료의 가격을 올려야 한다고 생각합니다.

반대 측의 주장에 대한 반론 제기

사회자 양측의 토론이 끝났습니다. 배심원 여러분은 어느 쪽 주장이 더 타당하다고 생각하십니까? 평가 기준을 참고하시어 판정해 주시길 바랍니다.

⊙ 핵심정리

갈래	토론문(교차 조사식 토론)	성격	객관적, 논리적, 설득적
논제	고당류 음료의 가격을 올려야 한다.		
쟁점	• 가공 음료를 통한 당 섭취가 건강을 위협하는가? • 고당류 음료의 가격을 올리면 당 섭취를 줄일 수 있는가? • 고당류 음료의 가격을 올리는 것이 국민에게 이익이 되는가?		
특징	• 연구 결과, 통계 자료 등 객관적 근거를 바탕으로 주장함. • 사회자와 토론자가 토론 규칙에 따라 발언함.		

확인학습

01 토론을 할 때에는 논제에 따라 쟁점을 적절하게 도출해야 한다. O□ ×□

02 무엇이 좋은지 나쁜지, 옳은지 그른지에 대해 토론할 때의 논제는 정책 논제이다. O□ ×□

03 어떤 문제에 대한 해결 방안이나 구체적인 실행 방안에 대해 토론할 때의 논제는 가치 논제이다. O□ ×□

04 쟁점별로 논증을 구성할 때에는 자신이 내세우는 주장, 주장을 지지해 주는 근거, 근거를 바탕으로 자신의 주장을 가능하게 해 주는 이유를 밝혀야 한다. O□ ×□

05 「고당류 음료의 가격을 올려야 한다」에서 찬성 측은 고당류 음료의 가격을 규제하면 비만에 대한 사회 경제적 비용을 줄일 수 있다고 주장하고 있다. O□ ×□

06 이 담화 자료는 고당류 음료의 가격을 올려야 한다는 주장의 옳고 그름을 판단하는 가치 논제에 대한 토론 내용을 담고 있다. O□ ×□

07 찬성 측은 비만율이 증가하는 주요 원인이 당이며, 청소년이 당을 섭취하는 주요 경로가 가공 음료임을 근거로 들어 가공 음료가 건강을 위협한다고 주장하고 있다. O□ ×□

08 반대 측은 음주나 흡연보다 비만이 더 국민의 건강을 위협하는 것이 사실이지만, 고당류 음료의 가격을 올리면 음주나 흡연이 증가하는 문제가 발생함을 근거로 들어 고당류 음료의 가격을 올려도 별다른 이익은 없다는 주장을 내세우고 있다.. O□ ×□

09 찬성 측은 일명 '설탕 세'를 도입하여 효과를 거둔 다른 나라의 사례를 근거로 들어 고당류 음료의 가격을 올리면 당 섭취량을 줄일 수 있다고 주장하였는데, 이에 반대 측은 세금을 부과한 첫 해에만 소비 억제 효과가 있었음을 근거로 들어 고당류 음료의 가격을 올려도 당 섭취량이 감소하지 않을 것이라고 주장하였다. O□ ×□

10 교차 조사식 토론의 절차는 찬성 측 첫 번째 입론 → 반대 측 교차 조사 → 반대 측 첫 번째 입론 → 찬성 측 교차 조사 → 찬성 측 두 번째 입론 → 반대 측 교차 조사 → 반대 측 두 번째 입론 → 찬성 측 교차 조사 → 반대 측 첫 번째 반론 → 찬성 측 첫 번째 반론 → 반대 측 두 번째 반론 → 찬성 측 두 번째 반론으로 이루어 진다. O□ ×□

객관식 기본문제

[01~03] 다음 글을 읽고 물음에 답하시오.

사회자 : 반대 측에서는 가격 문제가 또 다른 문제로 이어질 수 있으며, 비만보다 음주와 흡연 문제를 먼저 해결해야 한다고 하였습니다. 이에 찬성 측 교차 조사해 주십시오.

[교차 조사] **찬성 2** : 제품의 가격 규제가 또 다른 문제로 이어질 수 있다면, 왜 프랑스 같은 선진국에서 이런 정책을 도입했다고 생각하십니까?

반대 2 : 그건 세금 때문이겠죠.

찬성 2 : 그렇습니다. 프랑스 정부는 '설탕 제로'로 거둬들인 세금을 농업 종사자를 위한 사회 보장 제도에 활용할 예정이라고 밝혔습니다. 또한, 2018년부터 '설탕 세'를 도입하겠다고 한 영국은 이를 통해 얻은 세금을 초등학교의 체육 활동을 활성화하기 위한 예산으로 쓸 것이라 하였습니다. 우리나라도 고당류 음료에 부과된 세금을 국민 건강을 위한 예산으로 사용한다면, 이 또한 국민에게 이로운 일이 되지 않을까요?

반대 2 : 하지만 고당류 음료에 부과된 세금이 직접적으로 국민 건강을 위해 쓰일지는 확신할 수 없습니다. 세금의 징수와 집행은 별개의 문제이며, 국민 건강을 위한 예산을 꼭 '설탕세'와 같은 정책을 통해 마련해야 하는 것도 아닙니다.

사회자 : 양측의 입론과 교차 조사 잘 들었습니다. 이어서 바로 반론으로 넘어가겠습니다. 먼저 반대 측부터 발언해 주십시오.

[반론] **반대 1** : 찬성 측에서는 국민의 건강을 위협하는 주범으로 당을 지목하셨는데요, 과다 섭취했을 때 몸에 해로운 것이 설탕뿐인가요? 소금도 마찬가지입니다. 소금에 들어 있는 나트륨은 혈압과 세포의 삼투압을 유지하는 필수 성분이지만 과다 섭취하면 몸에 해롭습니다. 세계 보건 기구의 조사 결과, 음식을 짜게 먹는 사람은 뇌졸중 위험이 23퍼센트, 심장병 위험이 14퍼센트 높아진다고 합니다. 하지만 설탕보다 소금에 대한 규제는 미비합니다. 그리고 일단 형성된 식습관은 쉽게 달라지지 않습니다. 예를 들어, 우리 국민이 좋아하는 돼지고기 삼겹살은 가격이 크게 상승해도 인기가 급격히 줄지 않습니다. 몇몇 국가의 정책에 영향을 받아서 우리의 식생활까지 규제하는 것은 옳지 않다고 생각합니다.

[반론] **찬성 1** : 우리나라는 당 소비량의 증가와 비례하여 비만율도 눈에 띄게 증가하고 있습니다. 특히 2014년 기준 초·중·고교 학생의 15퍼센트가 비만이라는 사실은 심각한 사회 문제가 아닐 수 없습니다. 게다가 최근 식품 회사들은 설탕에 대한 거부감을 피하고자 '무설탕'이라고 홍보하면서 '액상 과당'을 사용하고 있습니다. 액상 과당은 설탕보다 체내에 빠르게 흡수되고 포만감을 느끼지 못하게 하여 과식을 유도합니다. 또한, 지나친 과당의 섭취는 비알코올성 지방간이나 통풍성 관절염의 원인이 됩니다. 당의 종류를 구분하지 않고 고당류 음료의 가격을 올리면 식품 회사의 이러한 편법을 막을 수 있을 뿐 아니라, 소비자의 경각심도 불러일으킬 수 있습니다. 특히 청소년들이 많이 소비하는 고당류 음료는 가격 규제의 효과가 더욱 확실하게 나타날 것입니다.

– (1) 고당류 음료의 가격을 올려야 한다. –

01 토론 참여자들의 말하기 방식에 대한 설명으로 적절하지 <u>않은</u> 것은?

① 사회자는 토론자의 발언을 정리하고 규칙에 따라 토론을 진행하고 있다.
② 찬성측은 반대측의 답변을 토대로 자신의 주장을 펼치고 있다.
③ 반대측은 주장을 뒷받침하는 사례를 제시하여 설득력을 높이고 있다.
④ 찬성측과 반대측은 정책 시행으로 인한 결과를 예측하고 있다.
⑤ 찬성측과 반대측은 질문의 형식을 활용하여 자신의 주장을 펼치고 있다.

02 위 글에서 양측이 제시한 발언을 정리한 것으로 적절하지 않은 것은?

구분	발언	
찬성측	고당류 음료 가격 인상으로 인한 수익을 국민 건강 증진을 위한 예산으로 사용하면 유익하다.	……ⓐ
	고당류 음료 가격을 규제할 경우 식품 회사의 편법 운영을 저지할 수 있다.	……ⓑ
반대측	과다 섭취하였을 때 해로운 것은 설탕만이라 볼 수 없다.	……ⓒ
	국민 건강을 위한 예산은 국민의 건강을 저해하는 요인에서 확보하는 것이 필요하다.	……ⓓ
	다른 나라의 정책을 참고하여 국민의 식생활을 규제하는 것은 바람직하지 않다.	……ⓔ

① ⓐ ② ⓑ ③ ⓒ ④ ⓓ ⑤ ⓔ

03 위 토론의 참여자가 자신의 의견을 보완하기 위해 〈보기〉의 자료를 선택하여 활용하려고 한다. 토론자와 자료 활용 방안을 짝지은 것 중 적절하지 않은 것은?

보기

(가) 세계은행에서 선진국과 개발도상국을 대상으로 시행한 연구에 의하면 담배가격을 10% 인상하면 흡연율은 4~8% 감소한다고 합니다. 또한 선진국에서는 4%, 개발도상국에서는 8%까지 감소가 가능하다고 합니다. 결론적으로 담배 가격을 높이면 높일수록 흡연율 감소 규모는 커지므로 국민의 합의를 얻을 수 있는 범위에서 가급적으로 높게 책정하라고 권고하고 있습니다.

(나) 설탕을 중심으로 한 당류의 1일 평균 섭취량도 2007년 59.6g에서 2013년 72.1g으로 연평균 3.5% 증가했고, 특히 음료류 섭취량(1인 1일)이 2005년 62g에서 2014년 177g으로 급증하면서 가공식품을 통한 당류 섭취량이 연평균 5.8%로 상승했다. 식품의약품안전처 통계에 따르면, 음료류 섭취 종류에서 6~29세는 탄산음료를, 30세 이상은 커피를 통해 당류를 가장 많이 섭취하는 것으로 조사됐다.

(다) ILSI코리아(회장 경규항)와 한국영양학회(회장 윤정한)가 공동으로 28일 서울 강남구 역삼동 소재 한국과학기술회관에서 개최한 '탄수화물, 그 이해와 활용' 심포지엄에서 미국 루이지애나 공과대 김연수 교수는 "옥수수전분당(콘시럽)이 비만과 당뇨를 유발한다는 주장들이 제기되고 있으나, 최근 연구에서는 고과당 옥수수시럽(HFCS: High Fructose Corn Syrup)이 혈당과 혈중 인슐린농도, 고중성지방 혈증 등에 미치는 영향에 있어 설탕과 차이가 없고 만성질환을 유발한다는 증거가 없는 것으로 나타났다."고 밝혔다.

*액상과당 · 옥수수전분당 · 고과당 옥수수시럽 등은 명칭은 달리 하지만 실상은 HFCS다.

① 찬성 측에서 (가)를 활용하여 가격 규제가 소비에 영향을 줄 수 있음을 강조한다.
② 찬성 측에서 (나)를 활용하여 국민의 당 소비량이 꾸준히 증가하고 있음을 보여준다.
③ 반대측에서 (나)를 활용하여 찬성측이 밝힌 당과 비만의 상관성이 미흡함을 지적한다.
④ 찬성측에서 (가), (나)를 활용하여 탄산 음료의 가격 규제가 특히 청소년층에 영향을 미칠 것이라는 점을 보여준다.
⑤ 반대측에서 (다)를 활용하여 찬성측이 액상과당의 부작용을 지나치게 강조하고 있다고 지적한다.

[04~06] 다음 글을 읽고 물음에 답하시오.

사회자 : 안녕하십니까? 오늘은 '고당류 음료의 가격을 올려야 한다.'라는 논제로 토론하겠습니다. 최근 세계 각국이 설탕과의 전쟁을 선언하고 '당 줄이기' 운동을 펼치고 있습니다. 우리나라 역시 '제1차 당류 저감 종합 계획'을 발표하여 2020년까지 가공식품을 통한 당 섭취량을 하루에 섭취하는 총열량의 10퍼센트 이내로 낮추겠다는 목표를 밝혔습니다. 당 섭취량을 줄이기 위해 당 함유 가공식품, 특히 고당류 음료의 가격을 올려야 한다는 의견에 대한 찬반 논란이 뜨거운데요, 오늘은 이 문제를 가지고 토론해 보고자 합니다. 먼저 찬성 측의 입론부터 들어보겠습니다.

찬성 1 : 먼저 우리나라의 고도 비만율 추이를 나타낸 그래프를 보실까요? 이 그래프를 보면 2002년 이후 우리나라의 고도 비만율이 꾸준히 증가하고 있고, 앞으로도 이런 추세가 계속될 것임을 알 수 있습니다. 비만이 우리의 건강을 위협한다는 것은 누구나 알고 있는 상식인데, 왜 비만율이 줄지 않는 걸까요? 그것은 우리가 필요한 것 이상으로 많은 당을 섭취하고 있기 때문입니다. 청소년이 당을 섭취하게 되는 주요 식품이 바로 가공 음료라고 합니다. 우리가 습관적으로 마시는 가공 음료가 얼마나 위험한 것인지, 제가 오늘 가지고 나온 각설탕을 통해 알려 드리겠습니다. 여러분은 이 3그램짜리 각설탕을 한 번에 몇 개나 드실 수 있나요? 두 개 혹은 세 개? 혹시 오늘 젖산균 요구르트 150밀리리터를 마셨다면 이미 각설탕 일곱 개를 섭취한 것과 같습니다. 많은 사람들이 가공 음료에 이렇게나 많은 당이 들어 있는지 모른 채 다양한 음료를 즐겨 마시고 있습니다. 가공 음료를 통한 과다한 당 섭취는 비만으로 이어질 확률이 높습니다. 따라서 당 섭취량을 줄이기 위해 고당류 음료의 가격을 올려 소비를 감소해야 한다고 생각합니다.

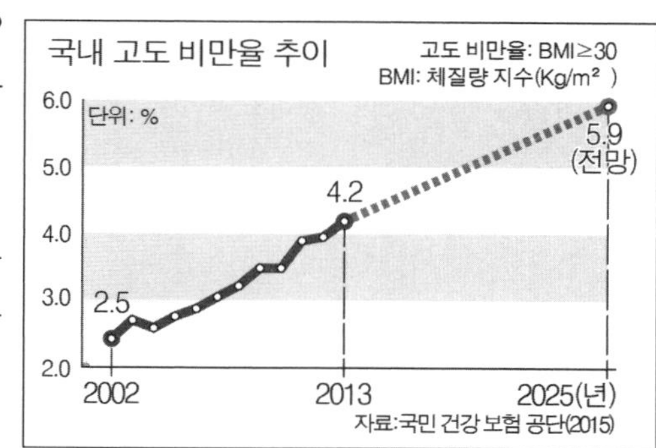

사회자 : 찬성 측에서 국민 건강을 위협하는 과도한 당 섭취를 줄이기 위해 고당류 음료의 가격을 올려야 한다는 주장을 제시하였습니다. 이에 반대 측 토론자, 교차 조사해 주십시오.

반대 2 : 비만율이 증가하고 있다는 것은 저희도 알고 있습니다. 그런데 비만의 원인이 당 섭취에 있다고 단정하는 근거가 있나요?

찬성 1 : 당의 해로움을 지적한 연구는 적지 않습니다. 식품 의약품 안전 평가원에서 2011년 배포한 보도 자료에 따르면, 달게 먹는 습관이 비만의 위험을 높이는 것으로 나타났습니다. 우리나라 성인 16,992명을 대상으로 6~12년간 추적 조사한 결과, 설탕이나 물엿과 같은 첨가 당을 하루에 22그램 이상 많이 섭취한 집단은 하루에 8그램 이하로 적게 섭취한 집단보다 비만 위험이 28퍼센트나 높은 것으로 확인되었습니다. 평가원은 첨가 당 섭취량이 많아질수록 비만 위험도가 높아지고, 이것이 만성 질환을 유발하므로 덜 달게 먹는 습관을 지니는 것이 중요하다고 밝혔습니다.

사회자 : 다음은 반대 측 첫 번째 토론자, 입론해 주십시오.

반대 1 : 우리가 주식으로 먹는 밥 또는 빵의 주 영양소는 탄수화물입니다. 탄수화물은 인체의 성장과 활동에 꼭 필요한 삼대 영양소 중 하나로, 섭취하지 않으면 영양상 심각한 불균형을 초래합니다. 당 역시 탄수화물입니다. 설탕을 비롯한 일부 당은 복잡한 소화 과정을 거치지 않고 우리 몸에 빠르게 흡수되어 바로 에너지로 쓰입니다. 또한, 당은 뇌의 주 에너지원이기도 합니다. 우리가 피곤하거나 머리가 멍할 때 탄산음료나 주스같이 단 음료가 당기는 것도 우리 몸과 뇌에 에너지가 필요하기 때문입니다. 그런데 그때마다 비싼 값을 치르고 고당류 음료를 사 먹어야 한다면 소비자는 경제적인 부담을 느낄 것입니다. 따라서 저희는 고당류 음료의 가격을 올려서는 안 된다고 생각합니다.

사회자 : 반대 측에서는 고당류 음료에 들어 있는 당도 우리 몸의 중요한 에너지원이라는 근거를 들어 고당류 음료의 가격을 올리지 않아야 한다고 주장하고 있습니다. 찬성 측 첫 번째 토론자, 교차 조사해 주십시오.

찬성 1 : 앞서 당의 순기능을 말씀하셨는데, 반대로 당은 몸에 빠르게 흡수되기 때문에 혈당을 급격하게 높여서 당뇨병이나 대사 증후군을 유발할 수 있다는 점은 생각해 보지 않으셨나요?

반대 1 : 당뇨병은 당 섭취뿐 아니라 유전이나 흡연과 같은 다른 요인도 크게 작용하는 것으로 알고 있습니다. 무엇보다도 많은 청소년이 탄산음료와 같은 고당류 음료를 즐기고 있는데, 모두 당뇨병이나 대사 증후군에 걸렸나요? 찬성 측은 희박한 가능성을 일반화하고 있습니다.

04 윗글에 나타난 토론자들의 말하기 방식을 이해한 내용으로 가장 적절한 것은?

찬성 측 첫 번째 입론	'찬성 1'은 해당 분야 전문가의 말을 인용하며 주장을 전개하고 있다. ······················ ⓐ
교차 조사	'반대 2'는 찬성 측이 입론에서 제시한 근거가 사실과 다름을 지적하고 있다. ········· ⓑ
답변	'찬성 1'은 신뢰할 수 있는 자료를 근거로 제시하여 입론의 내용을 보완하고 있다. ·· ⓒ
반대 측 첫 번째 입론	'반대 1'은 예상되는 문제 상황을 제시하며 감정에 호소하고 있다. ························ ⓓ
교차 조사	'찬성 1'은 질문을 통해 새로운 쟁점을 이끌어 내고 있다. ·· ⓔ

① ⓐ ② ⓑ ③ ⓒ ④ ⓓ ⑤ ⓔ

05 다음은 위 토론을 준비하는 과정에서 수집한 자료이다. 이를 토론에 활용할 수 있는 입장과 방안으로 가장 적절한 것은?

> 세계 보건 기구가 권장하는 하루 당 섭취량은 25그램 이하인데, 식품 의약품 안전처의 2016년 자료를 보면 우리나라는 2013년 기준으로 하루 평균 72.1그램의 당을 섭취하고 있다. 또한 식품 의약품 안전처의 「국민 다소비 식품의 당류 DB 확보 및 조사 연구(2015)」를 보면 6~29세의 경우 음료류 중 탄산음료를 통해 당을 가장 많이 섭취하고 있다.

	입장	활용 방안
ⓐ	찬성	가공 음료에 우리가 생각하는 것보다 많은 양의 당이 들어 있음을 보여주는 자료로 활용할 수 있겠군.
ⓑ	찬성	가공 음료를 통한 과도한 당 섭취는 각종 질환의 원인이 될 수 있음을 보여주는 자료로 활용할 수 있겠군.
ⓒ	찬성	청소년이 과도하게 당을 섭취하게 되는 주요 식품이 가공 음료임을 뒷받침하는 근거로 활용할 수 있겠군.
ⓓ	반대	피곤하거나 머리가 멍할 때 단 음료를 찾게 되는 것은 당이 우리 뇌의 주 에너지원이기 때문임을 뒷받침하는 자료로 활용할 수 있겠군.
ⓔ	반대	가공 음료를 즐기는 청소년들이 모두 당뇨병이나 대사 증후군과 같은 질환에 걸리는 것은 아님을 보여주는 자료를 활용할 수 있겠군.

① ⓐ ② ⓑ ③ ⓒ ④ ⓓ ⑤ ⓔ

06 위 토론에서 확인할 수 있는 사회자의 역할로 적절한 것만을 〈보기〉에서 있는 대로 고른 것은?

보기

ㄱ. 논제가 제시된 배경을 설명한다.
ㄴ. 토론의 유형과 규칙을 설명한다.
ㄷ. 토론자들의 발언 순서와 발언의 성격을 지정한다.
ㄹ. 토론 중 미흡한 내용에 대해 추가적인 발언을 요구한다.

① ㄱ, ㄴ ② ㄱ, ㄷ ③ ㄴ, ㄹ ④ ㄱ, ㄴ, ㄷ ⑤ ㄴ, ㄷ, ㄹ

객관식 & 서술형 심화문제

[01~03] 다음 글을 읽고, 물음에 답하시오.

ㄱ. 사회자 : 최근 반려동물과 함께하는 가구가 늘어남에 따라 반려동물에 대한 인식 및 반려동물 유기에 대한 우려도 커지고 있습니다. 이러한 사회적 분위기에 맞춰 반려 동물을 행정적으로 등록하는 동물등록제라는 제도의 필요성이 대두되고 있습니다. 오늘은 '동물 등록제를 시행해야 한다.'라는 논제를 가지고 토론을 진행해보고자 합니다. 찬성 측 발언자는 김포도, 박수박 학생, 반대 측 발언자는 정딸기, 이사과 학생입니다. 찬성 측의 입론부터 들어보도록 하겠습니다.

〈중략〉

사회자 : 다음으로 찬성 측 두 번째 발언자의 입론을 들어보겠습니다.

ㄴ. 김포도 : 동물 등록제를 시행하면 유기 동물을 줄일 수 있습니다. 2018년 11월 서울시 산하 서울복지지원센터에서 밝힌 '서울시 동물등록제 시범 시행 결과'에 따르면 동물등록을 통해 141마리의 유기 동물 중 10마리가 주인을 찾아갔다고 합니다. 반려동물의 몸 속에 내장된 칩을 이용해 주인을 찾았다는 것입니다. 이와 같이 동물등록제를 시행하면 유기동물의 수를 현저히 줄이고 더 나아가 불행한 안락사를 막을 수 있습니다.

ㄷ. 사회자 : 찬성 측 질문에 대한 반대 측의 교차조사를 들어보겠습니다.

㉠**정딸기** : 141마리 중에 10마리가 주인을 찾아갔다고 하셨나요?

김포도 : 네.

〈중략〉

사회자 : 이제 반대 측의 반론을 들어보겠습니다.

ㄹ. 이사과 : 전국 반려 동물 수가 874만 마리에 이르는 것으로 추정된다고 합니다. 동물등록제를 시행하려면 이 수치에 대한 전수조사가 기본 바탕이 되어야 하는데 현실적으로 어렵다는 것을 앞서 말씀드린 바 있습니다. 이와 같이 실행 가능성이 불투명한 제도를 시행하는 것보다 반려동물에 대한 실효성 있는 정책이 필요하다고 생각합니다.

〈중략〉

사회자 : 토론이 모두 끝났습니다. 배심원들은 투표 용지에 의견을 표시하여 제출해주십시오.

ㅁ. 윤밀감 : 나와 친한 사과가 포함된 반대 측에 한 표를 던져야지.

---

01 위 토론에 대한 반응 중 적절하지 않은 것은?

① ㄱ에서 사회자는 논제 설정의 배경 설명을 함으로써 토론을 지연시키고 있어.
② ㄴ에서 찬성 측은 동물 등록제의 효과와 관련하여 자신의 입장을 표명하고 있군.
③ ㄷ에서 사회자는 발언권을 부여하는 역할을 충실히 수행하고 있어.
④ ㄹ에서 반대 측은 토론의 전 과정에서 반대 측의 주장이 지녔던 강점을 강화하고 있어.
⑤ ㅁ에서 배심원은 객관적으로 토론을 평가해야 하는 본분을 잊고 친분에 의하여 투표하고 있네.

02 〈보기〉에 따라 세울 수 있는 쓰기 전략 중 옳지 않은 것은?

보기

얼마 전 바닷가에서 한 난민 소년의 시신이 발견되었다는 뉴스를 보고 너무 가슴이 아팠어. 그래서 희망중학교 1학년 12반 친구들에게 난민을 수용하자는 글을 쓸 생각이야. 기존에 난민에 대한 생각이 없었거나 난민을 수용하는 것에 대해 반대했던 친구들도 내 글을 읽고 생각이나 태도가 변했으면 좋겠어. 그런데 내 친구들은 '난민'이라는 주제에 관련된 어떤 지식도 가지고 있지 않고 흥미도 없어. 친구들이 내 글을 많이 읽고 생각해볼 수 있도록 글을 인쇄하여 학급 게시판에 붙여둘 생각이야.

① 목적을 달성하기 위하여 '난민을 수용하자'는 주장과 연관성이 높고 신뢰할 만한 근거를 수집해야겠어.
② 친구들이 난민 수용과 관련된 배경지식이 전혀 없으므로 글을 이해할 수 있도록 기초 지식을 포함시켜주는 것이 좋겠어.
③ 글쓰는 사람이 전문적인 사람으로 느껴지면 글의 설득력이 높아지므로 친구들이 이해하지 못하더라도 전문 용어만을 사용해야겠어.
④ 친구들이 난민 수용에 대한 관심이 없으므로 최근 일어난 충격적인 사건을 언급하여 흥미를 높여야겠어.
⑤ 인쇄 매체의 특성 상 동영상이나 하이퍼링크와 같은 자료는 싣기 어렵겠어.

03 윗글에서 ㉠ 정딸기의 교차조사 질문이 올바른지 판단하시오.

조건

• '㉠의 교차조사 질문은 (올바르다./올바르지 않다.) 그렇게 판단한 이유는 ~기 때문이다.'의 형태의 완결된 문장으로 서술할 것.
• 판단의 이유는 '교차조사 질문 방법'에 근거하여 설명할 것
• 올바른 교차조사 질문 방법에 대한 설명을 반드시 포함할 것.

[04~07] 다음 글을 읽고, 물음에 답하시오.

사회자 : 안녕하십니까? 오늘은 ⓐ'고당류 음료의 가격을 올려야 한다.'라는 논제로 토론하겠습니다. 최근 세계 각국이 설탕과의 전쟁을 선언하고 '당 줄이기' 운동을 펼치고 있습니다. 우리나라 역시 '제1차 당류 저감 종합 계획'을 발표하여 2020년까지 가공식품을 통한 당 섭취량을 하루에 섭취하는 총열량의 10퍼센트 이내로 낮추겠다는 목표를 밝혔습니다. 당 섭취량을 줄이기 위해 당 함유 가공식품, 특히 고당류 음료의 가격을 올려야 한다는 의견에 대한 찬반 논란이 뜨거운데요, 오늘은 이 문제를 가지고 토론해 보고자 합니다. 먼저 찬성 측의 입론부터 들어보겠습니다.

찬성 1 : 먼저 우리나라의 고도 비만율 추이를 나타낸 그래프를 보실까요? 이 그래프를 보면 2002년 이후 우리나라의 고도 비만율이 꾸준히 증가하고 있고, 앞으로도 이런 추세가 계속될 것임을 알 수 있습니다. 비만이 우리의 건강을 위협한다는 것은 누구나 알고 있는 상식인데, 왜 비만율이 줄지 않는 걸까요? 그것은 우리가 필요한 것 이상으로 많은 당을 섭취하고 있기 때문입니다. 청소년이 당을 섭취하게 되는 주요 식품이 바로 가공 음료라고 합니다. 우리가 습관적으로 마시는 가공 음료가 얼마나 위험한 것인지, 제가 오늘 가지고 나온 각설탕을 통해 알려 드리겠습니다. 여러분은 이 3그램짜리 각설탕을 한 번에 몇 개나 드실 수 있나요? 두 개 혹은 세 개? 혹시 오늘 젖산균 요구르트 150밀리리터를 마셨다면 이미 각설탕 일곱 개를 섭취한 것과 같습니다. 많은 사람들이 가공 음료에 이렇게나 많은 당이 들어 있는지 모른 채 다양한 음료를 즐겨 마시고 있습니다. 가공 음료를 통한 과도한 당 섭취는 비만으로 이어질 확률이 높습니다. 따라서 당 섭취량을 줄이기 위해 고당류 음료의 가격을 올려 소비를 감소해야 한다고 생각합니다.

사회자 : 찬성 측에서 국민 건강을 위협하는 과도한 당 섭취를 줄이기 위해 고당류 음료의 가격을 올려야 한다는 주장을 제시하였습니다. 이에 반대 측 토론자, 교차 조사해 주십시오.

반대 2 : 비만율이 증가하고 있다는 것은 저희도 알고 있습니다. 그런데 비만의 원인이 당 섭취에 있다고 단정하는 근거가 있나요?

찬성 1 : 당의 해로움을 지적한 연구는 적지 않습니다. 식품 의약품 안전 평가원에서 2011년 배포한 보도 자료에 따르면, 달게 먹는 습관이 비만의 위험을 높이는 것으로 나타났습니다. 우리나라 성인 16,992명을 대상으로 6~12년간 추적 조사한 결과, 설탕이나 물엿과 같은 첨가 당을 하루에 22그램 이상 많이 섭취한 집단은 하루에 8그램 이하로 적게 섭취한 집단보다 비만 위험이 28퍼센트나 높은 것으로 확인되었습니다. 평가원은 첨가 당 섭취량이 많아질수록 비만 위험도가 높아지고, 이것이 만성 질환을 유발하므로 덜 달게 먹는 습관을 지니는 것이 중요하다고 밝혔습니다.

반대 2 : 저희가 조사한 자료를 보면, 미국 식품 의약국은 1976년에 이미 설탕의 안정성을 연구했고, 권장량의 설탕 섭취는 인체에 해를 끼치지 않는다는 결론을 내렸습니다. 이는 어떻게 생각하십니까?

찬성 1 : 권장량이라는 것은 말 그대로 권장량일 뿐입니다. 세계 보건 기구가 권장하는 하루 당 섭취량은 하루에 섭취하는 총열량의 5퍼센트 수준인 25그램 이하입니다. 그런데 탄산음료 500밀리리터 한 병에는 약 50그램의 당이 들어 있습니다. 건강에 좋다고 인식되는 주스는 어떨까요? 주스 한 잔에 들어 있는 당은 평균 15~24그램으로, 때에 따라 한 잔의 주스만으로도 하루 당 섭취 권장량을 모두 섭취할 수도 있습니다. 저희가 말씀드리고 싶은 것은 개인이 권장량에 맞춰 당 섭취량을 줄이는 게 쉽지 않다는 것입니다.

---

04 〈보기〉의 ㉠~㉤중 '찬성 1'의 입론에서 언급하지 않은 것은?

> **보기**
>
> 대체로 입론에서는 ㉠ 문제 상황을 제시하고, ㉡ 문제의 원인을 분석하며, ㉢ 문제를 해결할 수 있는 방안을 제시한다. 또한 용어의 개념을 제시하고, ㉣ 주장을 뒷받침하는 구체적 근거를 제시하기도 한다. 끝으로 ㉤ 자신의 주장이 관철 되었을 때의 기대 효과를 제시하여 주장의 정당성을 입증한다.

① ㉠ ② ㉡ ③ ㉢ ④ ㉣ ⑤ ㉤

05 위 토론에 나타난 '사회자'의 역할에 대한 설명으로 적절하지 않은 것은?

① 토론의 논제를 제시를 제시하고 있다.
② 토론자의 발언 내용을 요약하고 있다.
③ 토론이 열리게 된 배경을 설명하고 있다.
④ 토론의 원만한 진행을 위해 갈등을 중재하고 있다.
⑤ 토론 진행 절차에 따라 발언 순서를 지정하고 있다.

06 위 토론에서 찬성 측과 반대 측이 공통으로 인정하고 있는 내용으로 가장 적절한 것은?

① 개인 권장량에 맞게 당 섭취를 줄여야 한다.
② 비만의 원인은 당 섭취와 떼려야 뗄 수 없다.
③ 가공 음료와 비만은 밀접한 상관관계가 있다.
④ 비만 위험을 줄이기 위해 정부가 나서야 한다.
⑤ 우리나라 국민의 비만율이 증가하는 추세이다.

07 〈보기〉를 참고할 때, ⓐ와 같이 학급에서 찬반대립토론을 위한 논제로 적절한 것은?

보기

〈논제의 조건〉
ㄱ. 중립을 유지해야 한다.
ㄴ. 분명한 내용이어야 한다.
ㄷ. 하나의 주장만 나타나야 한다.
ㄹ. 현 상태의 변화를 의도해야 한다.
ㅁ. 찬 · 반의 뚜렷한 대립이 있어야 한다.

① 점심시간을 현재보다 10분 늘려야 한다.
② 학생의 화장은 어느 정도 허용해야 한다.
③ 교실 도난 사건을 어떻게 막을 수 있을까?
④ 인권을 침해할 수 있는 체벌은 금지해야 한다.
⑤ 학교 후문을 설치하고 산책로를 만들어야 한다.

[08~09] 다음 글을 읽고, 물음에 답하시오.

사회자 : 이어서 반대 측 두 번째 토론자, 입론해 주십시오.

[A]
반대 2 : 고당류 음료의 가격을 올리면 또 다른 문제가 발생할 수 있습니다. 2014년 유럽 의회 보고서에서 "제품 가격이 오르면 소비자는 단가가 더 낮은 제품을 찾게 된다."라며, 특정 성분의 가격 상승이 결과적으로 더 해로운 성분의 소비 증가로 이어질 수 있다고 지적한 바 있습니다. 이는 당이 들어간다고 해서 가격을 올리면 당보다 더 안 좋은 성분이 유통되는 문제로, 이어질 수 있다는 말입니다. 또한, 우리 사회에서 비만보다 시급히 해결해야 할 문제는 음주와 흡연입니다. 다음 자료를 봐 주십시오. 건강 보험 정책 연구원에서 2016년 1월에 발표한 음주 · 흡연 · 비만의 사회 경제적 비용을 살펴보면 2013년을 기준으로 음주와 흡연이 각각 9조 4,524억 원과 7조 1,258억 원으로, 6조 7,695억 원인 비만보다 더 많은 사회 경제 비용을 발생하고 있습니다. 따라서 비만보다 음주와 흡연의 사회 경제적 비용을 줄일 방안에 대한 논의를 먼저 해야 한다고 생각합니다.

사회자 : 반대 측에서는 가격 규제가 또 다른 문제로 이어질 수 있으며, 비만보다 음주와 흡연 문제를 먼저 해결해야 한다고 하였습니다. 이에 찬성 측 교차 조사해 주십시오.

찬성 2 : 제품의 가격 규제가 또 다른 문제로 이어질 수 있다면, 왜 프랑스 같은 선진국에서 이런 정책을 도입했다고 생각하십니까?

반대 2 : 그건 세금 때문이겠죠.

찬성 2 : 그렇습니다. 프랑스 정부는 '설탕 세'로 거둬들인 세금을 농업 종사자를 위한 사회 보장 제도에 활용할 예정이라고 밝혔습니다. 또한, 2018년부터 '설탕 세'를 도입하겠다고 한 영국은 이를 통해 얻은 세금을 초등학교의 체육 활동을 활성화하기 위한 예산으로 쓸 것이라 하였습니다. 우리나라도 고당류 음료에 부과된 세금을 국민 건강을 위한 예산으로 사용한다면, 이 또한 국민에게 이로운 일이 되지 않을까요?

반대 2 : 하지만 고당류 음료에 부과된 세금이 직접적으로 국민 건강을 위해 쓰일지는 확신할 수 없습니다. 세금의 징수와 집행은 별개의 문제이며, 국민 건강을 위한 예산을 꼭 '설탕세'와 같은 정책을 통해 마련해야 하는 것도 아닙니다.

[B]
사회자 : 양측의 입론과 교차 조사 잘 들었습니다. 이어서 바로 반론으로 넘어가겠습니다. 먼저 반대 측부터 발언해 주십시오.

반대 1 : 찬성 측에서는 국민의 건강을 위협하는 주범으로 당을 지목하셨는데요, 과다 섭취했을 때 몸에 해로운 것이 설탕뿐인가요? 소금도 마찬가지입니다. 소금에 드렁 있는 나트륨은 혈압과 세포의 삼투압을 유지하는 필수 성분이지만 과다 섭취하면 몸에 해롭습니다. 세계 보건 기구의 조사 결과, 음식을 짜게 먹는 사람은 뇌졸중 위험이 23퍼센트, 심장병 위험이 14퍼센트 높아진다고 합니다. 하지만 설탕보다 소금에 대한 규제는 미비합니다. 그리고 일단 형성된 식습관은 쉽게 달라지지 않습니다. 예를 들어, 우리 국민이 좋아하는 돼지고기 삼겹살은 가격이 크게 상승해도 인기가 급격히 줄지 않습니다. 몇몇 국가의 정책에 영향을 받아서 우리의 식생활까지 규제하는 것은 옳지 않다고 생각합니다.

찬성 1 : 우리나라는 당 소비량의 증가와 비례하여 비만율도 눈에 띄게 증가하고 있습니다. 특히 2014년 기준 초 · 중 · 고교 학생의 15퍼센트가 비만이라는 사실은 심각한 사회 문제가 아닐 수 없습니다. 게다가 최근 식품 회사들은 설탕에 대한 거부감을 피하고자 '무설탕'이라고 홍보하면서 '액상 과당'을 사용하고 있습니다. 액상 과당은 설탕보다 체내에 빠르게 흡수되고 포만감을 느끼지 못하게 하여 과식을 유도합니다. 또한, 지나친 과당의 섭취는 비알코올성 지방간이나 통풍성 관절염의 원인이 됩니다. 당의 종류를 구분하지 않고 고당류 음료의 가격을 올리면 식품 회사의 이러한 편법을 막을 수 있을 뿐 아니라, 소비자의 경각심도 불러일으킬 수 있습니다. 특히 청소년들이 많이 소비하는 고당류 음료는 가격 규제의 효과가 더욱 확실하게 나타날 것입니다.

반대 2 : 우리가 즐겨 먹는 탄산음료나 주스 한 병에 하루 권장량 이상의 당이 들어 있다는 걸 알았다면 그 음료를 먹었을까요? 위험을 인지하면 피하는 것이 당연한 일입니다. 국내 유통 중인 가공식품의 '영양 성분표'에는 해당 식품에 당이 얼마나 포함되었는지 표시되어 있습니다. 그런데 소비자 대부분이 이를 확인하지 않습니다. 당 섭취를 줄이려는 노력없이 가격만 올리는 정책은 소비자들의 불만만 가중할 뿐입니다. 저희는 소비자들이 올바른 식습관을 지니도록 적극적으로 홍보한 다음, 식품에 영양 성분 표시를 하거나 경고 문구를 넣는 방법 등으로 당 섭취를 충분히 줄일 수 있다고 생각합니다. 고당류 음료의 가격을 올리는 것은 맛과 영양에 대한 소비자의 선택권을 제한하는 결과를 가져올 것이므로 이에 반대합니다.

찬성 2 : 저희는 당 자체에 문제가 있다는 것이 아닙니다. 저희가 문제 삼고 있는 것은 고당류 음료를 통해 당을 과도하게 섭취하는 상황입니다. 소비자의 선택에 영양 성분 표시와 가격 중 어떤 것이 더 영향을 미칠까요? 물론 개인의 선택도 중요하지만, 공익을 위해서는 강제성 있는 규제가 더 효과적일 때도 있습니다. 따라서 국민 건강 증진과 사회 경제적 비용 감소를 위해 고당류 음료의 가격을 올려야 한다고 생각합니다.

08 [A]에 나타난 말하기 방식에 대한 설명으로 적절하지 않은 것은?

① 구체적인 통계 수치를 언급하며 시급하게 해결해야 할 문제가 있음을 주장하고 있다.
② 상대방 주장에 대한 문제점을 두 가지로 분석하여 자신의 주장을 강조하고 있다.
③ 상대방이 제기하는 문제점을 해결할 수 있는 대안으로 다른 성공 사례를 제시하고 있다.
④ 출처가 명확하며 신뢰할 만한 자료를 근거로 들어 자신의 주장의 정당성을 확보하고 있다.
⑤ 상대방의 주장이 받아들여질 경우 예상되는 문제점을 언급하며 자신의 주장을 보강하고 있다.

09 [B]의 반론 과정에 대한 분석으로 적절하지 않은 것은?

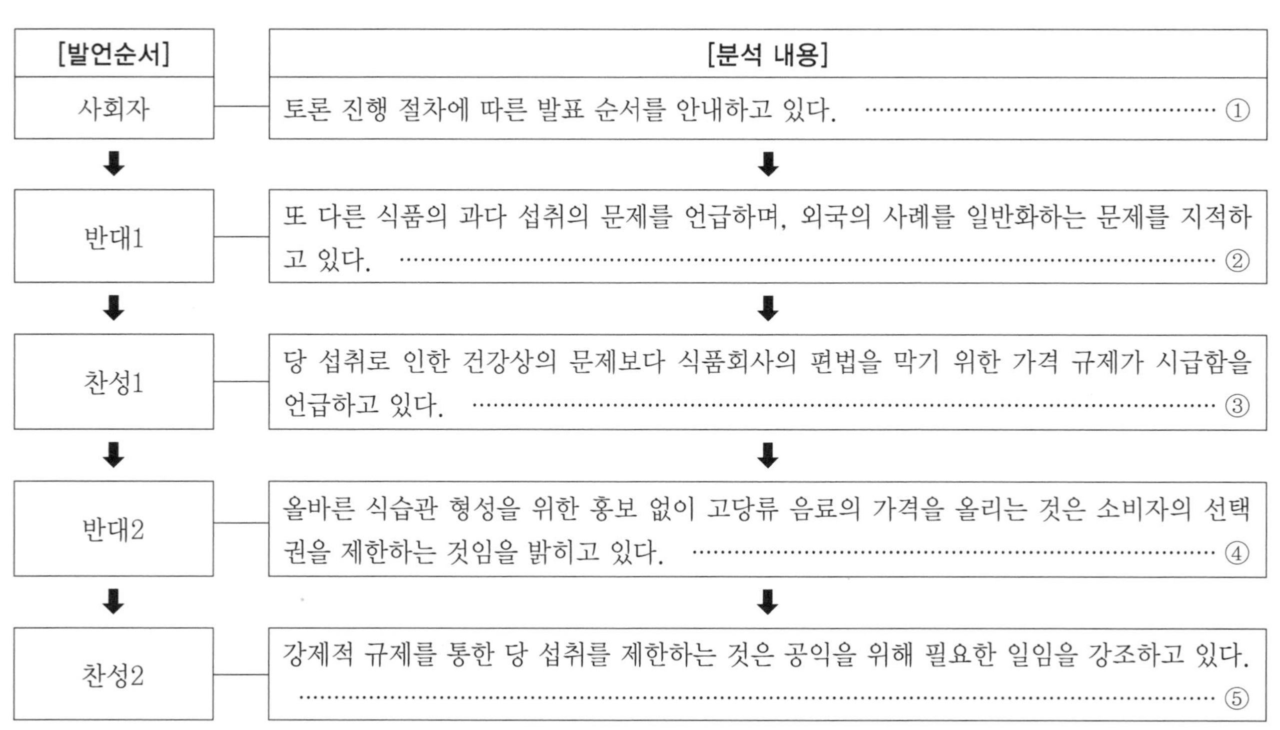

[10~13] 다음 글을 읽고, 물음에 답하시오.

사회자 : 안녕하십니까? 오늘은 '고당류 음료의 가격을 올려야 한다.'라는 논제로 토론하겠습니다. 최근 세계 각국이 설탕과의 전쟁을 선언하고 '당 줄이기' 운동을 펼치고 있습니다. 우리나라 역시 '제1차 당류 저감 종합 계획'을 발표하여 2020년까지 가공식품을 통한 당 섭취량을 하루에 섭취하는 총열량의 10퍼센트 이내로 낮추겠다는 목표를 밝혔습니다. 당 섭취량을 줄이기 위해 당 함유 가공식품, 특히 고당류 음료의 가격을 올려야 한다는 의견에 대한 찬반 논란이 뜨거운데요, 오늘은 이 문제를 가지고 토론해 보고자 합니다. 먼저 찬성 측의 입론부터 들어보겠습니다.

[입론] 찬성 1 : 먼저 우리나라의 고도 비만율 추이를 나타낸 그래프를 보실까요? 이 그래프를 보면 2002년 이후 우리나라의 고도 비만율이 꾸준히 증가하고 있고, 앞으로도 이런 추세가 계속될 것임을 알 수 있습니다. 비만이 우리의 건강을 위협한다는 것은 누구나 알고 있는 상식인데, 왜 비만율이 줄지 않는 걸까요? 그것은 우리가 필요한 것 이상으로 많은 당을 섭취하고 있기 때문입니다. 청소년이 당을 섭취하게 되는 주요 식품이 바로 가공 음료라고 합니다. 우리가 습관적으로 마시는 가공 음료가 얼마나 위험한 것인지, 제가 오늘 가지고 나온 각설탕을 통해 알려 드리겠습니다. 여러분은 이 3그램짜리 각설탕을 한 번에 몇 개나 드실 수 있나요? 두 개 혹은 세 개? 혹시 오늘 젖산균 요구르트 150밀리리터를 마셨다면 이미 각설탕 일곱 개를 섭취한 것과 같습니다. 많은 사람들이 가공 음료에 이렇게나 많은 당이 들어 있는지 모른 채 다양한 음료를 즐겨 마시고 있습니다. ㉠<u>가공 음료를 통한 과다한 당 섭취는 비만으로 이어질 확률이 높습니다.</u> 따라서 당 섭취량을 줄이기 위해 고당류 음료의 가격을 올려 소비를 감소해야 한다고 생각합니다.

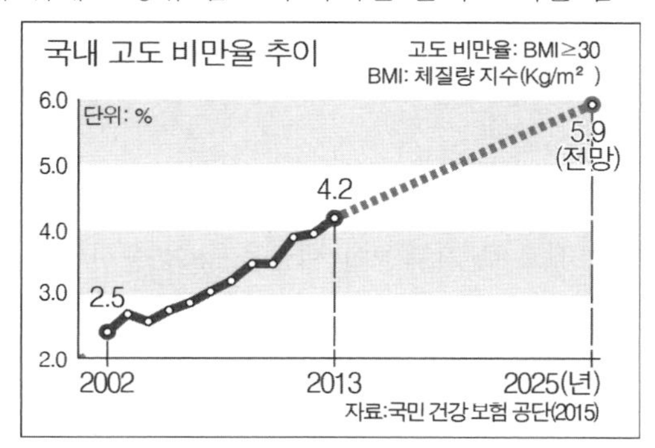

사회자 : 찬성 측에서 국민 건강을 위협하는 과도한 당 섭취를 줄이기 위해 고당류 음료의 가격을 올려야 한다는 주장을 제시하였습니다. 이에 반대 측 토론자, 교차 조사해 주십시오.

[교차 신문 I] 반대 2 : 비만율이 증가하고 있다는 것은 저희도 알고 있습니다. 그런데 비만의 원인이 당 섭취에 있다고 단정하는 근거가 있나요?

찬성 1 : 당의 해로움을 지적한 연구는 적지 않습니다. 식품 의약품 안전 평가원에서 2011년 배포한 보도 자료에 따르면, 달게 먹는 습관이 비만의 위험을 높이는 것으로 나타났습니다. 우리나라 성인 16,992명을 대상으로 6~12년간 추적 조사한 결과, 설탕이나 물엿과 같은 첨가 당을 하루에 22그램 이상 많이 섭취한 집단은 하루에 8그램 이하로 적게 섭취한 집단보다 비만 위험이 28퍼센트나 높은 것으로 확인되었습니다. 평가원은 첨가 당 섭취량이 많아질수록 비만 위험도가 높아지고, 이것이 만성 질환을 유발하므로 덜 달게 먹는 습관을 지니는 것이 중요하다고 밝혔습니다.

반대 2 : 저희가 조사한 자료를 보면, ㉡<u>미국 식품 의약국은 1976년에 이미 설탕의 안정성을 연구했고, 권장량의 설탕 섭취는 인체에 해를 끼치지 않는다는 결론을 내렸습니다.</u> 이는 어떻게 생각하십니까?

찬성 1 : 권장량이라는 것은 말 그래도 권장량일 뿐입니다. 세계 보건 기구가 권장하는 하루 당 섭취량은 하루에 섭취하는 총열량의 5퍼센트 수준인 25그램 이하입니다. 그런데 탄산음료 500밀리리터 한 병에는 약 50그램의 당이 들어 있습니다. 건강에 좋다고 인식되는 주스는 어떨까요? 주스 한 잔에 들어 있는 당은 평균 15~24그램으로, 때에 따라 한 잔의 주스만으로도 하루 당 섭취 권장량을 모두 섭취할 수도 있습니다. 저희가 말씀드리고 싶은 것은 개인이 권장량에 맞춰 당 섭취량을 줄이는 게 쉽지 않다는 것입니다. 〈중략〉

사회자 : 이어서 반대 측 두 번째 토론자, 입론해 주십시오.

[입론] 반대 2 : 고당류 음료의 가격을 올리면 또 다른 문제가 발생할 수 있습니다. 2014년 유럽 의회 보고서에서 "제품 가격이 오르면 소비자는 단가가 더 낮은 제품을 찾게 된다."라며, 특정 성분의 가격 상승이 결과적으로 더 해로운 성분

의 소비 증가로 이어질 수 있다고 지적한 바 있습니다. 이는 당이 들어간다고 해서 가격을 올리면 당보다 더 안 좋은 성분이 유통되는 문제로, 이어질 수 있다는 말입니다. 또한, ㉢우리 사회에서 비만보다 시급히 해결해야 할 문제는 음주와 흡연입니다. 다음 자료를 봐 주십시오. 건강 보험 정책 연구원에서 2016년 1월에 발표한 음주 · 흡연 · 비만의 사회 경제적 비용을 살펴보면 2013년을 기준으로 음주와 흡연이 각각 9조 4,524억 원과 7조 1,258억 원으로, 6조 7,695억 원인 비만보다 더 많은 사회 경제 비용을 발생하고 있습니다. 따라서 비만보다 음주와 흡연의 사회 경제적 비용을 줄일 방안에 대한 논의를 먼저 해야 한다고 생각합니다.

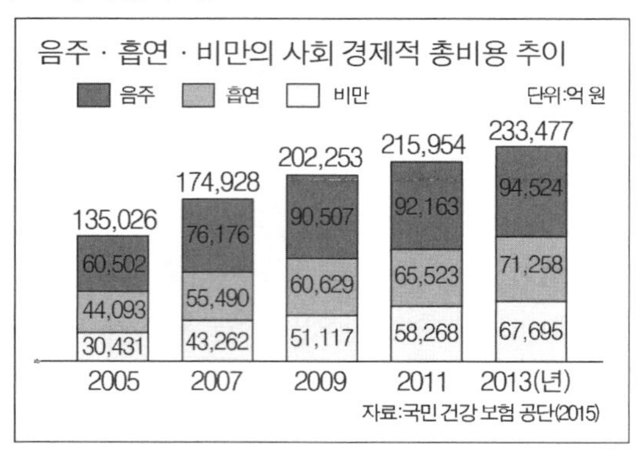

사회자 : 반대 측에서는 가격 문제가 또 다른 문제로 이어질 수 있으며, 비만보다 음주와 흡연 문제를 먼저 해결해야 한다고 하였습니다. 이에 찬성 측 교차 조사해 주십시오.

[교차 조사] 찬성 2 : 제품의 가격 규제가 또 다른 문제로 이어질 수 있다면, 왜 프랑스 같은 선진국에서 이런 정책을 도입했다고 생각하십니까?

반대 2 : 그건 세금 때문이겠죠.

찬성 2 : 그렇습니다. 프랑스 정부는 '설탕 제로'로 거둬들인 세금을 농업 종사자를 위한 사회 보장 제도에 활용할 예정이라고 밝혔습니다. 또한, 2018년부터 '설탕 세'를 도입하겠다고 한 영국은 이를 통해 얻은 세금을 초등학교의 체육 활동을 활성화하기 위한 예산으로 쓸 것이라 하였습니다. ㉣우리나라도 고당류 음료에 부과된 세금을 국민 건강을 위한 예산으로 사용한다면, 이 또한 국민에게 이로운 일이 되지 않을까요?

반대 2 : 하지만 고당류 음료에 부과된 세금이 직접적으로 국민 건강을 위해 쓰일지는 확신할 수 없습니다. 세금의 징수와 집행은 별개의 문제이며, 국민 건강을 위한 예산을 꼭 '설탕세'와 같은 정책을 통해 마련해야 하는 것도 아닙니다.

사회자 : 양측의 입론과 교차 조사 잘 들었습니다. 이어서 바로 반론으로 넘어가겠습니다. 먼저 반대 측부터 발언해 주십시오.

[반론] 반대 1 : 찬성 측에서는 국민의 건강을 위협하는 주범으로 당을 지목하셨는데요, 과다 섭취했을 때 몸에 해로운 것이 설탕뿐인가요? 소금도 마찬가지입니다. 소금에 들어 있는 나트륨은 혈압과 세포의 삼투압을 유지하는 필수 성분이지만 과다 섭취하면 몸에 해롭습니다. 세계 보건 기구의 조사 결과, 음식을 짜게 먹는 사람은 뇌졸중 위험이 23퍼센트, 심장병 위험이 14퍼센트 높아진다고 합니다. 하지만 설탕보다 소금에 대한 규제는 미비합니다. 그리고 ㉤일단 형성된 식습관은 쉽게 달라지지 않습니다. 예를 들어, ⓐ우리 국민이 좋아하는 돼지고기 삼겹살은 가격이 크게 상승해도 인기가 급격히 줄지 않습니다. 몇몇 국가의 정책에 영향을 받아서 우리의 식생활까지 규제하는 것은 옳지 않다고 생각합니다.

10 위 글에 대한 설명으로 적절하지 않은 것은?

① 사회자는 토론자의 토론 순서를 지정해준다.
② 찬성1의 입론은 근거 자료가 불충분하여 논리성이 떨어진다.
③ 찬성2는 교차조사에서 성급한 일반화의 오류를 범하고 있다.
④ 찬성1은 교차조사에서 선입견에 대해 반박하여 논증을 강화하고 있다.
⑤ 반대2는 입론에서 신뢰할 만한 기관의 자료를 근거로 제시하고 있다.

11 위 글과 같은 유형의 논제만을 〈보기〉에서 있는 대로 고른 것은?

보기

ㄱ. 교복을 폐지해야 한다.
ㄴ. 군 가산점제는 필요하다.
ㄷ. 안락사를 보장해야 한다.
ㄹ. 조기 영어 교육은 바람직하다.
ㅁ. 유전자 변형 식품(GMO)은 인체에 무해하다.

① ㄱ, ㄴ ② ㄱ, ㄷ ③ ㄱ, ㄴ, ㄷ ④ ㄴ, ㄷ, ㄹ ⑤ ㄷ, ㄹ, ㅁ

12 ㉠~㉤ 중 '문제 해결의 가능성'이라는 쟁점의 근거로 가장 적절한 것은?

① ㉠ ② ㉡ ③ ㉢ ④ ㉣ ⑤ ㉤

13 ⓐ를 반박하기 위해 수집한 자료로 적절하지 않은 것은?

① 가격 경쟁력의 중요성을 보여주는 그래프
② 과시적 소비를 나타내는 베블런 효과에 대한 설명
③ 가격과 수요의 반비례 관계를 설명한 경제학자의 책
④ 폭염으로 인한 채소 값 상승으로 채소 소비가 줄어든 사례
⑤ 가격이 상승했을 때 소비가 위축되는 심리를 조사한 연구결과

[14~17] 다음 글을 읽고, 물음에 답하시오.

[A] **사회자** : 안녕하십니까? 오늘은 '㉠고당류 음료의 가격을 올려야 한다.'라는 논제로 토론하겠습니다. 최근 세계 각국이 설탕과의 전쟁을 선언하고 '당 줄이기' 운동을 펼치고 있습니다. 우리나라 역시 '제1차 당류 저감 종합 계획'을 발표하여 2020년까지 가공식품을 통한 당 섭취량을 하루에 섭취하는 총열량의 10퍼센트 이내로 낮추겠다는 목표를 밝혔습니다. 당 섭취량을 줄이기 위해 당 함유 가공식품, 특히 고당류 음료의 가격을 올려야 한다는 의견에 대한 찬반 논란이 뜨거운데요, 오늘은 이 문제를 가지고 토론해 보고자 합니다. 먼저 찬성 측의 입론부터 들어 보겠습니다.

[입론] 찬성 1 : 먼저 우리나라의 고도 비만율 추이를 나타낸 그래프를 보실까요? 이 그래프를 보면 2002년 이후 우리나라의 고도 비만율이 꾸준히 증가하고 있고, 앞으로도 이런 추세가 계속될 것임을 알 수 있습니다. 비만이 우리의 건강

을 위협한다는 것은 누구나 알고 있는 상식인데, 왜 비만율이 줄지 않는 걸까요? 그것은 우리가 필요한 것 이상으로 많은 당을 섭취하고 있기 때문입니다. 청소년이 당을 섭취하게 되는 주요 식품이 바로 가공 음료라고 합니다. 우리가 습관적으로 마시는 가공 음료가 얼마나 위험한 것인지, 제가 오늘 가지고 나온 각설탕을 통해 알려 드리겠습니다. 여러분은 이 3그램짜리 각설탕을 한 번에 몇 개나 드실 수 있나요? 두 개 혹은 세 개? 혹시 오늘 젖산균 요구르트 150밀리리터를 마셨다면 이미 각설탕 일곱 개를 섭취한 것과 같습니다. 많은 사람들이 가공 음료에 이렇게나 많은 당이 들어 있는지 모른 채 다양한 음료를 즐겨 마시고 있습니다. 가공 음료를 통한 과다한 당 섭취는 비만으로 이어질 확률이 높습니다. 따라서 당 섭취량을 줄이기 위해 고당류 음료의 가격을 올려 소비를 감소해야 한다고 생각합니다.

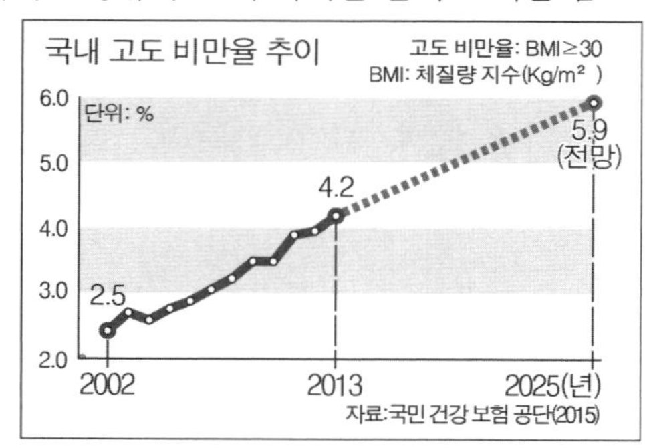

사회자 : 찬성 측에서 국민 건강을 위협하는 과도한 당 섭취를 줄이기 위해 고당류 음료의 가격을 올려야 한다는 주장을 제시하였습니다. 이에 반대 측 토론자, 교차 조사해 주십시오.

[교차 신문 I] 반대 2 : 비만율이 증가하고 있다는 것은 저희도 알고 있습니다. 그런데 비만의 원인이 당 섭취에 있다고 단정하는 근거가 있나요?

찬성 1 : 당의 해로움을 지적한 연구는 적지 않습니다. 식품 의약품 안전 평가원에서 2011년 배포한 보도 자료에 따르면, 달게 먹는 습관이 비만의 위험을 높이는 것으로 나타났습니다. 우리나라 성인 16,992명을 대상으로 6~12년간 추적 조사한 결과, 설탕이나 물엿과 같은 첨가 당을 하루에 22그램 이상 많이 섭취한 집단은 하루에 8그램 이하로 적게 섭취한 집단보다 비만 위험이 28퍼센트나 높은 것으로 확인되었습니다. 평가원은 첨가 당 섭취량이 많아질수록 비만 위험도가 높아지고, 이것이 만성 질환을 유발하므로 덜 달게 먹는 습관을 지니는 것이 중요하다고 밝혔습니다.

반대 2 : 저희가 조사한 자료를 보면, 미국 식품 의약국은 1976년에 이미 설탕의 안정성을 연구했고, 권장량의 설탕 섭취는 인체에 해를 끼치지 않는다는 결론을 내렸습니다. 이는 어떻게 생각하십니까?

찬성 1 : 권장량이라는 것은 말 그대로 권장량일 뿐입니다. 세계 보건 기구가 권장하는 하루 당 섭취량은 하루에 섭취하는 총열량의 5퍼센트 수준인 25그램 이하입니다. 그런데 탄산음료 500밀리리터 한 병에는 약 50그램의 당이 들어 있습니다. 건강에 좋다고 인식되는 주스는 어떨까요? 주스 한 잔에 들어 있는 당은 평균 15~24그램으로, 때에 따라 한 잔의 주스만으로도 하루 당 섭취 권장량을 모두 섭취할 수도 있습니다. 저희가 말씀드리고 싶은 것은 개인이 권장량에 맞춰 당 섭취량을 줄이는 게 쉽지 않다는 것입니다.

사회자 : 다음은 반대 측 첫 번째 토론자, 입론해 주십시오.

[입론] 반대 1 : 우리가 주식으로 먹는 밥 또는 빵의 주 영양소는 탄수화물입니다. 탄수화물은 인체의 성장과 활동에 꼭 필요한 삼대 영양소 중 하나로, 섭취하지 않으면 영양상 심각한 불균형을 초래합니다. 당 역시 탄수화물입니다. 설탕을 비롯한 일부 당은 복잡한 소화 과정을 거치지 않고 우리 몸에 빠르게 흡수되어 바로 에너지로 쓰입니다. 또한, 당은 뇌의 주 에너지원이기도 합니다. 우리가 피곤하거나 머리가 멍할 때 탄산음료나 주스같이 단 음료가 당기는 것도 우리 몸과 뇌에 에너지가 필요하기 때문입니다. 그런데 그때마다 비싼 값을 치르고 고당류 음료를 사 먹어야 한다면 소비자는 경제적인 부담을 느낄 것입니다. 따라서 저희는 고당류 음료의 가격을 올려서는 안 된다고 생각합니다.

사회자 : 반대 측에서는 고당류 음료에 들어 있는 당도 우리 몸의 중요한 에너지원이라는 근거를 들어 고당류 음료의 가격을 올리지 않아야 한다고 주장하고 있습니다. 찬성 측 첫 번째 토론자, 교차 조사해 주십시오.

[교차 조사 II] 찬성 1 : 앞서 당의 순기능을 말씀하셨는데, 반대로 당은 몸에 빠르게 흡수되기 때문에 혈당을 급격하게 높여서 당뇨병이나 대사 증후군을 유발할 수 있다는 점은 생각해 보지 않으셨나요?

반대 1 : 당뇨병은 당 섭취뿐 아니라 유전이나 흡연과 같은 다른 요인도 크게 작용하는 것으로 알고 있습니다. 무엇보다도 많은 청소년이 탄산음료와 같은 고당류 음료를 즐기고 있는데, 모두 당뇨병이나 대사 증후군에 걸렸나요? 찬성 측은 희박한 가능성을 일반화하고 있습니다.

찬성 1 : 그러나 우리 몸에 흡수되어 에너지원으로 소비되고 남은 당은 결국 지방으로 축적되고, 이것이 비만의 주범이 된다는 사실은 반대측도 인정해야 하지 않을까요?

반대 1 : 저희는 비만의 원인이 당에만 있다고 생각하지 않습니다. 미국의 경우 설탕 소비량은 1970년부터 1985년 사이에 40퍼센트나 줄었으며, 2000년 이후 모든 당의 소비량이 감소했지만, 비만율은 오히려 증가했습니다. 이를 보면 꼭 당 자체의 문제가 아니라 어떤 성분이든 '과다 섭취'가 문제라는 것을 알 수 있습니다.

---

14 토론 참여자에 대한 설명으로 적절하지 않은 것은?

① 찬성1은 입론에서 객관적 근거를 들어 청소년이 당을 섭취하게 되는 주요 식품이 가공음료임을 주장하고 있다.
② 찬성1은 교차조사 I 에서 선입견을 반박하며 개인이 권장량에 맞춰 당 섭취량을 줄이기 어려움을 주장하고 있다.
③ 반대1은 입론에서 소비자의 부담을 근거로 들어 고당류 음료의 가격을 올려서는 안 됨을 주장하고 있다.
④ 반대1은 교차조사 II 에서 찬성 측의 발언에 희박한 가능성을 일반화하는 논리적 허점이 있음을 지적하고 있다.
⑤ 반대2는 교차조사 I 에서 신뢰할 만한 기관의 자료를 근거로 하여 찬성 측이 주장한 당의 해로움을 반박하고 있다.

15 ㉠과 같은 논제 유형에 대한 설명으로 가장 적절한 것은?

① 객관적인 근거를 통해 논리적 사실을 입증해야 한다.
② 무엇이 옳은지 그른지와 같은 가치 판단이 필요하다.
③ 찬성 측이 근거를 바탕으로 주장을 반증해야 하는 문제이다.
④ 반대 측이 변화의 요구가 타당함을 입증해야 하는 내용이다.
⑤ 찬성 측의 입장에서 현재 상황을 변화시키는 방향으로 설정한다.

16 [A]에 나타난 사회자의 역할로 적절한 것만을 〈보기〉에서 고른 것은?

보기

ㄱ. 토론 참여자의 발언 순서를 지정한다.
ㄴ. 토론자의 발언 내용을 요약하고 정리한다.
ㄷ. 논제에 관한 토론이 필요한 배경을 설명한다.
ㄹ. 토론을 통해 해결하고자 하는 문제를 제시한다.
ㅁ. 논제에 대한 의견을 제시하여 토론 참여를 유도한다.

① ㄱ, ㄴ, ㄷ　② ㄱ, ㄴ, ㅁ　③ ㄱ, ㄷ, ㄹ　④ ㄴ, ㄷ, ㅁ　⑤ ㄷ, ㄹ, ㅁ

17 윗글 전체를 포괄하는 핵심 쟁점을 〈조건〉에 맞게 서술하시오.

조건

• 핵심 쟁점은 한 가지만 서술할 것.

• **설득하는 글 쓰기 과정**

주변의 문제 중 글로 쓸 화제를 선정하고, 자기의 관점이나 입장 정하기. ≫ 쓰기 맥락(글의 목적과 주제, 예상 독자, 매체) 분석하기. ≫ 주장을 뒷받침할 수 있는 근거 자료 수집하기 ≫ 내용을 조직하여 글의 개요 작성 하기 ≫ 개요를 바탕으로 설득하는 글 쓰기. ≫ 쓴 글을 자기 점검하고 상호 평가하기. ≫ 점검 내용과 평가 내용을 반영하여 고쳐 쓰기

• **쓰기 맥락을 고려한 고쳐 쓰기**

쓰기 맥락이 글의 내용이나 형식에 영향을 미침.

- 쓰기 맥락을 고려하여 쓰기 과정을 점검하고 조정해야 함.
- 글의 내용이나 형식을 수정하고 보완하여 글을 능동적으로 고쳐 쓸 수 있어야 함.

• **설득하는 글을 쓸 때 유의할 점**

글의 주제와 예상 독자를 분석하고 이에 따라 근거 자료를 수집함.	+	근거 자료를 풍부하게 수집하고 타당성이 있는 것을 선별함.

▼

글의 설득력을 높일 수 있음.

○○ 지역 신문 20○○년 ○월 ○○일

심폐 소생술을 배우자

「거실에서 텔레비전을 함께 보던 가족이 갑자기 의식을 잃고 쓰러졌을 때, 우리가 할 수 있는 일은 무엇일까요? 고등학생 박◯◯ 양은 어머니께서 갑자기 쓰러지자 119에 신고한 후, 소방대원이 알려 주는 심폐 소생술을 침착하게 실행하여 어머니를 살릴 수 있었습니다.」

「 」: 구체적인 사례로 글을 시작하여 독자의 흥미를 끎.

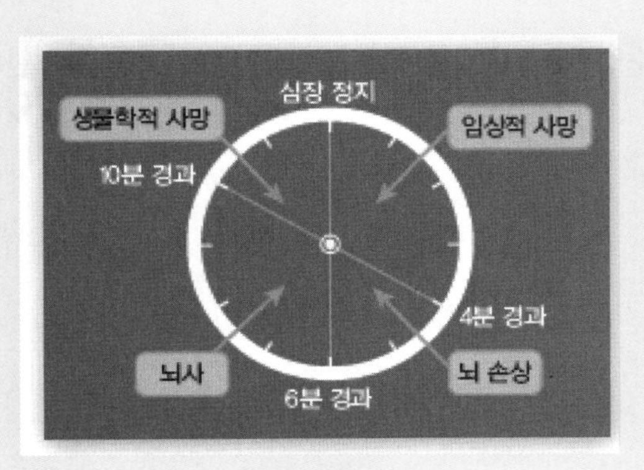

▲ 심정지에 따른 결과

매체에 적합한 자료를 활용함.

위 자료에 따르면, 심정지 발생 후 초기 대응 시간에 따라 환자의 생사가 좌우된다는 것을 알 수 있습니다. 따라서 심정지 환자를 발견하면 즉시 응급 처치를 해야 하는데, 이때 필요한 것이 바로 심폐 소생술입니다.

도표를 통해 알 수 있는 내용

▶ 서론 - 심폐 소생술의 중요성

질병 관리 본부의 발표에 따르면, 2012년부터 2015년까지 일반인이 실시한 심폐 소생술 비율이 증가함에 따라 심정지 환자의 생존율도 함께 증가하였다고 합니다. 하지만 미국(39.9퍼센트)이나 일본(36.0퍼센트), 싱가포르(20.6퍼센트) 등 다른 나라와 비교하면 우리나라는 아직도 일반인이 실시한 심폐 소생술 비율이 매우 낮은 수준입니다. 그 이유는 무엇일까요?

근거 ①

근거 ②

연구 결과에 따르면 많은 사람들이 심폐 소생술이 무엇인지, 이를 어떻게 해야 하는지 모를뿐더러 일부 사람들은 오히려 자신의 응급 처치가 환자에게 해를 끼칠지도 모른다고 걱정하는 것으로 나타났습니다. 이러한 걱정을 떨쳐 버릴 수 있는 가장 좋은 방법은 직접 심폐 소생술을 배우는 것입니다. 실제 심폐 소생술 교육을 받은 제 친구의 말에 따르면 교육을 받기 전보다 교육을 받은 후에 심폐 소생술에 대한 자신감이 훨씬 높아졌다고 합니다.

근거 ③

「응급 환자를 목격한 후 구조를 요청하는 요령을 배우고, 인체 모형을 대상으로 응급 처치 방법을 익히는 등 실습 위주의 교육을 통해 심폐 소생술을 반복적으로 연습하여 몸에 익히면 유사한 상황이 생겼을 때 당황하지 않고 심폐 소생술을 실행할 수 있을 것입니다.」

「 」: 심폐 소생술 교육의 방법

▶ 본론 - 심폐 소생술 교육의 방법과 효과

위급 상황은 예고 없이 찾아옵니다. 다른 사람을 돕고 싶은 마음이 있어도 도울 방법을 몰라 응급 환자를 보고만 있을 수밖에 없다면 그 안타까움은 이루 말할 수 없을 것입니다. 그러므로 소중한 생명을 지키기 위해 심폐 소생술을 배우고 익힙시다.

주장

▶ 결론 - 심폐 소생술을 배우자.

확인학습

01 설득하는 글을 쓸 때에는 근거 자료가 예상 독자의 배경지식이나 관심에 부합하는지를 고려해야 한다. O□ X□

02 완성도 있는 글을 쓰기 위해서는 초고를 작성한 뒤 쓰기 맥락을 고려하여 점검하고 조정해야 한다. O□ X□

03 화제에 대한 자신의 입장이나 관점을 정할 때에는 다른 사람의 관점이나 입장, 견해 등을 참고해서할 수 있다. O□ X□

04 글의 설득력을 높이기 위해서는 가능한 한 근거 자료를 풍부하게 수집하고, 수집한 근거를 모두 글에 사용해야 한다. O□ X□

05 화제 선정하기는 주변의 문제 중 글로 쓸 화제를 선정하고, 자기의 관점이나 입장을 정하는 것이다. O□ X□

06 쓰기 맥락 분석하기는 글의 목적과 주제, 예상 독자, 매체 등을 분석하는 활동이다. O□ X□

07 내용 생성하기는 내용을 조직하여 글의 개요를 작성하는 활동이다. O□ X□

08 내용 조직하기는 주장을 뒷받침 할 수 있는 근거 자료를 수집하는 활동이다. O□ X□

09 설득하는 글 쓰기는 개요를 바탕으로 설득하는 글을 쓰는 활동이다. O□ X□

10 점검하기와 고쳐쓰기는 자신이 쓴 글을 자기 점검하고 상호 평가하며, 점검 내용과 평가 내용을 반영하여 고쳐 쓰는 활동이다. O□ X□

객관식 기본문제

[01~02] 다음 글을 읽고 물음에 답하시오.

○○지역 신문	2018년 ○월 ○일

심폐 소생술을 배우자

거실에서 텔레비전을 함께 보던 가족이 갑자기 의식을 잃고 쓰러졌을 때, 우리가 할 수 있는 일은 무엇일까요? 고등학생 박○○ 양은 어머니께서 갑자기 쓰러지자 119에 신고한 후, 소방대원이 알려 주는 심폐 소생술을 침착하게 실행하여 어머니를 살릴 수 있었습니다.

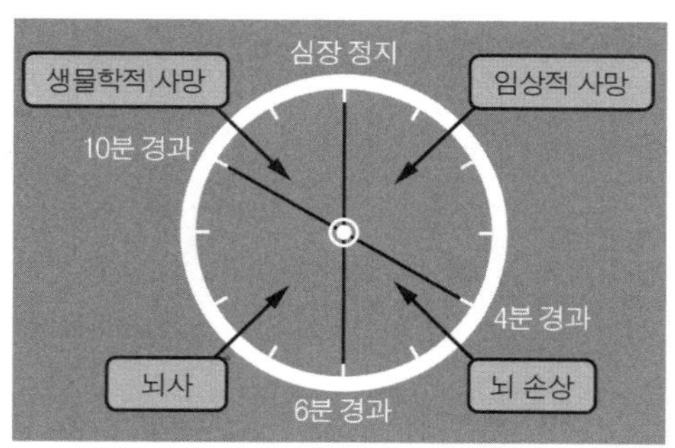

▲ 심정지에 따른 결과

위 자료에 따르면, 심정지 발생 후 초기 대응 시간에 따라 환자의 생사가 좌우된다는 것을 알 수 있습니다. 따라서 심정지 환자를 발견하면 즉시 응급 처치를 해야 하는데, 이때 필요한 것이 바로 심폐 소생술입니다.

질병 관리 본부의 발표에 따르면, 2012년부터 2015년까지 일반인이 실시한 심폐 소생술 비율이 증가함에 따라 심정지 환자의 생존율도 함께 증가하였다고 합니다. 하지만 미국(39.9퍼센트)이나 일본(36.0퍼센트), 싱가포르(20.6퍼센트) 등 다른 나라와 비교하면 우리나라는 아직도 일반인이 실시한 심폐 소생술 비율이 13.1퍼센트로 매우 낮은 수준입니다. 그 이유는 무엇일까요?

연구 결과에 따르면 많은 사람들이 심폐 소생술이 무엇인지, 이를 어떻게 해야 하는지 모를뿐더러 일부 사람들은 오히려 자신의 응급 처치가 환자에게 해를 끼칠지도 모른다고 걱정하는 것으로 나타났습니다. 이러한 걱정을 떨쳐 버릴 수 있는 가장 좋은 방법은 직접 심폐 소생술을 배우는 것입니다. 실제 심폐 소생술 교육을 받은 제 친구의 말에 따르면 교육을 받기 전보다 교육을 받은 후에 심폐 소생술에 대한 자신감이 훨씬 높아졌다고 합니다.

응급 환자를 목격한 후 구조를 요청하는 요령을 배우고, 인체 모형을 대상으로 응급 처치 방법을 익히는 등 실습 위주의 교육을 통해 심폐 소생술을 반복적으로 연습하여 몸에 익히면 유사한 상황이 생겼을 때 당황하지 않고 심폐 소생술을 실행할 수 있을 것입니다.

위급 상황은 예고 없이 찾아옵니다. 다른 사람을 돕고 싶은 마음이 있어도 도울 방법을 몰라 응급 환자를 보고만 있을 수밖에 없다면 그 안타까움은 이루 말할 수 없을 것입니다. 그러므로 소중한 생명을 지키기 위해 심폐 소생술을 배우고 익힙시다.

01 윗글을 쓰기 위한 글쓰기 전략으로 적절하지 않은 것은?

① 독자의 흥미를 끌 만한 구체적인 사례를 들면서 글을 시작해야겠어.
② 공신력 있는 기관의 발표 자료를 인용하여 내용의 신빙성을 높여야겠어.
③ 객관적인 수치로 우리나라의 일반인 심폐 소생술 실시 비율이 낮음을 지적해야겠어.
④ 실제 심폐 소생술 교육을 받은 믿을 만한 사람의 말을 인용하여 신뢰성을 확보해야겠어.
⑤ 심폐 소생술을 배우자는 당부로 글을 마무리하여 글의 목적과 주제를 분명히 해야겠어.

02 윗글을 고쳐 쓰기 위한 방안으로 적절하지 않은 것은?

① 심폐 소생술 교육의 효과를 뒷받침할 수 있는 근거 자료가 부족하니 이를 추가적으로 수집하는 것이 좋겠어.
② 심폐 소생술 교육의 방법은 독자의 이해를 돕기 위해 심폐 소생술 교육 영상과 함께 제시하는 것이 좋겠어.
③ 일반인의 심폐소생술 실시율과 심정지 환자의 생존율 사이의 상관관계를 보여주는 그래프를 추가하는 것이 좋겠어.
④ 다른 나라와 우리나라의 일반인 심폐 소생술 실시 비율을 한 눈에 비교할 수 있는 도표를 보여주는 것이 좋겠어.
⑤ 우리나라의 일반인 심폐 소생술 실시 비율이 낮은 이유에 대한 연구 결과의 출처를 분명하게 밝히는 것이 좋겠어.

[03~04] 다음 글을 읽고 물음에 답하시오.

(가) 글의 개요

- 처음 : 심폐 소생술의 중요성 ………………………… ㉠
- 중간 : 심폐 소생술 교육의 방법과 효과
  1. 일반인의 심폐 소생술 증가 ……………………… ㉡
  2. 심폐 소생술 교육의 필요성 ……………………… ㉢
  3. 실습 위주의 심폐 소생술 교육의 중요성 ……… ㉣
- 끝 : 소중한 생명을 지키기 위한 심폐 소생술 교육 강조 ……………………………………………… ㉤

(나) 학생의 초고

○○지역 신문	2018년 ○월 ○일

심폐 소생술을 배우자

거실에서 텔레비전을 함께 보던 가족이 갑자기 의식을 잃고 쓰러졌을 때, 우리가 할 수 있는 일은 무엇일까요? 고등학생 박○○ 양은 어머니께서 갑자기 쓰러지자 119에 신고한 후, 소방대원이 알려 주는 심폐 소생술을 침착하게 실행하여 어머니를 살릴 수 있었습니다.

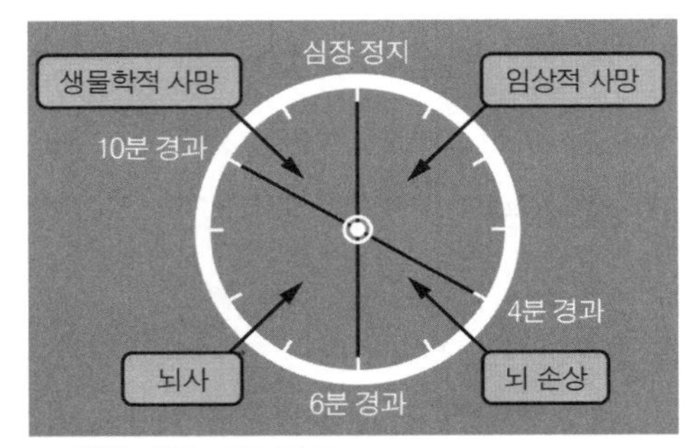

▲ 심정지에 따른 결과

위 자료에 따르면, 심정지 발생 후 초기 대응 시간에 따라 환자의 생사가 좌우된다는 것을 알 수 있습니다. 따라서 심정지 환자를 발견하면 즉시 응급 처치를 해야 하는데, 이때 필요한 것이 바로 심폐 소생술입니다.

질병 관리 본부의 발표에 따르면, 2012년부터 2015년까지 일반인이 실시한 심폐 소생술 비율이 증가함에 따라 심정지 환자의 생존율도 함께 증가하였다고 합니다. 하지만 미국(39.9퍼센트)이나 일본(36.0퍼센트), 싱가포르(20.6퍼센트) 등 다른 나라와 비교하면 우리나라는 아직도 일반인이 실시한 심폐 소생술 비율이 13.1퍼센트로 매우 낮은 수준입니다. 그 이유는 무엇일까요?

연구 결과에 따르면 많은 사람들이 심폐 소생술이 무엇인지, 이를 어떻게 해야 하는지 모를뿐더러 일부 사람들은 오히려 자신의 응급 처지가 환자에게 해를 끼칠지도 모른다고 걱정하는 것으로 나타났습니다. 이러한 걱정을 떨쳐 버릴 수 있는 가장 좋은 방법은 직접 심폐 소생술을 배우는 것입니다. 실제 심폐 소생술 교육을 받은 제 친구의 말에 따르면 교육을 받기 전보다 교육을 받은 후에 심폐 소생술에 대한 자신감이 훨씬 높아졌다고 합니다.

응급 환자를 목격한 후 구조를 요청하는 요령을 배우고, 인체 모형을 대상으로 응급 처치 방법을 익히는 등 실습 위주의 교육을 통해 심폐 소생술을 반복적으로 연습하여 몸에 익히면 유사한 상황이 생겼을 때 당황하지 않고 심폐 소생술을 실행할 수 있을 것입니다.

위급 상황은 예고 없이 찾아옵니다. 다른 사람을 돕고 싶은 마음이 있어도 도울 방법을 몰라 응급 환자를 보고만 있을 수밖에 없다면 그 안타까움은 이루 말할 수 없을 것입니다. 그러므로 소중한 생명을 지키기 위해 심폐 소생술을 배우고 익힙시다.

---

03 (가) 개요를 바탕으로 (나) 글을 작성했다고 할 때 학생이 고려했을 상황으로 적절하지 않은 것은?

① ㉠ : 구체적 사례를 소개하여 심폐 소생술에 대한 독자의 흥미를 유발해야겠어.
② ㉡ : 일반인의 심폐 소생술 비율이 증가함에도 심정지 환자의 생존률이 낮아지는 우리나라의 경우를 자료로 제시해야겠어.
③ ㉢ : 일반인의 심폐 소생술에 대한 두려움을 없애기 위해서라도 심폐 소생술 교육이 필요함을 강조해야겠어.
④ ㉣ : 실습 위주의 심폐 소생술 교육을 반복적으로 실행하는 것의 중요성을 제시해야겠어.
⑤ ㉤ : 심폐 소생술의 의의를 제시하면서 글을 마무리해야겠어.

04 쓰기 맥락을 고려하여 (나)를 점검한 결과로 적절하지 않은 것은?

	점검 기준	점검 결과
①	주장하는 내용이 글의 목적에 맞는가?	×
②	주장이 명확히 드러났는가?	○
③	주장에 따른 근거가 모두 믿을 만한가?	×
④	글의 수준이 예상 독자에게 적절한가?	○
⑤	매체에 적합한 자료를 제시하고 있는가?	○

객관식 심화문제

[01~03] (가)는 학생이 글쓰기를 위해 분석한 쓰기 맥락이고, (나)는 (가)를 바탕으로 쓴 초고이다. 다음을 읽고 물음에 답하시오.

(가) 쓰기 맥락

- 글의 목적 : 우리 지역 사람들을 대상으로 심폐 소생술을 배우자고 설득한다.
- 글의 주제 : 심폐 소생술을 배우자.
- 예상 독자 : 우리 지역 사람들(심폐 소생술에 대한 배경지식은 부족하지만, 건강과 안전에 관심이 많음.)
- 매체 : 인쇄 매체인 지역 신문

(나) 학생의 초고

거실에서 텔레비전을 함께 보던 가족이 갑자기 의식을 잃고 쓰러졌을 때, 우리가 할 수 있는 일은 무엇일까요? 고등학생 박○○ 양은 어머니께서 갑자기 쓰러지자 119에 신고한 후, 소방대원이 알려 주는 심폐 소생술을 침착하게 실행하여 어머니를 살릴 수 있었습니다.

심정지 환자를 발견하면 즉시 응급 처치를 해야 하는데, 이때 필요한 것이 바로 심폐 소생술입니다.

질병 관리 본부의 발표에 따르면, 2012년부터 2015년까지 일반인이 실시한 심폐 소생술 비율이 증가함에 따라 심정지 환자의 생존율도 함께 증가하였다고 합니다. ㉠그래서 미국(39.9퍼센트)이나 일본(36.0퍼센트), 싱가포르(20.6퍼센트) 등 다른 나라와 비교하면 ㉡우리나라는 아직도 일반인이 실시한 심폐 소생술 비율이 매우 낮은 수준입니다. 그 이유는 무엇일까요?

연구 결과에 따르면 많은 사람들이 심폐 소생술이 무엇인지, 이를 어떻게 해야 하는지 모를뿐더러 일부 사람들은 ㉢오히려 자신의 응급 처지가 환자에게 해를 끼칠지도 모른다고 걱정하는 것으로 나타났습니다. 이러한 걱정을 떨쳐 버릴 수 있는 가장 좋은 방법은 직접 심폐 소생술을 배우는 것입니다. ㉣실제 심폐 소생술 교육을 받은 제 친구의 말에 따르면 교육을 받기 전보다 교육을 받은 후에 심폐 소생술에 대한 자신감이 훨씬 높아졌다고 합니다.

응급 환자를 목격한 후 구조를 요청하는 요령을 배우고, 인체 모형을 대상으로 응급 처치 방법을 익히는 등 실습 위주의 교육을 통해 심폐 소생술을 반복적으로 연습하여 몸에 익히면 유사한 상황이 생겼을 때 당황하지 않고 심폐 소생술을 실행할 수 있을 것입니다. ㉤또한 심폐 소생술을 잘못하면 뇌 손상과 같은 후유증이 남을 수 있어 교육 동영상의 정확도는 매우 중요합니다.

위급 상황은 예고 없이 찾아옵니다. 다른 사람을 돕고 싶은 마음이 있어도 도울 방법을 몰라 응급 환자를 보고만 있을 수밖에 없다면 그 안타까움은 이루 말할 수 없을 것입니다. 그러므로 소중한 생명을 지키기 위해 심폐 소생술을 배우고 익힙시다.

01 **<보기>는 학생이 (나)를 쓰기 전에 떠올린 생각이다. (나)에 반영된 내용으로 적절한 것을 <보기>에서 고른 것은?**

보기

ㄱ. 주제와 관련된 실제 사례를 언급하며 독자의 관심을 유도해야겠어.
ㄴ. 중심 화제와 관련된 질문을 던지는 방식으로 집중을 유도해야겠어.
ㄷ. 심폐 소생술의 구체적인 방법을 안내하며 심폐 소생술의 효과를 제시해야겠어.
ㄹ. 예상 독자가 이미 알고 있는 심폐 소생술에 대한 지식을 상기시키며 주장을 강조해야겠어.

① ㄱ, ㄴ ② ㄱ, ㄷ ③ ㄴ, ㄷ ④ ㄴ, ㄹ ⑤ ㄷ, ㄹ

02 자료 1~3을 활용하여 (나)를 보완하기 위한 방안으로 적절하지 않은 것은?

자료1	심장 정지 생물학적 사망 임상적 사망 10분 경과 4분 경과 뇌사 6분 경과 뇌 손상 ▲ 심정지에 따른 결과 심정지(심장이 수축하지 않아 혈액 공급이 완전히 멎은 상태)가 발생했을 때 아무런 조치를 취하지 않으면 4~5분 내에 뇌 손상이 일어나기 때문에 심정이 초기 5분의 대응이 운명을 좌우합니다. – 서울특별시 영등포구 보건소 누리집 –
자료2	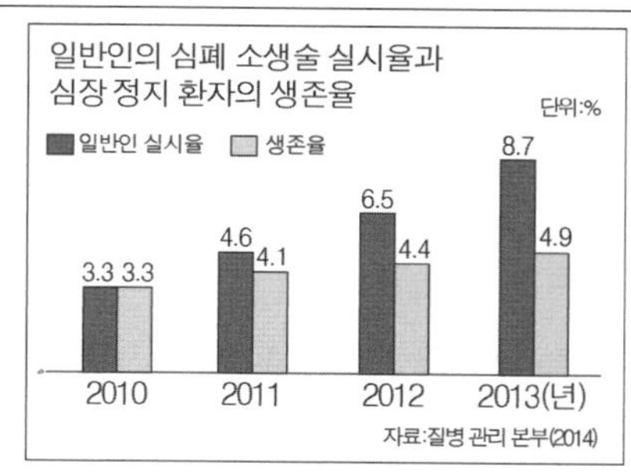 2012년부터 2015년까지 조사한 결과 일반인의 심폐 소생술 실시율이 증가함에 따라 심정지 환자의 생존율이 증가하였다. – 질병 관리 본부 누리집 –
자료3	〈동영상 자료〉 ㅇㅇ의대 김△△ 교수 팀은 인터넷상의 심폐 소생술 동영상 1,600건을 분석했습니다. 그 결과 의학적으로 정확하면서 교육 효과가 높은 동영상은 2퍼센트에 불과한 것으로 나타났습니다. 심폐 소생술을 잘못하면 뇌손상과 같은 후유증이 남을 수 있어 교육 동영상의 정확도는 매우 중요합니다. 전문가들은 심폐 소생술이 사람의 생명을 다루는 기술인만큼, 교육 동영상을 철저히 관리해야 한다고 강조합니다. 인증 표시를 도입하거나 부정확한 동영상을 삭제하는 등 대책 마련이 필요합니다. – 와이티엔(YTN) 「뉴스정식」(2015. 5. 19) –

① 자료 1 : 서론에서 심폐 소생술의 중요성을 보여주는 자료로 활용한다.
② 자료 1 : 도표를 제시하여 심정지 발생 시 초기 대응이 중요함을 강조한다.
③ 자료 2 : 심폐 소생술 교육이 필요한 이유를 뒷받침하는 근거 자료로 활용한다.
④ 자료 2 : 일반인이 실시한 심폐 소생술 비율이 거의 변하지 않고 있음을 보여주는 자료로 활용한다.
⑤ 자료 3 : 매체의 특성을 고려할 때 적절하지 않은 형태의 자료이므로 활용하지 않는다.

03 ㉠~㉤을 고쳐 쓰기 위한 방안으로 적절하지 않은 것은?

① ㉠ : 앞뒤 내용을 자연스럽게 연결하지 못하므로 '하지만'으로 고친다.
② ㉡ : '매우 낮은' 수준이 어느 정도인지 정확하지 않고 모호하므로 구체적인 수치를 제시한다.
③ ㉢ : 문맥에 맞지 않는 단어이므로 '예상한 것과 달리' 라는 뜻의 '차라리'로 고친다.
④ ㉣ : 공신력 있는 자료가 아니므로 삭제하고, 신뢰할 수 있는 기관의 자료를 활용한다.
⑤ ㉤ : 주체와 관련 없는 내용으로서 글의 통일성을 저해하므로 삭제한다.

[04~05] 다음 글을 읽고 물음에 답하시오.

심폐 소생술을 배우자

거실에서 텔레비전을 함께 보던 가족이 갑자기 의식을 잃고 쓰러졌을 때, 우리가 할 수 있는 일은 무엇일까요? 고등학생 박○○ 양은 어머니께서 갑자기 쓰러지자 119에 신고한 후, 소방대원이 알려 주는 심폐 소생술을 침착하게 실행하여 어머니를 살릴 수 있었습니다.

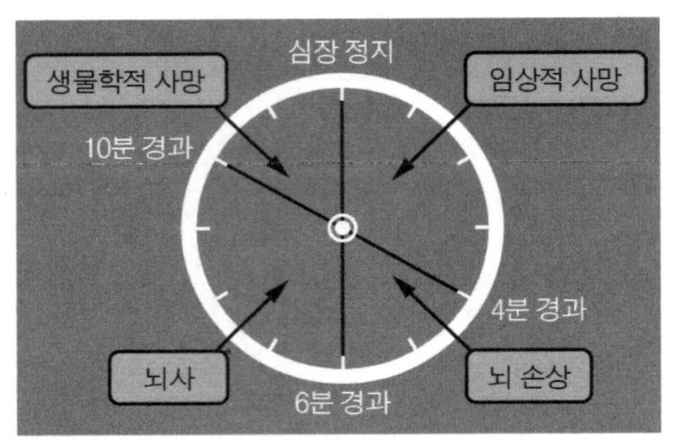

▲ 심정지에 따른 결과

위 자료에 따르면, 심정지 발생 후 초기 대응 시간에 따라 환자의 생사가 좌우된다는 것을 알 수 있습니다. 따라서 심정지 환자를 발견하면 즉시 응급 처치를 해야 하는데, 이때 필요한 것이 바로 심폐 소생술입니다.

질병 관리 본부의 발표에 따르면, 2012년부터 2015년까지 일반인이 실시한 심폐 소생술 비율이 증가함에 따라 심정지 환자의 생존율도 함께 증가하였다고 합니다. 하지만 미국(39.9퍼센트)이나 일본(36.0퍼센트), 싱가포르(20.6퍼센트) 등 다른 나라와 비교하면 우리나라는 아직도 일반인이 실시한 심폐 소생술 비율이 13.1퍼센트로 매우 낮은 수준입니다. 그 이유는 무엇일까요?

연구 결과에 따르면 많은 사람들이 심폐 소생술이 무엇인지, 이를 어떻게 해야 하는지 모를뿐더러 일부 사람들은 오히려 자신의 응급 처치가 환자에게 해를 끼칠지도 모른다고 걱정하는 것으로 나타났습니다. 이러한 걱정을 떨쳐 버릴 수 있는 가장 좋은 방법은 직접 심폐 소생술을 배우는 것입니다. 실제 심폐 소생술 교육을 받은 제 친구의 말에 따르면 교육을 받기 전보다 교육을 받은 후에 심폐 소생술에 대한 자신감이 훨씬 높아졌다고 합니다.

응급 환자를 목격한 후 구조를 요청하는 요령을 배우고, 인체 모형을 대상으로 응급 처치 방법을 익히는 등 실습 위주의 교육을 통해 심폐 소생술을 반복적으로 연습하여 몸에 익히면 유사한 상황이 생겼을 때 당황하지 않고 심폐 소생술을 실행할 수 있을 것입니다.

위급 상황은 예고 없이 찾아옵니다. 다른 사람을 돕고 싶은 마음이 있어도 도울 방법을 몰라 응급 환자를 보고만 있을 수밖에 없다면 그 안타까움은 이루 말할 수 없을 것입니다. 그러므로 소중한 생명을 지키기 위해 심폐 소생술을 배우고 익힙시다.

– ○○지역 신문 (20○○년 ○월 ○○일) –

04 쓰기 맥락을 고려하여 위 글을 점검하는 질문으로 적절하지 <u>않은</u> 것은?

① 주장이나 근거가 글의 목적에 적합한가?
② 주장에 따른 근거가 타당하고 충분한가?
③ 매체에 적합한 표현 방식을 사용하였는가?
④ 글쓴이의 관심 분야와 요구를 반영하였는가?
⑤ 글의 수준이 예상 독자의 배경 지식에 적절한가?

05 위 글에 대한 평가 내용으로 적절하지 않은 것은?

① 인쇄 매체에 적합한 도표 자료를 활용했군.
② 주제를 두괄식으로 제시하여 독자의 이해를 돕고 있군.
③ 친구에게 들은 이야기는 공신력이 떨어지므로 삭제해야겠군.
④ 우리나라의 일반인이 실시한 심폐소생술 비율을 정확하게 밝혀야겠군.
⑤ 질병관리본부의 자료를 그래프로 제시하면 변화의 추이를 한 눈에 파악할 수 있겠군.

[06~09] 다음 글을 읽고 물음에 답하시오.

사회자 : 한반도가 남북으로 갈린 지 70여 년이 지났습니다. 과연 적절한 통일 시기는 언제일까요? 오늘은 '남북 통일은 10년 이내에 이루어져야 한다.'라는 논제로 토론하겠습니다. 먼저 찬성 측 입론해 주십시오.

찬성 1 : 지난 분단 70년 세월, 남북은 많이 달라졌고 차이를 극복하는 것이 결코 쉬운 일은 아닐 것입니다. 하지만 두려움을 앞세워서 우리가 해야 할 일을 늦추는 것은 합당한 선택이 아닙니다. 그래서 저희는 10년 이내의 통일을 주장합니다. 첫째, 흐지부지 되는 30년 계획보다는 강력하고 명확한 10년의 계획이 실효성이 높습니다. 둘째, 시기를 늦출수록 남북의 차이는 점점 벌어질 것이고, 이는 통일비용의 증가를 가져오고, 국민적 관심도 지금처럼 유지될 것이라고 믿을 수 없습니다. 지금으로부터 30년 후면 분단 100년입니다. 통일을 위한 완벽한 시기를 기다리다가 지금 당장의 기회를 놓칠 수 있습니다.

사회자 : 찬성 측에서는 통일의 적절한 시기를 놓치지 않기 위해 10년 이내의 명확한 계획을 세워 추진해야 한다고 주장하였습니다. 반대 측 토론자, 교차 조사해 주십시오.

반대 2 : 찬성 팀에서 강력하고 명확한 10년의 계획을 추진해야 한다고 말씀하셨는데, 그 구체적인 방안이 무엇인가요?

찬성 1 : 아주 구체적인 부분은 언급하기 어렵지만, 먼저 통합된 정치 체제를 만드는 것이 우선입니다. 사회가 같은 정치 체제 내에서 같이 공감하고 같은 정책을 운영하는 것이 중요하다고 생각합니다. 물론 10년 내에 차이를 모두 극복할 수는 없습니다. 하지만 통일은 하나의 사건이 아니라 과정이고, 10년 후에도 통일을 완수하기 위해 지속적으로 노력해 나가야 할 것입니다.

반대 2 : 통일이 늦어질수록 통일비용이 증가한다고 하셨는데 구체적인 근거가 있나요?

찬성 1 : 통일부 남북공동체 기반조성 사업에 따르면 10년 이내에 통일할 경우 통일비용은 1,261조가 소요된다고 합니다. 그런데 이게 20년 후로 미루어지면 2,836조가 되구요, 30년 후로 미뤄지면 3,277조가 됩니다. 통일비용을 걱정하다가 미루면 오히려 통일비용이 늘어난다는 것을 보여줍니다.

사회자 : 다음은 반대 측 첫 번째 토론자, 입론해 주십시오.

반대 1 : 일단 통일에 대해서 긍정적으로 생각하는 점은 저 역시 공감을 합니다. 그런데 통일을 갑자기 이루기에는 너무나도 위험부담이 큽니다. 현재 국내외적으로 통일 재원이 아직 하나도 준비되어 있지 않습니다. 그리고 국내 여론 역시 아직까지는 통일에 대한 부정적인 의견이 많습니다. 국제적 상황을 고려했을 때도 역시 큰 부작용이 우려되고 있습니다. 무리하게 10년이라는 단기간의 목표를 세웠다가 사회 통합을 저해하고 예상치 못한 위험에 맞닥뜨릴 수가 있습니다. 사자성어 중 '유비무환'이라는 말이 있습니다. 준비를 한 뒤에는 근심이 없다는 뜻이죠. 이런 말처럼 30년 이상 천천히 준비하면서 통일을 준비해야 한다고 생각합니다. 이상입니다.

사회자 : 찬성 측 교차 질문 해주십시오.

찬성 2 : ㉠______________________________.

06 토론 참여자들의 말하기에 대한 설명으로 적절하지 않은 것은?

① 반대 측은 자신과 상대방 의견의 일치점을 드러내는 표현을 사용하고 있다.
② 반대 측은 전문가 견해를 인용하여 자신의 주장이 타당함을 강조하고 있다.
③ 찬성 측은 주장과 관련된 구체적인 통계 자료를 활용하여 설득력을 높이고 있다.
④ 찬성 측은 통일이 늦어질 경우 예상되는 문제점을 들어 자신의 주장을 정당화하고 있다.
⑤ 사회자는 논제의 사회적 배경을 언급하고 입론 내용을 요약하며 토론 순서를 안내하고 있다.

07 ㉠에 들어갈 교차 질문으로 가장 적절한 것은?

① '유비무환'보다는 '속전속결'이 더 적절한 말 아닙니까?
② 북한과 평화통일을 이루어야 한다는 것은 헌법에 규정되어 있는 책무 아닙니까?
③ 강경파 위주의 주변 국가들을 단기간에 설득하는 것은 비현실적이지 않습니까?
④ 남북정상회담 때 백두산 천지에서 남북이 함께 아리랑을 부른 것을 알고 계십니까?
⑤ 최근 여론 조사에서 64%가 '통일로 인한 이익이 클 것'이라고 답한 것을 알고 계십니까?

08 양측이 공통적으로 인정하고 있는 것은?

① 통일에는 막대한 비용이 소요된다.
② 통일은 급진적으로 이루어내야 한다.
③ 사회 통합은 통일이 되면 이루어진다.
④ 통일비용보다 통일 후 편익이 더 크다.
⑤ 통일은 무력으로라도 반드시 이루어야 한다.

09 다음을 참고할 때, 위 토론의 유형으로 적절한 것은?

> 이 토론은 찬성 측과 반대 측이 각각 두 번의 입론과 두 번의 반론을 한다. 또한 입론 다음에 바로 교차조사가 이어진다. 토론자마다 입론, 반론, 교차조사를 모두 해야하기 때문에 참여자들은 끝까지 집중해야 한다.

① 원탁 토론　② 의회식 토론　③ 칼포퍼 토론
④ CEDA 토론　⑤ 링컨-더글러스 토론

서술형 심화문제

01 다음은 수업 시간에 이루어진 대화이다. 빈칸에 들어갈 답변을 적절한 이유를 들어 서술하시오.

> **교사** : 우리가 다음 시간에 할 토론 논제는 '9시 등교를 시행해야 한다.' 입니다. 찬성 측과 반대 측은 입론서를 작성해 오도록 하세요.
> **반대** : (손을 들고) 선생님, 저희 반대 측에서 먼저 토론을 시작할게요!
> **찬성** : (벌떡 일어나며) 아니야. 찬성인 우리가 먼저 할거야!
> **교사** : 음, 서로 먼저 하려고 난리구나. 토론에서는 ____________________.

[02~03] **다음 글을 읽고 물음에 답하시오.**

글을 쓰는 마지막 단계는 고쳐쓰기이다. 고쳐 쓰기 단계에서는 글의 목적과 주제, 예상독자에 맞게 내용이 제시되었는지 평가해야 하며, 글의 구성과 표현법 등도 함께 살펴야 한다. 끝으로 문장이 어법에 맞고 단어가 적절하게 사용되었는지 점검해야 하는데, 구체적인 내용을 살펴보면 다음과 같다.

[A]
- 주어와 서술어의 호응이 적절한가?
- 부사어와 서술어의 호응이 적절한가?
- 조사나 어미가 적절하게 사용되었는가?
- 문장의 필요한 성분을 모두 갖추고 있는가?
- 문맥에 맞도록 단어가 적절히 제시되었는가?

02 〈자료1〉, 〈자료2〉와 같이 문장을 수정할 때, 반영된 것을 [A]에서 찾아 빈칸에 쓰시오.

(1) ㉠ : 주어와 서술어의 호응이 적절한가?
㉡ : ____________________.
㉢ : ____________________.

자료 1

> ○○ 지역 원두에 장점은 아무리 오래 보관하여도 커피의 향과 맛이 변하지 않는다.
> → ○○ 지역 원두의 장점은 원두를 아무리 오래 보관하여도 커피의 향과 맛이 변하지 않는다는 것이다.

(2) ㉠ : ____________________.
㉡ : ____________________.
㉢ : ____________________.

자료 2

> • 서울에서 열리는 '남북 통일 축구 응원단'에 가담한 시민들은 "겨레는 하나다!"고 구호와 통일 노래도 외쳤다.
> → 서울에서 열리는 '남북 통일 축구 응원단'에 참여한 시민들은 "겨레는 하나다!"라고 구호를 외치고 통일 노래도 불렀다.

03 다음은 위 글의 [A]를 반영하여 문장을 수정한 것이다. 빈칸에 들어갈 문장을 쓰시오.

수정 전	내가 전하고 싶은 말은 너희가 포기하지 않고 최선을 다하길 바란다.

↓주어와 서술어의 호응이 적절한가?

수정 후	(1)

수정 전	비록 우리가 우승을 못 할수록 최선을 다했으니 경기는 이긴 것이나 다름없다.

↓부사어와 서술어의 호응이 적절한가?

수정 후	(2)

수정 전	이 가구는 최고급 제품으로써 100% 인도네시아산 원목으로서 만들어졌습니다.

↓조사나 어미가 적절하게 사용되었는가?

수정 후	(3)

수정 전	우리는 세상에 순응하기도 하고 때로는 바꾸기도 한다.

↓문장의 필요한 성분을 모두 갖추고 있는가?

수정 후	(4)

수정 전	이 세상에는 다양한 사람들이 있으며, 성격도 제각각 틀리다.

↓문맥에 맞도록 단어가 적절히 제시되었는가?

수정 후	(5)

단원 종합평가

[01~05] **다음은 토론 중의 발언이다. 발언을 읽고 물음에 답하시오.**

사회자 : 안녕하십니까? 오늘은 '고당류 음료의 가격을 올려야 한다.'라는 논제로 토론하겠습니다. 최근 세계 각국이 설탕과의 전쟁을 선언하고 '당 줄이기' 운동을 펼치고 있습니다. 우리나라 역시 '제1차 당류 저감 종합 계획'을 발표하여 2020년까지 가공식품을 통한 당 섭취량을 하루에 섭취하는 총열량의 10퍼센트 이내로 낮추겠다는 목표를 밝혔습니다. 당 섭취량을 줄이기 위해 당 함유 가공식품, 특히 고당류 음료의 가격을 올려야 한다는 의견에 대한 찬반 논란이 뜨거운데요, 오늘은 이 문제를 가지고 토론해 보고자 합니다. 먼저 찬성 측의 입론부터 들어보겠습니다.

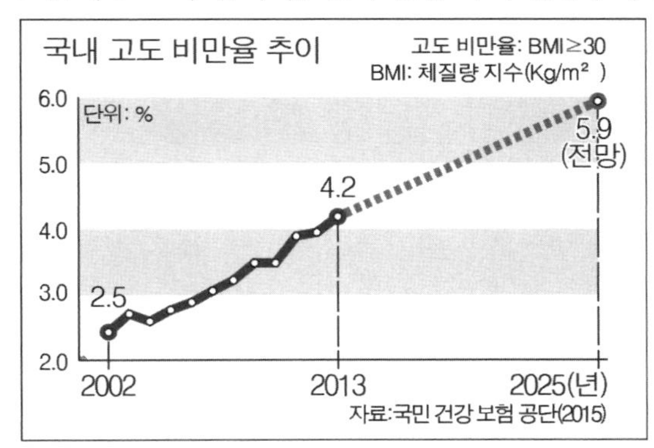

찬성 1 : 먼저 우리나라의 고도 비만율 추이를 나타낸 그래프를 보실까요? 이 그래프를 보면 2002년 이후 우리나라의 고도 비만율이 꾸준히 증가하고 있고, 앞으로도 이런 추세가 계속될 것임을 알 수 있습니다. 비만이 우리의 건강을 위협한다는 것은 누구나 알고 있는 상식인데, 왜 비만율이 줄지 않는 걸까요? 그것은 우리가 필요한 것 이상으로 많은 당을 섭취하고 있기 때문입니다. 청소년이 당을 섭취하게 되는 주요 식품이 바로 가공 음료라고 합니다. 우리가 습관적으로 마시는 가공 음료가 얼마나 위험한 것인지, 제가 오늘 가지고 나온 각설탕을 통해 알려 드리겠습니다. 여러분은 이 3그램짜리 각설탕을 한 번에 몇 개나 드실 수 있나요? 두 개 혹은 세 개? 혹시 오늘 젖산균 요구르트 150밀리리터를 마셨다면 이미 각설탕 일곱 개를 섭취한 것과 같습니다. 많은 사람들이 가공 음료에 이렇게나 많은 당이 들어 있는지 모른 채 다양한 음료를 즐겨 마시고 있습니다. 가공 음료를 통한 과다한 당 섭취는 비만으로 이어질 확률이 높습니다. 따라서 당 섭취량을 줄이기 위해 고당류 음료의 가격을 올려 소비를 감소해야 한다고 생각합니다.

사회자 : 찬성 측에서 국민 건강을 위협하는 과도한 당 섭취를 줄이기 위해 고당류 음료의 가격을 올려야 한다는 주장을 제시하였습니다. 이에 반대측 토론자, [㉠]해 주십시오.

반대 2 : 비만율이 증가하고 있다는 것은 저희도 알고 있습니다. 그런데 비만의 원인이 당 섭취에 있다고 단정하는 근거가 있나요?

찬성 1 : 당의 해로움을 지적한 연구는 적지 않습니다. 식품 의약품 안전 평가원에서 2011년 배포한 보도 자료에 따르면, 달게 먹는 습관이 비만의 위험을 높이는 것으로 나타났습니다. 우리나라 성인 16,992명을 대상으로 6~12년간 추적 조사한 결과, 설탕이나 물엿과 같은 첨가 당을 하루에 22그램 이상 많이 섭취한 집단은 하루에 8그램 이하로 적게 섭취한 집단보다 비만 위험이 28퍼센트나 높은 것으로 확인되었습니다. 평가원은 첨가 당 섭취량이 많아질수록 비만 위험도가 높아지고, 이것이 만성 질환을 유발하므로 덜 달게 먹는 습관을 지니는 것이 중요하다고 밝혔습니다.

반대 2 : 저희가 조사한 자료를 보면, 미국 식품 의약국은 1976년에 이미 설탕의 안정성을 연구했고, 권장량의 설탕 섭취는 인체에 해를 끼치지 않는다는 결론을 내렸습니다. 이는 어떻게 생각하십니까?

찬성 1 : 권장량이라는 것은 말 그대로 권장량일 뿐입니다. 세계 보건 기구가 권장하는 하루 당 섭취량은 하루에 섭취하는 총열량의 5퍼센트 수준인 25그램 이하입니다. 그런데 탄산음료 500밀리리터 한 병에는 약 50그램의 당이 들어 있습니다. 건강에 좋다고 인식되는 주스는 어떨까요? 주스 한 잔에 들어 있는 당은 평균 1524그램으로, 때에 따라 한 잔의 주스만으로도 하루 당 섭취 권장량을 모두 섭취할 수도 있습니다. 저희가 말씀드리고 싶은 것은 개인이 권장량에 맞춰 당 섭취량을 줄이는 게 쉽지 않다는 것입니다.

사회자 : 자, 다음은 [㉡] 해 주십시오.

01 윗글과 같은 말하기 유형에 대한 적절한 설명만을 모두 고른 것은?

ㄱ. 상대의 마음이나 행동, 태도를 변화시키는 언어활동이다.
ㄴ. 절차에 따라 말하기 보다는 즉흥적인 말하기 능력이 요구된다.
ㄷ. 다른 사람의 의견이나 제안을 받아들이지 않고 물리치는 말하기이다.
ㄹ. 상대의 논리적 허점을 파악하여 자신의 주장을 강화하는 전략이 필요하다.
ㅁ. 반론 시 자기에게 유리한 쟁점을 선택해 집중적으로 반박하는 전략도 효과적이다.

① ㄱ, ㄴ　② ㄱ, ㄹ　③ ㄱ, ㄹ, ㅁ　④ ㄴ, ㄷ, ㅁ　⑤ ㄷ, ㄹ, ㅁ

02 윗글의 논제와 성격이 같은 것은?

① 교내에 cctv를 설치해야 한다.
② 만화는 우리 사회에 유익하다.
③ 영어 교육은 모국어 습득에 방해가 된다.
④ 동물원의 원숭이가 야생의 원숭이보다 더 행복하다.
⑤ 체육 수업 감축은 초등학생들의 체력을 저하시킨다.

03 윗글을 참고할 때, ㉠과정에 대한 분석으로 적절하지 않은 것은?

① 찬성 1은 일상적인 예시를 통해 청중들이 이해하기 쉽게 설명하며 자신의 주장을 강화하고 있다.
② 찬성 1은 자신의 주장을 뒷받침하기 위해 신뢰성 있는 통계 자료를 제시하여 질문에 대답하고 있다.
③ 찬성 1은 소비자가 권장량을 넘어 과도한 당 섭취를 할 환경에 노출되어 있음을 제시하고 있다.
④ 반대 2는 비만과 당 섭취 사이의 객관적 상관관계를 증명하도록 요구하고 있다.
⑤ 반대 2는 논제의 오류를 찾아내기 위해 권장량의 설탕 섭취는 해가 되지 않음을 제시하고 있다.

04 ㉡에 들어갈 내용으로 적절한 것은?

① 찬성 측 첫 번째 토론자 입론해 주십시오.
② 반대 측 첫 번째 토론자 입론해 주십시오.
③ 찬성 측 두 번째 토론자 입론해 주십시오.
④ 반대 측 두 번째 토론자 반론해 주십시오.
⑤ 찬성 측 두 번째 토론자 반론해 주십시오.

05 〈자료〉는 입론에 대한 설명이다. 찬성1의 입론에 반영되지 않은 것을 고르면?

자료

입론은 찬성 측과 반대 측이 각각 ⓐ논제와 관련해서 자신의 주장을 세우는 시간이다. 먼저 ⓑ논제에 대한 토론이 왜 필요한지 그리고 그 사회적 배경이 무엇인지를 청중과 상대방에게 알려줌으로서 청중의 관심을 끈다. 또한 주요 개념들을 어떻게 정의하느냐가 토론의 전 과정에서 자기 팀의 입장을 받쳐주는 기반이 되기 때문에 ⓒ개념 설명에 대한 적절한 예를 들거나, ⓓ예상되는 반박에 대비한 해결방안을 제시하기도 한다. 마지막으로 ⓔ필수적인 쟁점이 드러나야 하는데 증거 제시와 필요성을 바탕으로 논리적 추론을 통해 자기 주장이 정당화 되도록 한다.

① ⓐ ② ⓑ ③ ⓒ ④ ⓓ ⑤ ⓔ

[06~07] 다음은 토론 중의 발언이다. 발언을 읽고 물음에 답하시오.

(가)

개요
Ⅰ. 서론 : 청소년의 고카페인 음료 음용 실태 Ⅱ. 본론1. 청소년의 고카페인 음료 과잉 섭취의 원인 1-1. 개인적 원인 – 청소년의 습관적 고카페인 음료 섭취 – 청소년의 일일 카페인 섭취 허용량에 대한 무지 – 건강에 도움이 되는 음료의 종류 1-2. 사회적 원인 – 고카페인 음료를 쉽게 구입할 수 있는 환경 – 고카페인 음료의 성분과 과다 섭취 시 부작용에 대한 정보 공개 미흡 – 학교에서 고카페인 음료 판매 금지하기 본론2. 고카페인 음료 섭취를 줄이기 위한 해결 방안 2-1. 개인적 해결 방안 – 습관적인 고카페인 음료 섭취 자제하기 – 일일 카페인 섭취 허용량 지키기 2-2. 사회적 해결 방안 – 고카페인 음료 성분 및 부작용 안내 문구를 음용 용기에 표기하기 Ⅲ. 결론 : 청소년의 고카페인 음료 섭취를 줄이기 위한 노력 촉구

(나)

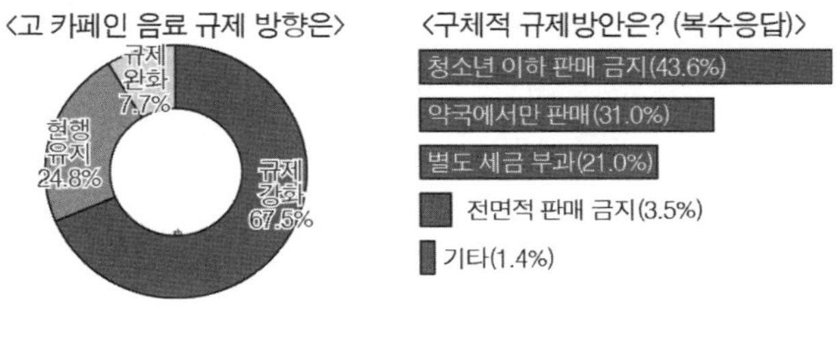

〈고 카페인 음료 규제 방향은〉

규제 완화 7.7%
현행 유지 24.8%
규제 강화 67.5%

〈구체적 규제방안은? (복수응답)〉

청소년 이하 판매 금지(43.6%)
약국에서만 판매(31.0%)
별도 세금 부과(21.0%)
전면적 판매 금지(3.5%)
기타(1.4%)

(다)

06 (가)를 작성할 때 글쓴이가 고려한 쓰기 맥락으로 적절하지 않은 것은?

① '청소년의 고카페인 음료 섭취를 줄이자'로 글의 주제를 요약할 수 있다.
② 청소년의 고카페인 음료 섭취량이 늘어나고 있는 상황에서 유익한 정보를 제공하기 위해 작성한 글이다.
③ 서론에서는 글의 목적을 효과적으로 드러내기 위해 글에서 다룰 문제 상황을 제시하는 것으로 구성하였다.
④ 평소 고카페인 음료를 많이 마시거나 고카페인 음료에 관심이 있는 청소년들을 주된 예상독자로 정하였다.
⑤ 사회적 해결방안 뿐 아니라 아직 나이가 어린 예상독자들도 실천하기 쉬운 개인적 해결방안을 제시하여 글의 효용성을 높였다.

07 (가)의 내용을 상호 점검한 내용으로 적절하지 않은 것은?

① **민지** : (나)는 서론보다는 2-2에 활용하면 어떨까?
② **서영** : 그럼 2-2에 '사회 제도적 규제방안'이라는 항목을 넣어서 활용하면 괜찮을 것 같아.
③ **동민** : 1-1의 '건강에 도움이 되는 음료의 종류'에 해당하는 참고자료도 찾아보는 것이 좋겠어.
④ **서준** : 1-2의 '학교에서 고카페인 음료 판매 금지하기'는 삭제해야 해.
⑤ **하늘** : (다)는 2-1의 '일일 카페인 섭취 허용량 지키기'의 보조 자료로 첨부하면 설득력을 높이는 데 도움이 될 거야.

MEMO

MEMO

고등 국어

HIGH SCHOOL

문제은행 실전기출

정답 및 해설

비상 | 박영민

(1) 듣기 · 말하기 방법의 다양성

확인학습 P.08

01 ○ 02 ○ 03 × 04 × 05 ○ 06 × 07 공적인
08 삶의 방식 09 사회 · 문화적 특성 10 ○ 11 × 12 ×
13 × 14 ○ 15 × 16 ○ 17 × 18 ○ 19 ○
20 차별, 편견

객관식 기본문제 P.09~11

01 ① 02 ② 03 ④ 04 ②
05 ④

01 의사소통 방법은 개인뿐 아니라 집단에 따라서도 달라진다고 언급하고 있다.
02 서울로 가다는 편견이 담긴 언어가 아니다.
03 민주는 학교에서 배운 '오라베'라는 방언을 오빠에게 사용하고 있다.
04 (가)의 똥강아지라는 말을 손녀의 세대에서는 쓰지 않기 때문에 의사소통의 문제가 생긴 것이다.
05 똥강아지나 망태할아버지는 지역 방언을 희화화하는 용어가 아니다.

객관식 심화문제 P.12~14

01 ⑤ 02 ① 03 ③ 04 ④
05 ②

01 진행자는 사연을 소개하고 있지만, 구체적으로 어떻게 고쳐야 하는 지는 말하고 있지 않다.
02 (가) - ㉠, (나) - ㉡, (다) - ㉣ 에 해당한다.
03 지역 방언은 그 자체만으로 가치 있으므로 존중하는 태도를 지녀야 한다. 공적인 상황에서는 원활한 의사소통을 위해 표준어를 사용하는 편이 좋지만, 사적인 상황에서는 삼갈 필요가 없다.
04 할아버지와 영미는 세대간의 언어 차이로 인해 의사소통에 문제를 겪고 있다. 성별간의 언어 차이로는 볼 수 없다.
05 사투리는 지역 내 주민들과의 친밀감을 높일 수 있으나 ㉡의 대화에서는 원활한 의사소통을 겪고 있지 않다.

서술형 심화문제 P.15

01 세대에 따른 언어차이가 있을 수 있으므로, 상대방을 고려하며 대화해야 합니다.
02 같은 언어 집단에서 효율적인 의사소통을 할 수 있다.
03 민주는 할머니와 세대가 달라 할머니 세대의 말하기 방식을 알지 못했기 때문이다.

01 선생님과 학생들은 세대에 따른 언어 차이 때문에 의사소통에 어려움을 겪고 있다. 이와 같은 상황에서는 서로의 차이를 이해하고 상대방을 고려하는 말하기를 해야 한다.

(2) 언어 · 예절을 갖추어 대화하기

확인학습 P.20

01 ○ 02 ○ 03 × 04 ○
05 양의 격률, 질의 격률, 관련성의 격률, 태도의 격률

객관식 기본문제 P.21~23

01 ② 02 ⑤ 03 ③ 04 ③
05 ④

01 ①–요령의 격률, ③–칭찬의 격률, ④–겸양의 격률, ⑤–동의의 격률
02 Ⓐ는 상대의 부담을 최소화 해야 하는 요령의 격률을, Ⓑ는 자신을 낮출줄 아는 겸양의 격률을 어기고 있다.
03 (다)는 칭찬의 격률에 대한 이야기로, ③의 현진이는 상대에 대해 칭찬할 점을 먼저 칭찬하고 이야기를 진행했어야 하는데 비난에 치중하여 이야기를 하고 있으므로 칭찬의 격률을 어기고 있다.
04 석기는 준이의 이야기에 동조할 수 있는 부분은 동조하고 순차적으로 이견이 있는 부분을 이야기하는 동의의 격률로 대화를 했어햐 하지만 무조건적으로 동의하는 모습을 보이고 있다.
05 서연의 이야기에 승우는 바로 이견을 내비춘다. 이는 공손성의 원리중 동의의 격률을 위반한 것이다. 나머지 보기는 공손성의 원리가 아닌 순서교대의 원리를 위반한 것이다.

객관식 심화문제 P.24~29

01 ① 02 ④ 03 ⑤ 04 ⑤
05 ③ 06 ③ 07 ① 08 ②
09·④ 10 ④

01 친한 친구 몇 명만 대상으로 조사하면 설문조사의 신뢰성이 떨어지기 때문에 학생 전체를 대상으로 설문 조사를 해야 한다.

02 '뭐 어쨌든 미안' 이라고 말했기 때문에 미안하다는 표현을 하지 않은 것은 아니다.

03 말하는 내용 자체가 올바르다고 할 수 없다. 연호는 명찬이를 탓하는 말하기를 하고 있다.

04 요령의 격률은 상대방에게 부담을 주지 않는 표현을 말하는데, '괜찮으면'이라는 표현을 통해 상대에게 부담을 줄여주고 있다.

05 할아버지와 영미는 세대간의 언어 차이로 인해 의사소통에 문제를 겪고 있다. 성별간의 언어 차이로는 볼 수 없다.

06 오히려 남을 탓하는 표현은 사과하는 말에 사용하면 안된다.

07 상미는 현희의 말을 중간에 끊고 자신의 말만 해서 서로 원활한 대화가 되지 않았으므로 순서교대의 원리를 지키지 않았다.

08 ㄴ에서 명찬이는 필요 이상의 정보를 말한 것이 아니기 때문에 양의 격률에 어긋난 말하기를 했다고 할 수 없다,
ㄹ에서 명찬이는 거짓말은 한 것은 아니기 때문에 질의 격률에 어긋난다고 할 수 없다.
ㅁ에서 연호는 명찬이가 진심을 담지 않은 사과에 의심을 품은 것이다.

09 자신의 칭찬을 하고 있기 때문에 공손성의 원리를 어겼다고 할 수 있다.

10 (가)는 세대 간의 언어 차이 때문에 의사소통이 이루어지지 않고 있다. (나)는 서로의 언어적 표현을 이해하지 못해 의사소통에 문제가 생겼다. (나)에서는 A의 완곡어법을 B가 이해하지 못했다.

서술형 심화문제 P.30~41

01 ⓐ준언어적 표현 ⓑ비언어적 표현

02 (1)상대방의 사정을 고려하지 않고 일방적으로 자신의 요청을 전달하였다. 부탁하는 이유를 구체적으로 말하지 않았다. 상대를 비난하듯이 말하고 있다.
(2)상황과 대상에 맞는 언어 예절을 지키며 다양성을 존중하고 상대를 배려해야 한다.

03 듣는 사람이 부담스럽지 않을 수 있다. 굉장히 예의 바르다는 느낌을 줄 수 있다. 말하는 자신을 낮춰서 겸손하게 말할 수 있다. 비방하거나 명령하는 말투보다 원하는 바를 이루기 쉽다. 등

04 한 사람 이상이 모여 말로써 서로의 생각과 느낌을 주고받는 의사소통 방법

05 '민지'와 '영희'는 개인적 성향에 따른 말하기 방식의 차이로 의사소통에 어려움을 겪고 있군.

06 세대에 따른 언어차이가 있을 수 있으므로, 상대방을 고려하며 대화해야 합니다.

07 영미는 재영이의 상황을 살피지 않고, 자신의 부탁만을 강요하여 재영이의 기분을 상하게 했다. 또한 영미는 재영이에게 부탁하는 이유를 밝혀야 한다.

08 선생님, 괜찮으시면 컴퓨터용 사인펜 좀 빌려주실 수 있나요? 제가 가져오지 않아서 그래요.

09 잘못의 원인에 대해 상대방 탓을 하지 않는다. 맥락에 맞는 적절한 비언어적 표현을 사용한다. 앞으로 같은 잘못을 반복하지 않겠다고 말한다. 잘못을 구체적으로 밝히고 미안하다는 표현을 분명하게 한다.

10 (1) '나'는 우회적 말하기를 하지만 친구는 우회적 말하기를 이해하지 못하는 등 개인적 성향에 따라 듣기 · 말하기 방식이 차이가 나기 때문에 두 사람의 대화가 원활하게 이루어지지 못했다.
(2) 배고프지 않아? 여기 떡볶이 엄청 맛있대. 우리 먹고 가자.

11 방금 말한 거 내가 잘 이해하지 못해서 그러는데, 다시 한 번 천천히 말해 줄래?

12 상대방에게 부담이 되는 표현을 최소화하는 요령의 격률과 화자 자신에게 혜택을 주는 표현을 최소화하는 관용의 격률을 사용하였다.

13 첫째, 선생님께 예의를 갖추지 않았다. 둘째, 특정 세대에서만 쓰는 말을 사용하여 선생님이 이해하지 못하고 있다.

14 ㉮:순서 교대의 원리 ㉯: 협력의 원리 ㉰: 관련성의 격률 ㉱: 태도의 격률

15 (1) 동의의 격률
(2) 자신의 의견과 상대방의 의견 사이의 차이점은 최소화하고, 자신의 의견과 상대방의 의견 사이의 일치점을 최대화하는 방법이다.

16 ㉠에서 공손성의 원리를, ㉡에서 협력의 원리를 위반한 표현을 사용하고 있다.

17 제비뽑기로 자리를 정하자는 너의 의견은 좋아. 하지만 일주일마다 자리를 바꾸면 친해질 시간이 없을 것 같아. 네 말대로 자리를 뽑는 방법은 제비뽑기로 하고 자리를 바꾸는 기간은 한 달로 하면 어떨까?

18 (1) 걱정스러운 표정으로, 고개를 끄덕이며
(2) 서로 우호적인 관계를 맺거나 유지하는 데 큰 도움이 된다.
(3) 아, 대학에서 미술 공부를 하고 싶다는 네 생각을 부모님께 말씀드리지 못했다는 얘기구나.

19 (1) 겸양의 격률
(2) 자신을 칭찬하는 표현은 최대화하고, 자신을 낮추는 표현은 최소화했다.
(3) 감사합니다. 제가 머리가 좋지 않은데도 선생님이 잘 가르쳐주신 덕분이지요.

20 공손성의 원리 중에 겸양의 격률을 고려하여 말하고 있다.

21 같은 언어 집단에서 효율적인 의사소통을 할 수 있다.

22 민주는 할머니와 세대가 달라 할머니 세대의 말하기 방식을 알지 못했기 때문이다.

23 문제점: 자신의 입장만 생각하여 상대방이 부담을 느낄 수 있는 상황에서 직설적이고 거칠게 말했다. 지켜야 하는 격률: 요령의 격률

24 순서교대의 원리, 상대방의 말을 가로챘다.

25 양의 격률, 이모님 댁에 (심부름) 가는 중이야.

01 준언어적 표현 (반언어적 표현)이란 말의 속도, 어조, 목소리의 크기 등 언어적 내용과는 분리된 음성적 요소를 말한다. 비언어적 표현이란 직접적으로 언어와 관련된 것은 아니지만, 얼굴 표정, 몸짓, 시선 등과 같이 언어 외적인 형태로 의미를 나타내는 것을 말한다.

02 부탁은 상대방에게 어떤 것을 요청하는 말하기이므로 상대방이 그 청을 들어줄 수 있는 상황인지를 먼저 살펴야 한다. 상대방의 처지를 고려하지 않고 자신의 요구만 앞세워 말한다면 상대방의 기분을 상하게 할 수 있기 때문이다. 또한 상대방이 부담을 덜 느끼도록 공손하게 말해야 한다. 그리고 부탁하는 까닭을 말해야 한다. 부탁하는 까닭을 설명하지 않은 채 무턱대고 부탁하면 상대방은 부탁하는 상황을 이해하기 어렵다.

03 〈보기〉는 부탁할 때의 말하기 방법이다. 부탁할 때는 상대방의 상황을 살피고 공손하게 말하고 부탁하는 까닭을 말해야 듣는 사람이 부담스럽지 않고, 말하는 사람이 예의바르다는 느낌을 받을 수 있다.

04 ㉠에는 대화의 정의가 들어가야 한다. 대화란 한 사람 이상이 모여 말로써 서로의 생각과 느낌을 주고받는 의사소통 방법을 말한다.

05 '민지'는 문제 상황의 해결에 초점을 맞추어 말하고 있고 '영희'

는 자신의 속상한 마음을 달래려는 말하기를 하고 있는데 서로 말하기 방식의 차이 때문에 의사소통에 어려움을 겪고 있다.

06 선생님과 학생들은 세대에 따른 언어 차이 때문에 의사소통에 어려움을 겪고 있다. 이와 같은 상황에서는 서로의 차이를 이해하고 상대방을 고려하는 말하기를 해야 한다.

07 영미는 상대방을 고려한 말하기를 하지 않고 있다. 상대방에게 부탁을 할 때 상대방의 처지를 고려하지 않고 자신의 요구만 앞세워 말한다면 상대방의 기분을 상하게 할 수 있다.

08 학생은 선생님께 부탁할 때 부탁하는 이유를 밝히지 않고 자신의 요구만 말하고 있다. 부탁하는 까닭을 설명하지 않은 채 무턱대고 부탁하면 상대방은 부탁하는 상황을 이해하기가 어려워진다.

09 〈보기1〉에서 재영이는 조장인 소희가 모임 전에 한 번 더 연락했어야 했다며 상대방을 탓하는 말하기를 하고 있고, '부루퉁한 표정을 지으며' 맥락에 맞지 않는 비언어적 표현을 사용했다. 또한 자신의 잘못을 구체적으로 밝히지 않고 있다. 이와 같은 문제를 〈보기2〉에서 해결하고, 앞으로 같은 잘못을 하지 않겠다는 말도 추가해서 고쳤다.

10 (1) 위 사연에서 '나'와 친구는 서로의 개인적 성향의 차이를 이해하지 못해 의사소통에 문제가 생겼다.
(2) '나'의 우회적 말하기를 직설적 말하기로 바꾸면 문제점을 해결할 수 있다.

11 관용의 격률은 자신에게 혜택을 주는 표현은 줄이고, 부담을 주는 표현은 늘리는 것이다. 위 대화의 태양이는 상대에게 부담을 주는 말하기를 하고 있다. 이를 해결하려면 자신에게 부담을 늘리는 표현을 사용해야 한다.

12 '반장'은 반티를 정할 시간을 요청하는 말하기에서 상대방에게 부담이 되는 표현을 최소화 하는 말하기를 사용하였고, 과제를 알려야 하는 상황에서는 자신에게 혜택을 주는 표현을 최소화한 말하기를 사용하였다.

13 〈보기〉의 보겸이는 다른 세대에 속한 사람과 대화할 때에는 상대방이 이해할 수 있도록 배려하여 말해야 한다는 점을 간과하여 말하고 있다. 또한 부탁하는 말하기에서는 부탁의 이유를 밝혀야 하는데 그 이류를 명확히 밝히지 않아 상대방이 느끼기에 보겸이가 무례하다고 생각할 수 있다. 부탁할 때는 상대방의 상황을 살피고 공손하게 말하고 부탁하는 까닭을 말해야 듣는 사람이 부담스럽지 않고, 말하는 사람이 예의바르다는 느낌을 받을 수 있다.

(3) 상황에 따른 문법 요소의 활용

확인학습 P.42

01 × 02 × 03 ○

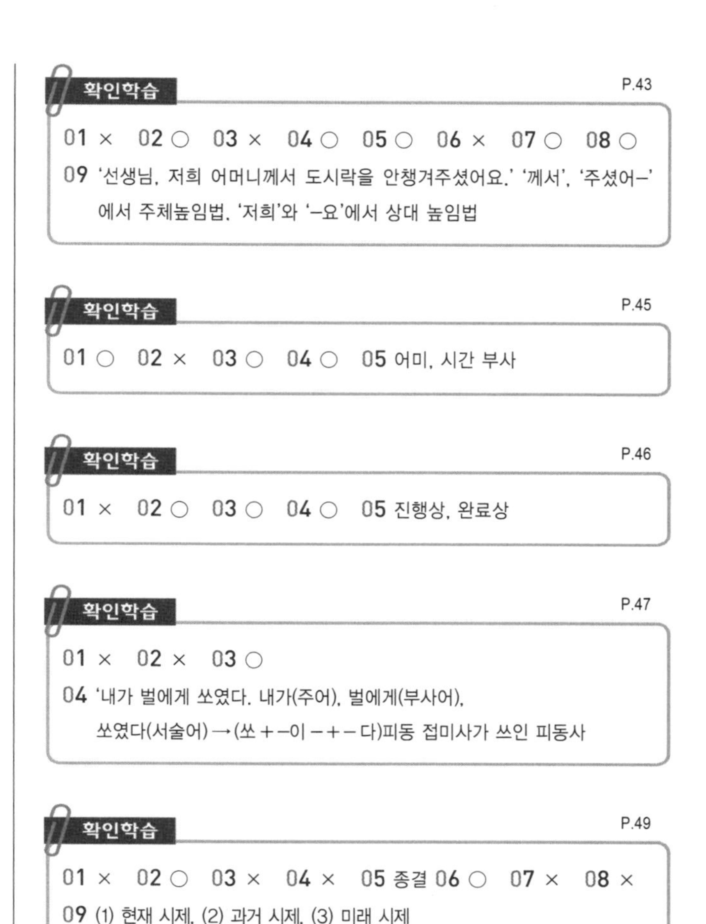
확인학습 P.43

01 × 02 ○ 03 × 04 ○ 05 ○ 06 × 07 ○ 08 ○
09 '선생님, 저희 어머니께서 도시락을 안챙겨주셨어요.' '께서', '주셨어-'에서 주체높임법, '저희'와 '-요'에서 상대 높임법

확인학습 P.45

01 ○ 02 × 03 ○ 04 ○ 05 어미, 시간 부사

확인학습 P.46

01 × 02 ○ 03 ○ 04 ○ 05 진행상, 완료상

확인학습 P.47

01 × 02 × 03 ○
04 '내가 벌에게 쏘였다. 내가(주어), 벌에게(부사어), 쏘였다(서술어) → (쏘+-이-+-다)피동 접미사가 쓰인 피동사

확인학습 P.49

01 × 02 ○ 03 × 04 × 05 종결 06 ○ 07 × 08 ×
09 (1) 현재 시제, (2) 과거 시제, (3) 미래 시제
10 (1) 오늘은 책이 잘 읽히는/읽어지는 기분이다.
(2) 그녀는 "너는 멋있다."라고 말했다. 그녀는 내가 멋있다고 말했다.

객관식 기본문제 P.50~61

01 ③	02 ③	03 ⑤	04 ④
05 ④	06 ③	07 ③	08 ③
09 ③	10 ①	11 ④	12 ⑤
13 ③	14 ④	15 ⑤	16 ③
17 ②	18 ④	19 ③	20 ④
21 ⑤	22 ④	23 ⑤	24 ③
25 ②	26 ②	27 ①	28 ④
29 ②	30 ④	31 ④	32 ②
33 ⑤			

01 어머니의 생각은 간접 높임의 대상이다. 간접 높임은 선어말 어미 '-(으)시-'를 통해서만 가능하다. '계시다'라는 특수 어휘를 사용할 수 없다.

02 문장의 주체, 즉 주어 '선생님'을 높이고 듣는 이, 청자 '채영'이는 낮추고 있다.

03 '공부 열심히 하렴'은 대화 상대를 낮춰서 표현하는 것이고 주어 '엄마는'은 객체가 아닌 주체이다.

04 활용할 때 변하지 않는 부분은 어간이다. ㉢의 어근은 '가-', 어간은 '가시었-'이다.

05 '께서'는 주체 높임의 조사이다.

06 '드리시다'는 문장의 주체와 객체를 높이고 있다. 선물을 주는 사람은 주체와 객체가 아니라 청자이므로 적절하지 않다.

07 선어말 어미 '많으신', 조사 '께서', 주체 높임의 용언 '잡수다' 간접높임 '연세'가 사용되고 있다.

08 객체 높임의 목적격 조사는 없다.

09 '오다'에 주체 높임의 선어말 어미 '-시'가 사용되고 있고 'ㅂ니다'를 통해 상대를 높이고 있다.

10 '오시래'는 영수를 높여주므로 '오라셔'로 고치는 것이 맞고, 교장 선생님의 '말씀'은 간접높임의 대상이므로 특수 어휘 '계시다'를 통해서 높이면 안되므로 '있으시다'로 고치는 것이 적절하다.

11 객체높임의 용언 '드리다'가 사용되고 '따님'이라는 간접 높임의 어휘가 사용되고 있다.

12 앉는 행위 자체는 이미 끝난 것으로 완료상이 맞다.

13 '-으(ㄴ)'은 선어말 어미가 아니라 관형사형 어미이다.

14 (가)는 '-고 있다'를 통해 진행상을, (나)는 '-어 버리다'를 통해 완료상을 나타내고 있다.

15 '줘 버렸고'에 사용된 '-어 버리다'는 완료상을 나타낸다.

16 '그려 간다'는 행위가 아직 진행 중이므로 진행상이다.

17 과거시간 부사어 '어제', 선어말 어미 '-았-'을 통해 과거시제를 나타내고 있다.

18 학교에 지원하겠다는 의지를 드러내고 있으므로 ④번이 제일 적절하다.

19 '이번 여름은 날씨가 정말 더웠다'는 과거 시제이다. ③번도 과거시제이다.

20 '낫고 있다', '나아 가다' 모두 진행상을 나타낸다.

21 식당 개업은 미래의 일이므로 사건시가 발화시보다 나중인 미래 시제가 적절하다.

22 형용사의 경우 과거시제를 나타내는 관형사형 어미는 '-던'이 사용된다.

23 진행상의 경우 '-고 있다'를 주로 사용하고 완료상의 경우 '-아/어 있다'를 주로 사용한다.

24 ③의 '울리지'는 피동이 아닌 사동 표현이다.

25 ㉠은 '팔다'의 피동 표현 '팔리다', ㉢은 '잊다'의 피동 표현 '잊히다'가 사용되고 있다.

26 '믿겨지지'는 '믿다'에 피동 접사 '-기', 피동문을 만드는 어미 '-어지다'가 함께 쓰인 이중피동표현으로 '믿어지지' 혹은 '믿기지'로 고치는 것이 적절하다.

27 '놀렸다'는 기본형이 '놀리다'로 남을 욕보이는 행위를 뜻한다. 어간 자체에 '리'가 포함된 단어이므로 피동접미다 '리'가 쓰였다고 볼 수 없다.

28 '지었다'라는 서술어의 주체가 홍길동전이 아닌 허균이므로 허균이 주어이다.

29 태풍이 행위의 주체가 되어야 한다.

30 직접인용에는 큰따옴표의 문장에 '라고'가 결합하고 간접인용문엔 '고'가 결합한다.

31 오빠가 있는 현재 위치를 나타내므로 여기를 거기로 바꿀 필요는 없다.

32 뿐이라고, 사랑한다고(간접인용), "나갔어"라고 "넓구나"라고(직접인용)

33 내가 발표를 맡겠다고가 아니라 자기가 발표를 맡겠다고로 바꿔주는 것이 적절하다.

객관식 심화문제 P.62~81

01 ②	02 ②	03 ①	04 ①
05 ①	06 ②	07 ②	08 ③
09 ②	10 ④	11 ②	12 ④
13 ④	14 ②	15 ①	16 ③
17 ⑤	18 ⑤	19 ③	20 ①
21 ②	22 ③	23 ⑤	24 ①
25 ①	26 ⑤	27 ④	28 ④
29 ①	30 ③	31 ①	32 ⑤
33 ①	34 ④	35 ②	36 ③
37 ③	38 ②	39 ④	40 ③
41 ⑤			

01 인용절 속의 어미, 인용 조사, 대명사, 지시 표현, 높임 표현 등에 변화를 주의하며 문맥상 매끄러울 수 있는 답은 ②이다.

02 ②의 들었다는 피동표현이 아니다.

03 ㉡은 주격조사 '이'를 '께서'로 바꿔야 한다. ㉢은 할아버지께서는이 옳다. ㉣은 사동오류가 아닌 이중피동의 오류이다. ㉤은 시제오류가 아니라 인용표현의 오류이다.

04 '아버지께서는'에서의 '께서'는 주체 높임이고 할아버지를 '뵙고'에서 객체 높임 표현도 알 수 있다.

05 ㉠의 '께서'는 주체를 높이는 조사가 맞지만 ㉡의 '께'는 객체를 높이는 표현이다.

06 〈보기2〉의 -겠-은 가능성이나 능력의 의미로 쓰이므로 ②가 가장 적절하다.
① 추측, ③ 추측, ④ 의지, ⑤ 완곡하게 말하는 태도.

07 '께'는 객체 높임이다.

08 '나는 어머니께 꽃다발을 드렸다.'가 옳은 높임 표현이다.

09 '헐리어졌다'는 '헐리었다', 혹은 '헐어졌다'로 고쳐써야 한다.

10 '모시고' → 객체 '잡수실-' → 주체 '여쭙거라' → 객체

11 주체높임법이 아닌 상대높임법을 쓰면 되는 경우이다. '감기실게요'는 -시-의 남용이므로 '감기겠습니다.'의 종결어미를 씀으로서 청자인 손님을 높이는 상대높임법을 쓰는 것이 적절하다.

12 간접높임 표현에서는 특수어휘 ('계시다')가 사용될 수 없으므로 '있으시다'로 바꿔야 한다.

13 올바른 직접 인용을 사용하였다.
① 참가되었어 → 참했어.
② 실패하였지만 → 실패하겠지만
③ 말해 주었어 → 말씀해 주셨어.

⑤ 발표문이므로 공적인 자리에서 사용할 상대 높임법의 종결 어미들을 사용해야 한다.

14 주무신다는 주무시(어간) + 다(종결어미)이다. '주무시'의 '시'는 선어말 어미가 아니다.

15 ㉠은 사건시와 발화시가 일치하는 현재 시제이다.

16 고객의 신분증이므로 간접 높임의 대상이 될 수있으나 간접 높임에는 특수어휘의 사용은 적절 하지 않다.

17 〈보기1〉의 참가하였지만 (능동) → 〈보기2〉의 참가하게 되었지만 (피동)

18 시제는 둘 다 현재 시제이다. 아름답고 있다는 문맥상 어색하므로 아름답다로 고쳐 쓴다.

19 예쁘던의 품사는 형용사이며 초등학생이던의 '이던'은 서술격 조사 '이다'이다.

20 '드렸다'는 객체를 높이기 위해 사용된 것이다.

21 객체인 할머니를 '모시고'의 특수어휘로 높이고 -습니다의 종결어미를 써서 상대도 높이고 있다.

22 ③번만 가능성이나 능력을 의미하고 나머지 보기는 완곡하게 말하는 태도를 의미한다.

23 ㉠에는 발화시와 사건시 간의 시간 차이가 존재하지만 ㉡은 발화시와 사건시가 일치하여 시간 차이가 존재 하지 않는다.

24 ②는 불필요한 피동표현이므로 '마무리되길'이 적절하다. 3번은 직접인용이므로 '라고'를 붙여 준다. 4번은 주체인 할아버지를 높여야 하므로 말씀해 주셨어가 적절하다. 5번은 만들어지려면을 만들려면으로 불필요한 피동표현을 줄인다.

25 '어제'라는 시간 부사를 통해 시제가 과거 시제임을 알 수 있다.

26 가. 간접 높임(교수님의 책) 나. 객체 높임(객체인 할머니를 높이는 '모시고') 다. 간접 높임(교장 선생님의 말씀) 라. 객체 높임(객체인 선생님을 높이는 '뵈어야겠다') 마. 주체 높임(주체인 아버지를 높이는 특수어휘 '드신다')

27 ① 오는 동작의 주체는 이 문장에서 객체인 선희이다.
② '께'와 '드리다'는 객체 높임의 표현이다.
③ '있다'의 특수어휘는 '계시다'이다.
⑤ 공적인 자리에서는 -해요체 보다는 -하십시오체가 적절하다.

28 높임의 대상은 '사장님'이고 문장의 객체여서 부사격조사 '께'를 사용하였고 특수어휘 '여쭈다'를 이용한다.

29 시간을 언어적으로 표현한 것이다.

30 미래에 일어날 말을 추측하는 데 쓰이고 있다.

31 진행상은 -고 있다. -아/-어 있다를 쓴다. -어 버리다는 완료상이다.

32 만났다에는 피동 접미사가 결합될 수 없다.

33 ㉠과 ㉡ 모두 상대높임의 종결표현이 사용되고 있다.

34 형용사의 경우 과거 시제를 표현하기 위한 관형사형 어미로 '-던'을 쓴다.

35 간접인용은 형식은 변형할 수 있지만 내용을 변형하는 것은 아니다.

36 '늦어도 어제는 고향에 소포가 도착했겠다'는 '능력'의 의미가 아니라 '추측'의 의미이다.

37 ③은 '-어 버리다'를 사용한 완료상이다. ①, ②, ④, ⑤는 모두 진행상이다.

38 객체 높임의 동사 '뵈다'가 사용되고 높임의 명사 '큰댁'이 사용되고 있다.

39 '물어 보았다' 또한 '여쭈어 보았다'로 고치는 것이 적절하다.

40 ㄱ에서는 피동표현이 사용되고 있지 않고, ㄴ은 체언에 접사 '-되다'가 붙어 피동표현이 사용되고 있고, ㄷ은 '밝히다'에 '-어지다'가 결합하여 피동의 의미를 나타낸다. ㄹ은 '쓰다'에 피동 접미사 '-이-'와 '-어지다'가 동시에 붙은 잘못된 이중피동 표현이다.

41 선어말 어미 '-았-'이 사용되고 있는 것은 맞지만 과거 시제가 아니라 미래 추측의 의미를 나타내고 있다.

서술형 심화문제

P.82~97

01 (1) 국어 책은 다른 책보다 잘 읽힌다. 이중 피동이 쓰였다.
(2) 누군가 어둠 속에서 "철수가 바로 범인이다"라고 소리쳤다. 인용격 조사가 적절하지 않다.

02 (1) 그는 은퇴 후에도 여전히 바쁘다. 형용사는 동작상으로 쓸 수 없다.
(2) 이 제품이 요즘 제일 잘 나가는 색상이에요. 높임 표현이 잘못 쓰였다.

03 철수는 선생님께 "영희가 아픕니다"라고 말씀드렸습니다.

04 저는 → 나는, 않다라고 → 않다고, 쓰여질 → 쓰일, 받을 → 받으신, 잊혀지지 → 잊히지

05 (1) 참가하였습니다–잘못된 피동표현이므로 수정해야 한다.
(2) 어머니께서는–주격 조사로 주체 높임을 나타내야 한다.
(3) 실패하겠지만–미래 시제로 수정해야 한다.

06 아버지가 할머니께 "식사 하셨어요?"라고 여쭤 보셨어요.

07 ㉠ 생일을 축하한다. ㉡ 생일을 축하해요 ㉢ 생일을 축하해
㉣ 지금 사귀는 사람이 있으세요? ㉤ 지금 사귀는 사람이 있니?

08 (1) 과거 시제, 완료상–과거 시제 선어말 어미 –었–과 완료의 보조용언 '–어 버리다'를 사용했다.
(2)현재 시제, 진행상–현재를 나타내는 시간 부사 '지금', 진행을 나타내는 보조용언 '–고 있다'를 사용하였다.

09 지나는데도 → 지났는데도, 없게 돼 → 없어 어떡하느냐라고 → 어떡하냐고, 걱정을 하지 → 걱정을 하시지, 힘들 것 같아 → 힘든 것 같아

10 〈보기1〉에서 1, 2에 제시된 문장이 잘못된 이유는 이중 피동 때문이다. 비로 인해 파인 땅을 복구한다. 나는 아직도 그녀가 잊어지지 않는다.

11 선생님께서 나에게 당신과 함께 해서 정말 기쁘지 않냐고 물어보신다.

12 ㉠ 주문하신 음료 나왔습니다.
㉡ 손님, 가격은 모두 만 이천원 되겠습니다.
㉢ 그녀의 눈은 언제나 초롱초롱하고 아름답다.

13 ㄱ.할아버지께서는 일찍 주무시고 일찍 일어나신다.
ㄴ.만수는 할머니를 산본역까지 모셔다 드렸다.
ㄷ.나는 선생님께 모르는 문제를 여쭤보러 갔다.

14 ㉠나는 → ㉡저는,
㉢나에게 → ㉣제게,
㉤말씀해 주었습니다 → ㉥말씀해 주셨습니다,
㉦실패하였지만 → ㉧실패하겠지만,
㉨어머니께서는 "실패란 ～ "라고 말씀해 주었습니다. → ㉨어머니께서는 실패란 하나의 사건일 뿐이라고 말씀해 주셨습니다.

15 저는 당신께서 빌려주신 물건을 돌려드리겠다고 말씀드렸습니다.

16 ㉠ 용준아 선생님께서 너를 데리고 오라셔
㉡ 창문이 닫히지 않아 찬바람이 들어온다.

17 (1) 문장의 주체인 주어를 높이는 높임법, 할머니께서 책을 읽고 있으시다(계시다).
(2) 문장의 객체인 목적어나 부사어를 높이는 높임법, 나는 아버지께 추석 선물을 드렸다.

18 (1) 잘못된 높임 표현: 이 제품의 95 사이즈는 하나 남았습니다.
(2) 이중피동: 세계 각국이 '잊힐 권리'를 법적으로 보장하려고 한다.

19 (1) ㉠은 높임 대상인 '아버지'를 직접 높이는 문장이고, ㉡은 아버지의 신체 일부를 간접적으로 높이는 문장이기 때문이다.
(2) ㉢ 〈 ㉡ 〈 ㉣ 〈 ㉠, 격식 해라체, 격식 하게체, 격식 하오체, 격식 하십시오체

20 (1) ㉠은 단순히 연우가 어제 책상을 닦은 사실만 전달하는 반면 ㉡은 화자의 연우가 책상을 닦은 사실을 전달하는 동시에 연우가 그 사실을 화자가 직접 경험하여 알게 되었음을 드러낸다.
(2) 관형사형 어미 '-은', 선어말 어미 '-었-'이다.

21 언어 예절을 지키며 대화하기 위해서는 대화 상황과 대화를 고려해야 하며, 언어 예절을 잘 지켜야 하는 이유는 다른 사람과 원활하게 의사소통을 하고 원만한 인간관계를 유지할 수 있게 하기 때문이다.

22 (1) 세상이 눈에 덮였다.
(2) 나는 이웃이 어려울 때 서로 돕는 것이 옳은 일이라고 생각한다.

23 (1) 그는 나에게 내가 참 착하다고 말했다.
(2) 매끄럽고 간결한 느낌을 준다.

24 아버지께서는 책을 읽으셨고, 저는 그 옆에서 일기를 썼어요.

25 ㉠ 그의 마지막 득점이 경기의 승부를 뒤집었다.
㉡ 처음 바다를 본 그녀는 바다가 정말 넓다고 혼잣말을 했다.

26 (1) +, +, +
(2) 주체 높임: 할머니께서(주격 조사 '께서')), 오셨는지(선어말 어미 '-시-'), 객체 높임: 아버지께(부사격 조사 '께'), 여쭈어(특수 어휘), 상대 높임: 보아라(종결어미 '-아라'로 해라체를 사용)

27 (A)지나친 높임- 이 제품은 반응이 아주 좋아요
(B)형용사는 동작상과 결합할 수 없다- 그는 은퇴 후에도 여전히 바쁘다

28 (1) ㉠- ⓒ, ⓔ / ㉡- ⓐ, ⓑ
(2) ㉠의 '내일'이라는 부사어, 선어말 어미 '-겠-'을 통해 미래 시제를 나타내며, '앉아 있겠다'의 보조 용언 '-아 있다'는 완료상을 나타낸다. ㉡의 관형사형 어미 '-던'과 '-은'은 과거 시제를, 시제 표시가 없는 서술격 조사'-이다'는 현재 시제를 나타낸다.

29 (1) ㉠ 할아버지께서는 매일 이 시간이면 낮잠을 주무신다. ㉡ 나는 어머니께 아버지께서 안방에 있으신지(계신지) 여쭤 보았다.
(2) 주격 조사와 특수 어휘로 주체 높임을 나타내야 한다. 주격 조사와 부사격 조사, 특수 어휘, 주체 높임 선어말 어미로 주체와 객체 높임을 나타내야 한다.

30 (1) 아들이 어제 저에게 오늘 집에 있으라고 말했습니다
(2) 오빠는 어제 자신의 휴대 전화에 메시지를 꼭 보내라고 나에게 말했다.

31 참가되었어 → 참가하였어(참가했어),
무엇이 배워졌는지가 → 무엇을 배웠는지가

32 (1) 혜영이는 아까 도서관에 갔어-시제의 일치의 오류
(2) 할아버지께서는 매일 이 시간이면 낮잠을 주무셔- 잘못된 높임 표현
(3) 창문이 닫히지 않아 찬바람이 들어온다-이중피동
(4) 사육장 관계자는 시설의 개선이 필요하다고 말했습니다- 올바르지 않은 인용격 조사의 사용

33 선생님께서 동생에게 선물을 주실 것이다.

34 (1) 다른 데서 들은 말이나 읽은 글을 인용할 때 그 형식은 유지하지 않고 내용만 인용하는 방식
(2) 어제 할아버지께서 오늘 진지를 사서 할아버지께 오라고 말씀하셨다.

35 ⓐ-시간이 너무 촉박하다. ⓑ-이 구간은 그냥 빨리 넘어가자.
ⓒ-이곳은 위험하니 저쪽으로 비켜라.
ⓓ-그토록 찾던 물건을 드디어 구했구나.

36 주체 높임(어머니가, 가나요)과 객체 높임(데리고)이 올바르게 쓰이지 않았다. 어머니께서 할머니를 모시고 병원에 가시나요?

37 원작가의 의도를 손상시키고 있다.

38 담겨져 → 담기어(담겨), 짜여지면서 → 짜이면서, 생각되어진다 → 생각된다.

39 큰따옴표가 사라진다. 조사 '라고'가 '고'로 바뀐다. '-입니까'가 '-냐'로 바뀐다. 높임법이 바뀐다. 지시 대명사가 '그쪽'에서 '이쪽'으로 바뀐다.

40 할아버지께서는 걱정거리가 있으시다. 높임의 선어말 어미 '-시-'를 활용하여 할아버지의 생각인 '걱정거리'를 높여 주체를 간접적으로 높였다.

41 (1) 진행상: ㉡, ㉢ (2) 완료상: ㉠, ㉣

42 보조 용언 '-어 있다'로 완료상을 나타내고 있다.

단원 종합평가

P.98~102

01 ②	02 ③	03 ③	04 ①
05 ③	06 ④	07 ③	08 ④
09 ④	10 ①	11 ⑤	

01 세대의 특성이 반영된 말은 같은 세대끼리의 친밀감을 높이는 역할을 한다.

02 ㉢의 준호는 희정이가 놀라는 반응을 보고 자신의 말에 진실성을 강조하기 위해 희정이의 질문보다 더 많은 양의 정보를 제공함으로써 양의 격률을 어기고 있다.

03 자신이 원하는 바를 직설적으로 표현하고 있으므로 완곡한 표현이 아니다.

04 적절하게 순서를 바꾸어 가며 말하는 것은 협력의 원리가 아니라 순서교대의 원리이다.

05 사건시가 발화시보다 먼저인 것은 과거시제이고 사건시보다 발화시가 먼저인 것은 미래시제이다. '나는 다급하게 초인종을 눌렀다'는 선어말 어미 '-었-'을 통해 과거시제를 나타내고, '네가 떠날 곳으로 곧 따라갈게'는 관형사형 어미 '-ㄹ'을 통해 미래시제를 나타내고 있다.

06 '잊혀진'은 '잊다'에 피동 접니사 '-히-'와 어미 '-어지다'가 동시에 사용된 이중 피동으로 올바르지 않은 표현이다. 둘 중에 하나만 사용하는 것이 올바른 피동 표현이다.

07 객체높임의 특수 어휘 '드리다'와 주체 높임의 선어말 어미 '-시-'가 사용되고 있다.

08 '속이다'는 '속다'에 사동접미사 '-이-'가 붙은 것이다. 피동의 의미는 찾을 수 없다.

09 주체높임의 조사 '께서', 객체높임의 특수 어휘 '모시다'가 사용되고 있다.

10 '께'라는 객체높임의 조사가 사용되고 있지만 특수어휘는 사용되고 있지 않다.

11 '-더-'를 통해 주체의 과거 회상의 의미를 나타내고 있다.

(1) 매체를 통해 보는 세상

확인학습 P.107

01 ○ 02 ○ 03 ○ 04 ○ 05 × 06 × 07 ○ 08 ×
09 ○ 10 ○

객관식 기본문제 P.108~111

01 ④ 02 ④ 03 ③ 04 ④

01 (나)의 신문기사는 뉴질랜드와의 협약으로 외국인이 축제를 즐기는 모습을 담은 사진 자료라면 보조자료로 적절하지만, 아무 대상이 토마토 축제를 즐기는 모습을 담은 사진 자료를 보조 자료로 하기엔 적절하지 않다.

02 (나)는 신문기사이므로 듣기 과정은 없고 읽기 과정을 통해 생산자의 관점을 이해해야 한다.

03 (가)의 중심 내용은 뉴질랜드와의 협약을 통한 머드 축제의 수출로서 외국인이 즐기는 보령 머드 축제가 핵심내용(한가지의 주제)이므로 어느 한 곳으로 치우칠 염려가 없는 주제이다. 외국인 관광객들이 즐기는 사진을 제시한 것은 중심 내용에 맞게 보조 자료를 활용한 것이다.

04 다양한 밑반찬과 함께 조개 구이와 생선회로 즐겁게 식사하는 외국인 관광객의 사진은 중심 내용인 머드 축제와는 관련이 없다.

객관식 심화문제 P.112~117

01 ① 02 ② 03 ②
04 축제명을 영어로 표기하여 외국인 관광객에 대한 홍보 효과를 의도함.
05 ⑤ 06 ④ 07 ②

01 뉴스는 당일에 일어난 사건을 전달하는 경우도 있으나, 위의 보령 축제 내용을 당일에 일어난 사건으로 파악하기는 어렵다.

02 (나)에는 '지난 15~24일 열린 올해 보령 머드 축제 역시 외국인 관광객 수가 43만 9,000여 명으로 지난 30만 4,000여 명보다 약 44퍼센트 늘어난 것으로 보령시는 집계했다.' 등의 통계자료를 확인 할 수 있으나 〈보기〉에서는 통계자료를 찾을 수 없다.

03 (나)의 마지막 부분에서 '보령 시장은 "올해 열아홉 번째 열린 머드 축제는 그동안 국내외 언론의 많은 조명을 받는 세계적인 축제로 성장해 왔다."라며 "이번 수출은 머드 축제가 한류 문화를 이끄는 세계 유명 축제로 발전하는 계기가 될 것"이라고 말했다.'에서 인터뷰 내용을 직접 인용했음을 확인 할 수 있다.

05 사실적, 객관적 정보를 전달하고 있는건 맞지만, 축제의 긍정적인 측면만을 부각하여 전달하고 있으므로 공정하게 전달하고 있다고 보기엔 어렵다.

06 많은 외국인들의 보령 머드 축제에 참여하도록 유도하는 부분은 찾을 수 없다.

07 ㉠의 발돋움하다는 '어떤 지향(志向)하는 상태나 위치 따위로 나아가다.'의 의미이다. ㄴ, ㅁ, ㅂ이 같은 의미이며 나머지 보기는 '키를 돋우려고 발밑을 괴고 서거나 발끝만 디디고 서다'의 의미이다.

서술형 심화문제 P.118~119

01 외국인 관광객 수에 대한 구체적인 통계 자료를 제시하고 있다.
02 (1) 보령 머드 축제를 홍보하여 한국인은 물론 외국인 관광객들도 많이 참여하기를 기대함
(2) ㉠은 외국인 관광객에 대한 홍보 효과를 기대할 수 있다. ㉡은 보령 머드 축제가 우리 나라 사람들과 세계인들이 함께 즐기는 축제라는 사실을 알린다.

(2) 마지막 땅

확인학습 P.132

01 ○ 02 ○ 03 ○ 04 ○ 05 × 06 × 07 ○ 08 ○
09 ○ 10 × 11 ○ 12 ○ 13 ○ 14 ○ 15 ○ 16 ○
17 ○ 18 × 19 ○ 20 ○

객관식 기본문제 P.133~143

01 ④ 02 ⑤ 03 ③ 04 ①
05 ① 06 ④ 07 ② 08 ①
09 ⑤ 10 ⑤ 11 ④ 12 ③
13 ② 14 ② 15 ② 16 ⑤
17 ③ 18 ④

01 땅을 팔아 자식들을 도와주자고 주장하는 '강 노인'의 아내의 모습에선 우아한 아름다움은 느낄 수가 없다.

02 땅을 팔아야만 자식들이 진 빚을 갚을 수 있는 상황이므로, 최후까지 버티다가 빚 독촉 사건으로 인하여 '강 노인'의 생각이 바뀌게 된다.

03 강 노인과 마누라는 농사짓는 방식 때문에 서로 대립하는 것이 아니라, 땅을 파냐 마냐의 문제로 대립하게 된다.

04 '팔육'과 '팔팔'은 각 1986년, 1988년의 시대적 배경을 말한다.

05 땅 때문에 겪는 강 노인과 가족 간의 갈등은 보이나 이를 통해서 가족의 화목함의 소중함을 보여주려는 작가의 의도는 보이지 않는다.

06 윗 글은 전지적 작가 시점이므로 작품 밖의 서술자가 특정 인물(강 노인)의 행동과 내면 심리를 중심으로 서술한다.

07 박 씨는 강 노인을 진심으로 걱정하는 것이 아니라 강 노인이 하루빨리 땅을 팔기를 원하고 있으므로, 되려 가식적인 표정을 짓는 것이 좋다.

08 밭농사는 작품의 시대적 배경인 1980년대 뿐만 아니라, 예전부터 지금까지 이어져 오고 있는 사실이므로, 정확히 1980년대를 보여주는 소재가 아니다.

09 고흥댁은 박 씨의 아내로, 강 노인이 땅을 팔기를 부추기는 행위를 하는 인물이다. 이런 인물의 행위에서 다른 사람의 삶의 방식을 간섭하지 않는다고 보기는 어렵다.

10 강 노인은 글의 처음부터 서울 사람들을 '서울 것들'로 표현하며 부정적으로 생각한다.

11 정미 엄마가 날뛰는 이유는 과거에 강 노인에게 정신적 상처를 받았기 때문이 아니라, 자신의 딸이 강 노인의 밭에서 거름을 옷에 묻혀 왔기 때문이다.

12 강 노인의 아내는 땅을 가족과 지역 공동체의 경제적 기반으로 인식하는 것이 아니라, 자식들의 빚을 메우기 위한 하나의 물질적 가치로 인식하고 있다.

13 강 노인의 땅에다가 무분별하게 연탄재를 던져놓는 몰상식한 주민들의 행위를 보고 난 뒤의 강 노인의 대사이므로, 2번이 가장 적절하다.

15 고흥댁은 강 노인이 땅을 팔지 않는 이유를 강 노인이 원하는 만큼 값이 오르지 않아서 안팔고 있다고 생각한다.

16 시대적 배경을 알 수 있는 소재들과 일상에서 벌어질만한 일을 그려냄으로써 ⑤가 글에 대한 설명에 가장 가깝다.

17 '돼지나 닭을 집단으로 사육하는 것도 아니고 노는 땅에 푸성귀를 갈아먹고 있는 심심풀이 농사까지야 손댈 수는 없다고 시청의 답변'으로 미루어 보아 시청의 임 씨에 대한 반응은 4번 보기가 가장 적절하다.

18 구성원 공동체, 연대 의식 같은 정신적 가치에 의한 공동체의 느낌보다는 '땅 값'이라는 이해관계에 의해서 인간 관계가 맺어지고 있음을 확인 할 수 있다.

객관식 심화문제 P.144~166

01 ③	02 ④	03 ④	04 ①
05 ④	06 ②	07 ③	08 ①
09 ④	10 ⑤	11 ④	12 ④
13 ①	14 ⑤	15 ③	16 ①
17 ③	18 ⑤	19 ③	20 ①
21 ①	22 ③	23 ⑤	24 ②
25 ③	26 ⑤	27 ①	28 ②
29 ④	30 ⑤	31 ③	32 ⑤
33 ①	34 ④	35 ③	

36 강 노인이 땅을 팔기로 마음먹었다는 의미이다.

01 박씨는 "아직도 늦은 것은 아니고, 한 번 더 생각해 보세요. 여름마다 똥냄새 풍겨 주는 밭으로 두고 있느니 평당 백만 원 이상으로 팔아넘기기가 그리 쉬운 일입니까. 이제는 참말이지 더 이상 땅값이 오를 수가 없게 돼 있다 이 말씀입니다. 아, 모르십니까. 팔팔 올림픽 전에 북에서 쳐들어올 확률이 높다고 신문 방송에서 떠들어 쌓으니 이삼천짜리 집들도 매기가 뚝 끊겼다 이 말입니다."처럼 땅값이 더이상 오를 수 없다는 불안감을 조성하여 강 노인을 설득하고 있다.

02 (나)의 부분에서는 인물 간의 대화와 행동을 통해 인물의 처지와 성격을 드러내고 있다.

03 (다)의 연탄재는 땅을 훼손시키는 인간의 폭력으로까지 해석할 수 있다. 위 시의 '납'역시 자연물인 새를 파괴하는 인간의 폭력으로 맥락을 같이 할 수 있다.

04 (다)의 '땅을 아는 자'는 땅의 가치를 아는, 땅의 소중함을 아는 인물인데, ①의 작품에서 '흙은 생명의 태반'이라는 시구에서 땅의 소중함을 알고 있는 화자의 태도와 유사하다.

05 〈보기〉의 내용이 신도시 개발에 대한 내용이므로, 〈보기〉를 바탕으로 문제를 접근 했을 때에 가장 알맞은 답은 4번이다.

06 특정 인물(강 노인)의 시선을 중심으로 사건을 서술하였으나, 시점의 변화는 드러나지 않는다. 이 작품은 전지적 작가 시점으로 시점의 변화 없이 진행된다.

07 '6반장의 경우 강 노인한테만은 훨씬 우호적이다. 용민이네 가게에 세 든 탓도 있지만 임 씨가 애초 미용실 자리를 욕심냈다가 강 노인에게 퇴박을 당했던 까닭에 임 씨 스스로 강 노인에 대한 감정이 좋지 못하였다.'를 통해 알 수 있다.

09 강 노인의 땅에 대한 가치관으로 볼 때, 땅을 파는 것은 어떠한 경우에도 강 노인에게 이득이 될 수는 없다.

10 〈보기〉의 시는 국철에서 모자 장수와 만년필 장수에게서 물건을 사는 외국 남녀를 통해 타인과의 공존, 공동체적 삶에 대한 이야기를 하고 있다. 때문에 위 작품에서 강 노인의 개인적 가치관도 중요하지만 타인을 위해서 땅을 팔 수도 있는 생각이 필요하다는 것을 이야기해 줄 수 있다.

11 등장인물의 말과 행동을 통해 인물들이 추구하는 물질적 가치관, 정신적 가치관의 대립을 보여주며 사회 · 문화적 가치를 드러내고 있다.

12 햇살은 강 노인의 심정과 상반된 분위기로 볼 수 있으나 내적 갈등을 완화하는 역할을 하지는 않는다.

13 '원미동'이라는 구체적 지명을 제시함으로써 작품에 사실감을 부여하고 있다.

14 강 노인이 과거에 오르내리던 산의 모습을 보면서 '질기게도 오래 산다'는 부분을 통해 세월이 무심하게 흘러간 허망함을 볼 수 있다. 그러한 허망함을 잘 나타낸 시조는 ⑤이다.

15 강 노인의 자식들은 땅을 팔 것이라는 소문이 퍼진 후 강 노인의 처지를 걱정하기 보다는 자신들의 빚을 갚을 수 있을 것이라는 생각을 했을 것이다.

16 '1미터 팔십을 넘는 큰 키에 거대한 몸집을 가진 강 노인은 언제 보아도 막일꾼 차림새였다. 유난히 큰 코는 얼굴의 절반 이사을 차지하는 듯 싶고, 검붉은 얼굴과 어울리게끔 주먹코 또한 빨갛기가 딸기코 버금가는 빛깔이었다. 씩씩한 걸음걸이하며 노상 걷어붙인 채인 팔뚝의 꿈틀거리는 힘줄 따위를 보노라면 노인의 나이가 이제 칠순을 코앞에 둔 것이라고 어림잡기는 좀체 어려웠다. 목소리도 우렁차서, 그가 밭에서 일하다 말고 "용문아!" 하고 소리쳐 부르면 도로를 하나 건너서 백 미터쯤 떨어져 있는, 게다가 딱 뒤로 돌아앉은 그의 이층집에 있던 막내아들 용문이가 금세 튀어나오곤 했다.'에서 강 노인의 외양 묘사를 알 수 있으며 이를 통해 강 노인의 성격을 짐작해 볼 수 있다.

17 〈보기〉의 '나'는 과거의 고향에 기억과 현재의 고향의 모습에서 괴리감을 느끼고 있으나 '강 노인'의 상황에서 과거와 현재의 괴리감은 찾을 수 없다.

18 감언이설(甘言利說) : 남의 비위에 맞게 꾸민 달콤한 말과 이로운 조건을 내세워 꾀는 말.
대기만성(大器晩成) : 크게 될 사람은 늦게 이루어진다는 말.
명재경각(命在頃刻) : 금방 숨이 끊어질 지경에 이름. 거의 죽게 됨.
유비무환(有備無患) : 미리 준비가 되어 있으면 근심할 것이 없음.
전전반측(輾轉反側) : 걱정거리로 마음이 괴로워 잠을 이루지 못함

19 서울 바람은 신도시 개발 열풍을 일컫는 말로, 강 노인은 이러한 이유 때문에 땅을 파는 것이 아니라 자식들의 빚이 강 노인이 땅을 파게 될 것으로 만드는 가장 큰 요인이다.

20 (가)에서는 땅에 대한 강 노인의 인식, (나)에서는 아시안 젊은 남녀에 대한 화자의 인식을 통해서 강 노인의 정신적 가치관과, 화자의 공동체적 가치관이 드러난다.

21 땅을 팔아야 할 것이라는 부동산 부부의 말로 새로운 사건이 발생했음을 알 수있다.

22 쳐들다: 위로 들어 올리다. 같은 말 : 초들다(어떤 사실을 입에 올려서 말하다).

23 강 노인에게 있어 땅은 현재 생계를 이어나가는데 중요한 공간은 아니다.

24 자신의 땅에 대한 소중함이라는 정신적 가치관을 지키기 위해 물질적 가치관을 중시하는 세계와 대립하고 있다.

25 (가)의 연탄재와, (나)의 나무다리는 땅이 생명을 나누는 공간임을 보여주는 상징적인 소재가 아니라 연탄재는 땅에 대한 외부인들의 폭력성을, 나무다리는 전통적 가치관에 반하는 근대적 가치관을 표상하는 소재이다.

26 보조사 '도'는 역시의 의미를 내포한다. 때문에 '나'와 '저이들'의 처지가 동질적임을 드러내고 있다.

27 꽃샘바람을 통해 이른 봄이라는 사실은 알 수 있으나, 1980년대라는 시간적 배경을 알 수 있는 소재는 없다.

28 '원래는 부산에서 미장이 기술로 벌어먹었으나 어찌어찌 부천시 원미동까지 오게 된 주 씨네'를 통해 알 수 있다.

29 이 작품은 전지적작가시점으로, 작품 밖 서술자에 의해서 이야기가 서술되고 있다.

30 인분으로 농사를 지어서 주변에 나는 냄새 때문에 동네 사람들의 항의가 심했다.

31 마을의 골칫거리인 강 노인의 땅을 팔아서 신도시 개발을 하여 동네의 땅값을 올리려는 박 씨의 태도이다.

32 박씨와 강노인의 대화를 통해서 인물들이 처한 상황을 현장감 있게 제시하고 있다.

34 땅을 팔아야 하는 상황에서 강 노인이 느끼는 심경은 참담하고 절망적일 것이다. 이러한 정서에 비해 햇살이 내리쬐고 아이들이 평화롭게 놀고 있는 모습은 강 노인의 심경과는 대조되는 모습을 보여준다.

35 강 노인의 땅을 소중하게 생각하는 모습을 통해서 물질적 가치로서의 땅보다는 정신적 가치로서의 땅으로 바라보는 모습을 보이고 있다.

서술형 심화문제 P.167~171

01 연탄재, 팔팔 올림픽 등을 통해 1980년대를 배경으로 함을 알 수 있다.
02 강 노인은 땅을 팔아 큰 이익을 얻을 수 있음에도 불구하고 땅을 팔지 않는 것으로 보아 땅을 인간과 공존하는 생명의 공간으로 생각함을 알 수 있고, 박 씨는 강 노인이 땅을 팔게 하기 위해 회유하는 것으로 보아 땅을 물질적 가치로만 생각함을 알 수 있다.
03 강 노인이 빚독촉을 받은 후 아내에게 아무런 내색을 하지 않고 부동산으로 걸어가는 모습을 통해 강노인이 땅을 팔아 자식들의 빚을 갚아 줄 것임을 알 수 있다.
04 (1) 연탄재, 팔팔 올림픽, 도로 주변 미화 사업 (2) 씨, 것인가
05 ⓐ는 정신적 가치를, ⓑ는 현실적 가치를 중시한다.
06 집주인들, 강 노인의 밭이 동네의 격을 떨어뜨리고 집값 상승을 방해한다고 생각하기 때문이다.

(3) 책으로 세상 읽기

확인학습 P.173

객관식 기본문제 P.174~175

01 ④ 02 ② 03 ②

01 출생률을 높이는 어떠한 '정책'이 책정된 것은 아니며 또 이에 대한 반론도 드러나 있지 않다.
3문단에서는 적정인구의 수가 정확히 계산이 될 경우 이후 출생

률을 높이는 정책이 세워지는것에도 당위성을 얻을 것이라고 설명만 할 뿐이다.

02 ① 저출산에 대한 전문가의 견해는 이 글에 나타나지 않는다.
③ 기존의 저출산 대책은 이 글에 나타나지 않는다.
④ 저출산 현상에 대해 필자와 반대되는 견해는 이 글에 나타나지 않는다.
⑤ 위 글은 저출산 현상에 대해서만 다루고 있다.

03 국가의 제도적인 지원을 통해 취업난을 해결하는 것은 위 글에서 이야기한 실천 방안과는 거리가 멀다.

객관식 심화문제 P.176~178

01 ① 02 ③ 03 ② 04 ③
05 ④

02 2문단에서 '인구 감소는 생산 가능 인구를 축소해 노동력의 약화를 불러온다. 젊은 세대의 노인 부양 부담이 커질수록 세대 간 불화와 갈등이 심화되고, 국가의 복지 재정 부담도 점점 증가한다. 궁극적으로는 국가 경쟁력 자체가 떨어지게 된다.'와 같은 정보를 확인할 수 있다.

03 저출산 현상에 대해 통계자료로서 소개한 뒤 현상에 대한 문제점의 발생, 문제점의 해결 방안 등의 서술 방식으로 인과관계에 따라 내용을 전개하고 있다.

04 '국제 경쟁력을 떨어뜨리지 않으면서도 경제 활력을 불어넣을 수 있는 적정 인구가 정확하게 계산되면 출생률을 높이기 위한 정책의 당위성이 확보될 것이다.' 통해 생산 가능 인구를 늘리는 방향으로 정책을 마련해야 함을 알 수 있다.

05 ㉠의 ㉡관계는 해결방안과 실현 방법의 관계이다. 이러한 관계가 되지 않는 것은 ④이다.

서술형 심화문제 P.179

01 (1) 저출산이 심각하다는 사회적 공감대를 형성해야 한다.
(2) 국내 적정 인구의 규모를 오늘날에 맞게 정확히 계산해야 한다.

단원 종합평가 P.180~185

01 ③ 02 ④ 03 ④ 04 ②
05 ⑤ 06 ⑤ 07 ①
08 삶의 터전이자 인간과 함께 생명을 나누는 공간이다.
09 ① 10 ③

01 (가)는 텔레비전 매체를 활용한 뉴스로, 음성 언어와 영상만을 사용하지 않고, 문자 언어도 더불어 다양한 시청각 자료를 사용할 수 있다. 또한 어떤 사실에 대하여 객관적 정보를 제공하며, 인쇄 매체에 비해 많은 정보를 빠르게 전달할 수 있다. ㄷ.은 인터넷 매체를 활용의 성격이며, ㅁ.은 인쇄광고 매체의 성격이다.

02 (나)의 신문 기사에서는 어떠한 사건의 발생에 대한 기사가 아니므로 사건의 시간 순서에 따라 내용을 전개한다는 서술로 보기 어렵다.

03 (나)의 글쓴이의 의도는 정보 전달이며, (다)의 글쓴이의 의도는 축제로 사람들을 유도하는 의도가 담겨 있다.

04 (라)의 인터넷 기사는 보령 머드 축제의 문제점에 대해 서술하고 있는 기사이다. 그러므로 머드 축제에서 행해지는 공연에 환호하는 외국인들의 모습을 담은 동영상은 문제점을 효과적으로 드러내기 위한 추가 자료로 적절하지 않다.

05 '확충'은 '늘리고 넓혀 충실하게 함'의 의미이다. 5번 보기의 서로의 부족함을 늘리고 넓힌다는 의미는 적절하지 않다.

06 땅의 소중함을 알고 있는 강 노인의 땅에 대한 가치관이 잘 드러난 부분이다.

07 전지적 작가 시점으로 이 작품에서 작품 밖의 서술자는 특정 인물(강 노인)의 행동과 내면 심리를 중심으로 이야기를 전개해 나가고 있다.

09 '2016년 5월까지 국내 출산과 혼인 건수가 사상 최저치를 기록했다. 통계청이 발표한 '인구 동향'에 따르면 통계를 작성한 2000년 이래 올해 5월에 가장 적은 신생아가 태어났다. 지난 1월부터 5월까지 누계로도 신생아 수는 통계 작성 이후 가장 적다. 출산에 직접적인 영향을 미치는 혼인 건수도 계속 줄어 역대 가장 적은 수치를 나타냈다. 신생아와 혼인 건수의 감소 추세는 앞으로도 이어져 최저치를 계속 경신할 것으로 보인다.'의 도입부의 부분에서 통계 자료를 인용했음을 알 수 있다.

10 ① 윗글에서 중점적으로 다루고 있는 사회 문제는 고령화 현상이 아닌 저출산 현상이다.
② 국내 출생률을 높이기 위한 정부의 다양한 지원 정책이 부족함을 비판하는 것이 아니라, 사회 구성원들의 인식과 공감대, 육아 문화의 올바른 정착이 이루어지지 않았음을 지적한다.
④ 적정 인구가 정확하게 계산되면 출생률을 높이기 위한 정책의 당위성이 확보될 것이다.
⑤ 의무적으로 대가족 공동체를 복원해야 하는 것은 아니다.

(1) 고당류 음료의 가격을 올려야 한다.

확인학습
P.194

01 ○ 02 × 03 × 04 ○ 05 ○ 06 × 07 ○ 08 ×
09 ○ 10 ○

객관식 기본문제
P.195~198

01 ④	02 ④	03 ③	04 ③
05 ③	06 ②		

01 양측의 정책 시행으로 인한 결과를 예측하는 부분은 드러나지 않는다.

02 '하지만 고당류 음료에 부과된 세금이 직접적으로 국민 건강을 위해 쓰일지는 확신할 수 없습니다. 세금의 징수와 집행은 별개의 문제이며, 국민 건강을 위한 예산을 꼭 '설탕세'와 같은 정책을 통해 마련해야 하는 것도 아닙니다.' 통해 국민의 건강을 저해하는 요인에서 확보하는 것이 필요 하지 않음을 말하고 있다.

03 (나)의 내용은 가공식품을 통한 당류 섭취량이 상승했다는 통계 자료이다. 이 자료를 바탕으로는 당과 비만의 상관성이 미흡함을 지적할 수 없다.

04 ① 찬성 측의 입론에서 전문가의 말을 인용하는 부분은 찾을 수 없다. ② '비만율이 증가하고 있다는 것은 저희도 알고 있습니다.'로 근거가 사실과 다름을 지적하고 있지 않음을 알 수 있다. ④ 감정에 호소하고 있는 부분은 알 수 없다. ⑤ 당의 순기능에 대해 반대 측의 입론이었으므로 그에 대한 역기능은 새로운 쟁점 제시라고는 볼 수 없다.

05 위 자료는 6~29세 사이에 있는 청소년층이 탄산음료를 통해 당을 가장 많이 섭취함을 제시하는 자료이다. 따라서 C의 활용 방안으로 가장 적절하다.

06 ㄱ: '최근 세계 각국이 설탕과의 전쟁을 선언하고 '당 줄이기' 운동을 펼치고 있습니다. 우리나라 역시 '제1차 당류 저감 종합 계획'을 발표하여 2020년까지 가공식품을 통한 당 섭취량을 하루에 섭취하는 총열량의 10퍼센트 이내로 낮추겠다는 목표를 밝혔습니다.'를 통해 논제가 제시된 배경을 설명하고 있음을 알 수 있다. ㄷ: 사회자의 말의 끝부분에서 토론자들의 발언 순서와 성격을 지정해 줌을 알 수 있다.

객관식 & 서술형 심화문제
P.199~209

01 ① 02 ③

03 올바르다. 그렇게 판단한 이유는 교차조사는 상대측 입론의 논증에 대해 타당성과 적절성을 판단하여 논리적 오류를 부각시켜야 하는데, ㉠ 질문은 전체 유기견 중 10%도 안 되는 유기동물만 주인을 찾았다는 사실을 부각시켜, 찬성측이 주장하는 동물등록제의 효과가 실제로는 부족하다는 것을 보여주기 때문이다.

04 ⑤	05 ④	06 ⑤	07 ④
08 ③	09 ③	10 ③	11 ③
12 ⑤	13 ②	14 ①	15 ⑤
16 ③			

17 가공음료를 통한 당 섭취가 건강을 위협하는가?

01 ㄱ에서 배경 설명을 하는데 이는 토론을 지연하는 것은 아니다.

02 예상 독자의 수준을 고려하여 글을 쓰는 전략이 필요하다. 글의 설득력 보다는 이해가 우선이므로 친구들이 예상 독자라면 알기 쉬운 말을 써야 한다.

04 고당류 음료의 가격을 높여 소비를 줄여 당 섭취를 낮추자는 주장에서 주장이 관철될 경우의 기대효과는 없다.

05 사회자가 토론의 원만한 진행을 위해 갈등을 중재하는 모습은 보이지 않는다.

06 양측은 모두 우리나라 국민의 비만율이 증가하는 추세인 것은 인정하고 있다. 다만 그것이 온전히 당때문인지에 대해 의견이 갈리고 있다.

07 논제는 3가지로 분류된다. 사실논제, 정책논제, 가치논제인데, 사실논제는 말 그대로 사실 여부를 가리는 논제이다. 그 논제가 '사실'이라는 것이 명백하게 드러날 근거가 나타난다면 토론은 끝나게 된다. 아직 진실이 밝혀지지 않은 과거의 역사적 사실이나, 원인과 결과에 대한 논제, 범죄 성립 여부를 두고 법정에서 변호사와 검사 사이의 공방 등이 모두 사실논제에 해당된다. 가치논제는 옳은지 그른지, 바람직한지 아닌지, 좋은지 나쁜지 등의 가치판단이 쟁점이 되는 논제이다. 어떤 것이 가치가 있음을 주장하거나 반대로 가치가 없음을 주장할 수 있다. 또는, 특정 가치가 다른 어떤 가치보다 우선한다고 주장하는 등의 내용을 다룰 수 있다. 정책논제는 현 상황, 현 정책, 현 행동에 변화를 추구하는 문제를 논한다. 주로 '~을 해야 한다'는 형태의 논제가 된다. 논제는 변화해야 한다는 주장을 담아 표현한다. 그래서 변화를 주장하는 측이 '찬성측', 현 상황의 유지를 주장하는 측이 '반대측'이 되도록 논제를 만든다. 정책논제는 결국 사실과 가치에 대한 논의도 포함하기 때문에 교육 목적으로도 많이 활용된다.

08 상대방이 제기하는 문제점을 해결할 수 있는 대안으로 다른 성공 사례를 제시하고 있지 않다.

09 식품회사의 편법을 막기 위한 가격 규제에 대한 내용은 논제와 쟁점에 어긋난다.

10 찬성2의 교차조사에서는 다른 나라의 사례를 들어 반대측의

주장에 대해 반론을 제기하고 있다. 이부분에서 성급한 일반화의 오류를 범하고 있지 않다.

11 논제는 3가지로 분류된다. 사실논제, 정책논제, 가치논제인데, 사실논제는 말 그대로 사실 여부를 가리는 논제이다. 그 논제가 '사실'이라는 것이 명백하게 드러날 근거가 나타난다면 토론은 끝나게 된다. 아직 진실이 밝혀지지 않은 과거의 역사적 사실이나, 원인과 결과에 대한 논제, 범죄 성립 여부를 두고 법정에서 변호사와 검사 사이의 공방 등이 모두 사실논제에 해당된다. 가치논제는 옳은지 그른지, 바람직한지 아닌지, 좋은지 나쁜지 등의 가치판단이 쟁점이 되는 논제이다. 어떤 것이 가치가 있음을 주장하거나 반대로 가치가 없음을 주장할 수 있다. 또는, 특정 가치가 다른 어떤 가치보다 우선한다고 주장하는 등의 내용을 다룰 수 있다. 정책논제는 현 상황, 현 정책, 현 행동에 변화를 추구하는 문제를 논한다. 주로 '~을 해야 한다'는 형태의 논제가 된다. 논제는 변화해야 한다는 주장을 담아 표현한다. 그래서 변화를 주장하는 측이 '찬성측', 현 상황의 유지를 주장하는 측이 '반대측'이 되도록 논제를 만든다. 정책논제는 결국 사실과 가치에 대한 논의도 포함하기 때문에 교육 목적으로도 많이 활용된다.

12 반대 측의 입장으로서 식습관이 바뀌지 않는다는 근거는 문제 해결의 가능성이 낮다는 것의 근거가 될 수 있다.

13 인기있는 품목의 경우 가격이 올라도 줄어들지 않는다는 내용이다. 이는 과시적 소비와는 관련이 없다.

14 가공음료를 통해 당을 섭취한다는 내용은 있으나, 가공 음료를 청소년이 많이 마신다는 객관적 근거 자료는 없다.

15 보통 교차 신문식 토론에서는 찬성측은 현상 유지, 반대 측은 현상 변화의 측면에서 토론을 진행한다.

16 위의 토론에서는 토론자의 발언 내용을 요약하고 정리하는 부분은 없으며, 논제에 대한 의견을 제시하여 토론 참여를 유도하는 부분도 보이지 않는다.

(2) 내 생각에 귀 기울여 줄래요?

확인학습 P.212

01 ○ 02 ○ 03 ○ 04 × 05 ○ 06 ○ 07 × 08 ×
09 ○ 10 ○

객관식 기본문제 P.213~215

01 ④ 02 ② 03 ② 04 ①

01 실제 심폐 소생술 교육을 받은 사람의 말을 인용한 부분은 찾을 수 없다.

02 영상의 제시는 고쳐 쓰기 과정이 아니다.

03 심폐 소생술 비율이 증가함에도 심정지 환자의 생존률이 낮아진다는 것은 위 글과 맞지 않는 근거 자료이다.

04 윗 글의 심폐 소생술을 배우자는 주장은 글의 목적과 부합하므로 점검 결과는 O가 되어야 한다.

객관식 심화문제 P.216~220

01 ① 02 ④ 03 ③ 04 ④
05 ② 06 ② 07 ⑤ 08 ④
09 ④

01 첫 번째 문단에 사례가 등장하고, 두 번째 문단에서 질문을 던지는 방식을 사용했다.

02 자료 2에서는 일반인이 실시한 심폐 소생술 비율이 높아지고 있음을 알 수 있다.

03 '차라리'는 '예상한 것과 달리'의 뜻이 아니라 '저렇게 하는 것보다 이렇게 하는 것이 나음을 나타내는 말'이다.

04 '심폐 소생술'이 글쓴이의 관심 분야라고는 보기 어렵다.

05 주제가 글의 첫머리 부분에 나오지 않는다. 첫머리에는 흥미를 유발하기 위한 사례가 등장한다.

06 전문가 견해를 인용하여 자신의 주장이 타당함을 강조하고 있는 것은 찬성 측이다.

07 반대측의 입론의 내용 중 '국내 여론 역시 아직까지는 통일에 대한 부정적인 의견이 많습니다.'라는 주장에 대한 반박 근거로는 ⑤가 적절하다.

08 통일비용보다 통일 후 편익이 더 크므로 통일을 단기적으로 이룰지 장기적으로 이룰지에 대해 양측의 주장이 갈리고 있다.

09 교차조사토론의 다른 명칭은 CEDA토론이다.

서술형 심화문제 P.221~222

01 찬성 주장 측 입론자의 입론으로 시작한다.

02 (1) ㉡–문맥에 맞도록 단어가 적절히 제시되었는가. ㉢–문장의 필요한 성분을 모두 갖추고 있는가?
(2) ㉠–문맥에 맞도록 단어가 적절히 제시되었는가? ㉡–문장의 필요한 성분을 모두 갖추고 있는가? ㉢–조사나 어미가 적절하게 사용되었는가?

03 (1) 내가 전하고 싶은 말은 너희가 포기하지 않고 최선을 다하기를 바란다는 것이다.
(2) 비록 우리가 우승을 못 했지만 최선을 다했으니 경기는 이긴 것이나 다름없다.
(3) 이 가구는 최고급 제품으로서 100% 인도네시아산 원목으로써 만들어졌습니다.
(4) 우리는 세상에 순응하기도 하고 때로는 세상을 바꾸기도 한다.
(5) 이 세상에는 다양한 사람들이 있으며 성격도 제각각 다르다.

단원 종합평가 P.223~226

01 ③	02 ①	03 ⑤	04 ②
05 ④	06 ②	07 ③	

01 ㄴ. 교차 조사 토론은 정해진 절차가 있으며 준비된 말하기 자세가 필요하다.
ㄷ. 상대방의 의견이나 제안도 수용할 줄 알며 무조건 물리치기보다는 논리적으로 반박하는 자세가 필요하다.

02 현상 유지와 현상 변화에 대한 주제로 쓰기에 적절한 답은 ①이다.

03 반대 측의 '비만율이 증가하고 있다는 것은 저희도 알고 있습니다. 그런데 비만의 원인이 당 섭취에 있다고 단정하는 근거가 있나요?'라는 교차 조사를 하고 있다.

05 예상되는 반박에 대비한 해결방안의 제시는 나타나지 않는다.

06 청소년의 고카페인 음료 섭취량이 늘어나고 있는 상황에서 과도한 당의 섭취를 문제 삼고 있다. 이는 어떤 유익한 정보의 제공에 대한 내용은 아니다.

07 많은 가공 음료를 통해 당섭취를 하는 것이 쟁점이므로 음료의 종류는 이 토론의 내용과 상관이 없다.

MEMO

MEMO

MEMO

고등
국어

HIGH SCHOOL

실전기출
문제은행